KT-487-258

Ελπίζω
κάποιος
να με ακούει

Τίτλος πρωτοτύπου
RADIO SILENCE
Alice Oseman

Πρώτη ελληνική έκδοση
Ιανουάριος 2024

Μετάφραση
Βαγγέλης Γιαννίσης

Επιμέλεια κειμένου
Γιάννης Καπερναράκος

Προσαρμογή εξωφύλλου - Σελιδοποίηση
Έρση Σωτηρίου

Κεντρικά γραφεία
Αγ. Παρασκευής 40, 121 32 Περιστέρι
Τηλ.: 210 380 52 28, Fax: 210 330 04 39

Βιβλιοπωλείο Books & Life
Σόλωνος 93-95, 106 78 Αθήνα
Τηλ.: 210 330 07 74

www.dioptra.gr
e-mail: sales@dioptra.gr · info@dioptra.gr

ISBN: 978-618-220-483-2

Alice Oseman

γίνε αυτό
που πραγματικά
θες

Ελπίζω κάποιος να με ακούει

Radio Silence

διόπτρα

School sucks.
Why oh why is there work? I don’t – I don’t get it.
Mm.
Look at me. Look at my face.
Does it look like I care about school?
No.

Lonely boy goes to a rave, Teen Suicide

UNIVERSE CITY: ΕΠ. 1 – σκούρο μπλε

UniverseCity 109.982 views

Βοήθεια. Έχω ξεμείνει στο Universe City. Στείλτε βοήθεια.

Δείτε παρακάτω για την απομαγνητοφώνηση >>>

Γεια σας.

Ελπίζω κάποιος να με ακούει.

Καλώ μέσω ραδιοκυμάτων –ξέρω, είναι απαρχαιωμένη μέθοδος, αλλά ίσως είναι από τις ελάχιστες που το City δεν ελέγχει– σε μια *μάταιη* και *απεγνωσμένη* προσπάθεια να ζητήσω βοήθεια.

Τα πράγματα στο Universe City δεν είναι όπως φαίνονται.

Δεν μπορώ να σας πω ποιος είμαι. Μπορείτε να με λέτε... ας με λέτε Radio. *Radio Silence*. Είμαι εξάλλου μονάχα μια φωνή στο ράδιο και ίσως να μη με ακούει και κανείς.

Αναρωτιέμαι... αν κανείς δεν ακούει τη φωνή μου, τότε βγάζω καθόλου ήχο;

[...]

ΜΕΛΛΟΝ

«ΤΟ ΑΚΟΥΣ;» ρώτησε η Κάρις Λαστ και σταμάτησε μπροστά μου τόσο απότομα που παραλίγο να πέσω πάνω της. Σταθήκαμε και οι δύο στο μέσο της πλατφόρμας του σιδηροδρομικού σταθμού. Ήμασταν δεκαπέντε χρονών και, φυσικά, φίλες.

«Τι πράγμα;» είπα, επειδή δεν μπορούσα να ακούσω τίποτα πέραν της μουσικής που άκουγα από το ένα μου ακουστικό. Νομίζω έπαιζαν οι Animal Collective.

Η Κάρις γέλασε, κάτι που δεν συνέβαινε και πολύ συχνά. «Ακούς μουσική τέρμα δυνατά», είπε. Τύλιξε ένα δάχτυλο γύρω από το καλώδιο του ακουστικού και το τράβηξε. «Άκου».

Μείναμε ακίνητες, αμίλητες και θυμάμαι τα πάντα που άκουσα εκείνη τη στιγμή: τον σαματά του τρένου από το οποίο είχαμε μόλις κατέβει. Έφευγε από τον σταθμό και συνέχιζε για να διασχίσει την πόλη. Άκουσα τον ελεγκτή στην πύλη των εισιτηρίων που εξηγούσε σε έναν ηλικιωμένο ότι το δρομολόγιο της ταχείας (του γρήγορου τρένου δηλαδή) για τον σταθμό του Σεντ Πάνκρας είχε ακυρωθεί εκείνη τη μέρα εξαιτίας της χιονόπτωσης. Άκουσα τη μακρινή βαβούρα της κίνησης, τον άνεμο που φυσούσε, το καζανάκι από τις τουαλέτες του σταθμού και *«το τρένο που φτάνει στην Πλατφόρμα Ένα είναι το τρένο των 8:02 για Ράμσγκεϊτ»*. Άκουγα το χιόνι που το φτυάριζαν, έναν κινητήρα, τη φωνή της Κάρις και...

Φλόγες.

Κάναμε μεταβολή και κοιτάξαμε την πόλη που απλωνόταν χιονισμένη και νεκρή. Κανονικά θα έπρεπε να βλέπουμε το σχολείο μας από δω, αλλά σήμερα μας εμπόδιζε ο καπνός.

«Πώς και δεν προσέξαμε τον καπνό ενώ ήμασταν στο τρένο;» ρώτησε η Κάρις.

«Κοιμόμουν», απάντησα.

«Εγώ όχι».

«Δεν πρόσεχες».

«Κοίτα να δεις που το σχολείο κάηκε», είπε και πήγε να καθίσει σε ένα από τα παγκάκια του σταθμού. «Η ευχή της επτάχρονης Κάρις μόλις πραγματοποιήθηκε».

Την παρατήρησα για λίγο άφωνη και έπειτα πήγα να καθίσω δίπλα της.

«Λες να ήταν εκείνοι οι φαρσέρ;» ρώτησα. Αναφερόμουν στους ανώνυμους bloggers που σκάρωναν φάρσες στο σχολείο μας τον τελευταίο μήνα, η μία χειρότερη από την άλλη.

Η Κάρις σήκωσε τους ώμους. «Έχει καμία σημασία; Το αποτέλεσμα παραμένει το ίδιο».

«Έχει σημασία». Εκείνη τη στιγμή το συνειδητοποίησα. «Είναι... τα πράγματα φαίνονται σοβαρά. Θα αναγκαστούμε να αλλάξουμε σχολείο. Μου φαίνεται πως ολόκληρη η πτέρυγα Γ και η Δ έχουν... έχουν εξαφανιστεί». Τσαλάκωσα τη φούστα με τα χέρια. «Το ερμάριό μου ήταν στην πτέρυγα Δ. Το άλμπουμ ζωγραφικής μου του GCSE* ήταν εκεί μέσα. Και το δούλευα πολύ καιρό για μέρες ολόκληρες».

«Γαμώτο».

Ανατρίχιασα. «Γιατί να κάνουν κάτι τέτοιο; Κατέστρεψαν τόση σκληρή δουλειά, κατέστρεψαν τόσο υλικό από τα GCSE και τα A levels**, τα χρειαζόμασταν όλα αυτά για το μέλλον μας, για να μπούμε στο πανεπιστήμιο. Κυριολεκτικά κατέστρεψαν τις ζωές τόσου κόσμου».

Η Κάρις το σκέφτηκε και άνοιξε το στόμα της για να απαντήσει, αλλά τελικά το ξανάκλεισε και δεν είπε τίποτα.

* Γενικό Πιστοποιητικό Δευτεροβάθμιας Εκπαίδευσης. (Σ.τ.Μ.)

** Μαθήματα στα οποία εξετάζονται οι μαθητές στη Μεγάλη Βρετανία προκειμένου να περάσουν στη σχολή προτίμησής τους. (Σ.τ.Μ.)

Ι. ΘΕΡΙΝΟ ΤΡΙΜΗΝΟ

α)

ΗΜΟΥΝ ΕΞΥΠΝΗ

«ΝΟΙΑΖΟΜΑΣΤΕ ΓΙΑ ΤΗΝ ΕΥΤΥΧΙΑ *των μαθητών μας και νοιαζόμαστε* για την επιτυχία τους», είπε η διευθύντριά μας, η δρ Αφολαγιάν, μπροστά στους τετρακόσιους γονείς και μαθητές. Βρισκόμασταν στη συγκέντρωση γονέων του θερινού τριμήνου για τους μαθητές της προτελευταίας τάξης του Λυκείου. Ήμουν δεκαεπτά ετών και πρόεδρος του δεκαπενταμελούς. Καθόμουν στα παρασκήνια, σε δύο λεπτά θα ερχόταν η σειρά μου να βγάλω λόγο. Παρόλο που δεν είχα προσχεδιάσει τον λόγο μου, δεν ένιωθα καθόλου άγχος. Ήμουν τόσο ικανοποιημένη με τον εαυτό μου.

«Θεωρούμε *χρέος* μας να εξασφαλίζουμε στους νεαρούς μαθητές μας την ευκαιρία να διεκδικήσουν μια θέση στα καλύτερα εκπαιδευτικά ιδρύματα που υπάρχουν σήμερα στον κόσμο».

Είχα καταφέρει να γίνω πρόεδρος πέρσι χάρη στην αφίσα της προεκλογικής μου εκστρατείας: μια φωτογραφία μου με προγούλι. Επίσης, είχα χρησιμοποιήσει τη λέξη «μιμίδιο» στην προεκλογική μου ομιλία. Έτσι, δημιούργησα την εντύπωση ότι δεν έδινα δεκάρα για την εκλογή μου, παρόλο που δεν ήταν αλήθεια κάτι τέτοιο, φυσικά. Σε κάθε περίπτωση, αυτές οι μικρές κινήσεις παρακίνησαν τους περισσότερους να με ψηφίσουν. Κανείς δεν μπορεί να με κατηγορήσει πως δεν ξέρω καλά το κοινό μου.

Παρ' όλα αυτά, δεν ήμουν σίγουρη τι θα έλεγα μπροστά στους γονείς. Η Αφολαγιάν έλεγε ό,τι είχα σημειώσει κι εγώ στο διαφημιστικό φυλλάδιο ενός κλαμπ –το οποίο είχα βρει τυχαία στην τσέπη του μπλέιζερ μου– πριν από ένα πεντάλεπτο.

«Το πρόγραμμά μας για εισαγωγή στην Οξφόρδη είχε ιδιαίτερη επιτυχία φέτος...»

Τσαλάκωσα το φυλλάδιο και το πέταξα κάτω. Θα αυτοσχεδίαζα. Επειδή είχα αυτοσχεδιάσει σε διάφορες ομιλίες στο παρελθόν, πλέον είχα εξασκηθεί τόσο πολύ στον αυτοσχεδιασμό, που κανείς δεν το καταλάβαινε. Ούτε καν *αναρωτιόντουσαν* εάν είχα αυτοσχεδιάσει. Είχα τη φήμη της οργανωμένης μαθήτριας που πάντοτε έκανε τα μαθήματά της, έπαιρνε καλούς βαθμούς και φιλοδοξούσε να μπει στο Κέιμπριτζ. Οι καθηγητές μου με λάτρευαν και οι συμμαθητές μου με ζήλευαν.

Ήμουν έξυπνη.

Ήμουν η καλύτερη μαθήτρια του έτους μου.

Θα σπούδαζα στο Κέιμπριτζ, θα έβρισκα μια καλή δουλειά, θα έβγαζα έναν σκασμό λεφτά και θα γινόμουν ευτυχισμένη.

«Και πιστεύω», είπε η δρ Αφολαγιάν, «πως οι καθηγητές μας αξίζουν ένα χειροκρότημα για τη σκληρή δουλειά τους αυτή τη σχολική χρονιά».

Το κοινό χειροκρότησε, ωστόσο είδα ορισμένους μαθητές να γυρίζουν τα μάτια τους ανάποδα.

«Και τώρα, θα ήθελα να σας παρουσιάσω την πρόεδρο του μαθητικού συμβουλίου μας, τη Φράνσις Ζανβιέγ».

Πρόφερε το επώνυμό μου λάθος. Μπορούσα να δω τον Ντάνιελ Τζουν, τον άλλο πρόεδρο, να με παρακολουθεί από την απέναντι πλευρά της σκηνής. Ο Ντάνιελ με μισούσε επειδή ήμασταν και οι δυο μας, ως μαθητές, ακούραστες μηχανές διαβάσματος.

«Η Φράνσις από τότε που ήρθε στο σχολείο μας, πριν από μερικά χρόνια, παίρνει σταθερά υψηλή βαθμολογία και είναι πραγματικά τιμή μου που φέτος εκπροσωπεί τις αξίες αυτής της Ακαδημίας. Θα σας μιλήσει σήμερα για τις εμπειρίες της ως μαθήτρια της Β′ Λυκείου στην Ακαδημία και για τα μελλοντικά της σχέδια».

Σηκώθηκα, ανέβηκα στη σκηνή, χαμογέλασα και αισθάνθηκα πραγματική χαρά. Γεννήθηκα για τέτοιες στιγμές.

Η ΑΦΗΓΗΤΡΙΑ

«ΠΕΣ ΜΟΥ ότι δεν θα αυτοσχεδιάσεις ξανά, Φράνσις», μου είχε πει η μαμά μου ένα τέταρτο νωρίτερα. «Την τελευταία φορά ολοκλήρωσες τον λόγο σου σηκώνοντας τον αντίχειρά σου».

Μου έκανε παρέα στον διάδρομο έξω από την είσοδο της σκηνής.

Η μαμά μου λατρεύει τις συνελεύσεις γονέων, κυρίως επειδή λατρεύει τα κοφτά, μπερδεμένα βλέμματα του κόσμου όταν συστήνεται ως η μητέρα μου. Αυτό συμβαίνει επειδή είμαι μιγάδα και εκείνη λευκή και για κάποιο λόγο οι περισσότεροι πιστεύουν ότι είμαι ισπανόφωνη επειδή πέρσι έκανα ιδιαίτερα μαθήματα ισπανικών.

Επίσης λάτρευε να ακούει τους καθηγητές να της λένε ξανά και ξανά πόσο άριστη ήμουν.

Της έδειξα το διαφημιστικό φυλλάδιο. «Καλά, για τι με πέρασες; Δεν βλέπεις πόσο προετοιμασμένη είμαι;»

Η μαμά το άρπαξε και το ξεκοκάλισε. «Έχεις γράψει κυριολεκτικά τρία πράγματα εδώ. Το ένα λέει "πες κάτι για το Ίντερνετ"».

«Και είναι αρκετό. Ξέρεις, η κόρη σου είναι εξασκημένη στην τέχνη του μπλα μπλα».

«Αυτό το ξέρω καλά». Η μαμά μού έδωσε το φυλλάδιο και έγειρε στον τοίχο. «Αλλά θα μπορούσες να αποφύγεις να μιλάς ξανά επί τρία λεπτά για το *Game of Thrones*».

«Δεν θα σταματήσεις ποτέ να μου τη λες, έτσι;»

«Ποτέ».

Σήκωσα τους ώμους. «Έχω έτοιμα τα κύρια σημεία μου. Είμαι έξυπνη, θα πάω στο πανεπιστήμιο μπλα μπλα μπλα βαθμοί, επιτυχία, ευτυχία. Το 'χω».

Μερικές φορές ένιωθα πως μόνο για αυτά μιλούσα. Η ευφυΐα μου, εξάλλου, ήταν η κύρια πηγή της αυτοπεποίθησής μου. Είμαι θλιβερή γενικά, με κάθε σημασία της λέξης, τουλάχιστον όμως θα μπω στο πανεπιστήμιο.

Η μαμά σήκωσε το ένα της φρύδι. «Αγχώνομαι μαζί σου».

Προσπάθησα να μην το σκέφτομαι, έτσι επικεντρώθηκα στα αποψινά μου σχέδια.

Το βράδυ θα γύριζα σπίτι, θα έφτιαχνα καφέ, θα έτρωγα ένα κομμάτι κέικ, θα ανέβαινα στο δωμάτιό μου, θα καθόμουν στο κρεβάτι μου και θα άκουγα το τελευταίο επεισόδιο του *Universe City*. Το *Universe City* είναι ένα podcast στο YouTube με πρωταγωνιστή έναν φοιτητή-ντετέκτιβ, ο οποίος ψάχνει τρόπο να δραπετεύσει από ένα πανεπιστήμιο επιστημονικής φαντασίας γεμάτο τέρατα. Κανείς δεν ξέρει ποιος δημιουργεί το podcast, αλλά έχω εθιστεί στη φωνή του αφηγητή – η χροιά του είναι τόσο απαλή. Σε νανουρίζει τόσο γλυκά! Και σε κάνει να νιώθεις λες και κάποιος σου χαϊδεύει με ωραίο τρόπο τα μαλλιά.

Αυτό θα έκανα με το που γύριζα σπίτι.

«Είσαι σίγουρη ότι το 'χεις;» με ρώτησε η μαμά. Πάντοτε με

ρωτούσε το ίδιο πράγμα πριν από κάθε ομιλία μου, οπότε ήταν κάτι που γινόταν αρκετά συχνά.

«Είμαι σίγουρη, μαμά, ναι».

Μου ίσιωσε τον γιακά του μπλέιζερ μου και άγγιξε με το ένα δάχτυλο την ασημένια καρφίτσα που αποδείκνυε ότι ήμουν πρόεδρος.

«Μπορείς να μου θυμίσεις γιατί ήθελες να γίνεις πρόεδρος;» με ρώτησε.

«Επειδή κάνω καλή δουλειά», της απάντησα, αλλά από μέσα μου σκεφτόμουν *επειδή το ζητούν τα πανεπιστήμια, φυσικά.*

ΠΕΘΑΙΝΩ, ΑΛΛΑ ΜΕ ΩΡΑΙΟ ΤΡΟΠΟ

ΕΙΠΑ ΑΥΤΑ ΠΟΥ ΕΙΧΑ ΝΑ ΠΩ, κατέβηκα από τη σκηνή και έριξα μια ματιά στο κινητό μου, μια και δεν το είχα τσεκάρει όλο το απόγευμα. Και τότε το είδα. Το μήνυμα στο Twitter που θα άλλαζε τη ζωή μου. Για πάντα.

Έβηξα έκπληκτη, βούλιαξα σε μια πλαστική καρέκλα και άρπαξα τον πρόεδρο Ντάνιελ Τζουν σφιχτά από το μπράτσο.

«Άουτς! Τι έγινε;» μου ψιθύρισε

«Κάτι σημαντικό στο Twitter».

Ο Ντάνιελ, που μέχρι να ακούσει τη λέξη Twitter φάνηκε να ενδιαφέρεται κάπως, συνοφρυώθηκε και τράβηξε το χέρι του. Σούφρωσε τη μύτη του και με κοίταξε λες και είχα κάνει κάτι ντροπιαστικό.

Το βασικό που πρέπει να γνωρίζετε για τον Ντάνιελ Τζουν είναι πως πιθανότατα θα έφτανε στο σημείο να αυτοκτονήσει αν πίστευε ότι με αυτό τον τρόπο θα έπαιρνε καλύτερους βαθμούς. Για πολλούς ήμασταν ίδιοι. Και οι δύο ήμασταν έξυπνοι, και οι δύο στοχεύαμε να περάσουμε στο Κέιμπριτζ, και τους δύο μας αντιμετώπιζαν ως θεούς του διαβάσματος που έλαμπαν μέσα στο φως καθώς πετούσαν ψηλά πάνω από το σχολείο.

Η διαφορά μας ήταν πως εγώ έβρισκα την «έχθρα» μας εντελώς γελοία, ενώ ο Ντάνιελ συμπεριφερόταν λες και ήμασταν σε πόλεμο για το ποιος θα ανακηρυσσόταν το μεγαλύτερο φυτό.

Anyway.

Έγιναν *δύο* σημαντικά πράγματα. Το πρώτο ήταν αυτό:

@UniverseCity σας ακολουθεί

Και το δεύτερο ήταν το μήνυμα στην «Τουλούζ», το διαδικτυακό μου ψευδώνυμο:

Μηνύματα > **με τον χρήστη Radio**

γεια σου τουλούζ! θα σου φανεί παράξενο, αλλά έχω δει τα σκίτσα που έχεις ποστάρει για το Universe City και τα έχω λατρέψει

αναρωτιόμουν μήπως θα ήθελες να φτιάχνεις σκίτσα για τα επεισόδια του Universe City

ψάχνω να βρω κάποιον που θα αποδώσει σωστά το στιλ του podcast και πραγματικά λατρεύω τα έργα σου.

Το Universe City είναι μη κερδοσκοπικό podcast, οπότε δεν μπορώ να σε πληρώσω και καταλαβαίνω αν αυτό σε δυσκολεύει, αλλά νομίζω πως σου αρέσει πραγματικά

η σειρά και αναρωτιόμουν αν θα σε ενδιέφερε. φυσικά

θα αναφερθεί το όνομά σου. μακάρι να μπορούσα να σε πληρώσω αλλά δεν έχω λεφτά

(είμαι μαθητής). ναι. πες μου αν σε ενδιαφέρει. αν όχι, να ξέρεις ότι μου αρέσουν πολύ οι ζωγραφιές σου. οκ.

radio

«Άντε, πες», είπε ο Ντάνιελ και γύρισε ανάποδα τα μάτια του αγανακτισμένος. «Τι έγινε;»

«Κάτι σημαντικό», ψιθύρισα.

«Ναι, αυτό το κατάλαβα».

Ξαφνικά συνειδητοποίησα ότι δεν μπορούσα να το μοιραστώ με κανέναν. Σιγά μην ήξεραν τι ήταν το *Universe City*. Άσε που μάλλον θα πίστευαν ότι το σκιτσάρισμα με θέμα το αγαπημένο σου podcast είναι ένα χόμπι κάπως... περίεργο. Θα έλεγαν ότι στην πραγματικότητα ζωγράφιζα τσόντες στα κρυφά, θα έψαχναν να βρουν το Tumblr μου για να διαβάσουν όλες μου τις προσωπικές αναρτήσεις και, κάπως έτσι, θα ερχόταν η καταστροφή: «*Η πρώτη μαθήτρια και πρόεδρος του σχολείου, Φράνσις Ζανβιέρ, είναι φρικιό, σύμφωνα με αποκαλύψεις*».

Καθάρισα τον λαιμό μου. «Ε... δεν θα σε ενδιέφερε. Άσε καλύτερα».

«Καλά λοιπόν». Ο Ντάνιελ κούνησε το κεφάλι του και γύρισε αλλού.

Το *Universe City*. Με είχε διαλέξει. Εμένα. Για να κάνω τα σκίτσα.

Ένιωθα πως πεθαίνω, αλλά με ωραίο τρόπο.

«Φράνσις;» είπε κάποιος χαμηλόφωνα. «Είσαι καλά;»

Σήκωσα το κεφάλι και ήρθα καταπρόσωπο με τον Άλεντ Λαστ, τον κολλητό του Ντάνιελ.

Ο Άλεντ Λαστ έμοιαζε διαρκώς με νιάνιαρο που είχε χάσει τη μαμά του στο σούπερ μάρκετ. Μάλλον επειδή έμοιαζε τόσο μικρός, με τα στρογγυλά του μάτια και τα απαλά σαν μωρού μαλλιά του. Και πάντα σου έδινε την εντύπωση ότι δεν αισθάνεται άνετα με τα ρούχα που φοράει.

Δεν πήγαινε στο σχολείο μας – πήγαινε σε ένα σχολείο αρρένων στην άλλη πλευρά της πόλης και, παρόλο που ήταν μονάχα τρεις μήνες μεγαλύτερός μου, με περνούσε μία τάξη. Οι περισσότεροι τον ήξεραν από τον Ντάνιελ. Εγώ τον γνώριζα επειδή έμενε απέναντί μου και παίρναμε το ίδιο τρένο για να πάμε σχολείο.

Ο Άλεντ Λαστ καθόταν δίπλα στον Ντάνιελ και με παρατηρούσε να βαριανασαίνω στην καρέκλα. Κρίντζαρε κάπως. «Εμ, συγγνώμη, ξέρεις, βασικά μοιάζεις λες και είσαι έτοιμη να ξεράσεις» είπε.

Προσπάθησα να πω κάτι δίχως να ξεσπάσω σε υστερικά γέλια ευτυχίας και ενθουσιασμού.

«Καλά είμαι», είπα χαμογελώντας και πιθανότατα χαμογελούσα τόσο περίεργα που φαινόμουν έτοιμη να δολοφονήσω κάποιον. «Γιατί είσαι εδώ; Για τον Ντάνιελ;»

Σύμφωνα με φήμες, ο Άλεντ με τον Ντάνιελ ήταν αχώριστοι από μικροί, παρόλο που ο Ντάνιελ ήταν ένας σνομπ, ξεροκέφαλος μαλάκας και ο Άλεντ έλεγε γύρω στις πενήντα λέξεις τη μέρα.

«Ε, όχι», είπε τόσο χαμηλόφωνα που μετά βίας τον άκουσα,

ως συνήθως. Φαινόταν έντρομος. «Η δρ Αφολαγιάν ήθελε να βγάλω λόγο... για το πανεπιστήμιο».

Τον κοίταξα. «Μα δεν πας στο σχολείο μας».

«Ε, όχι».

«Τότε;»

«Ήταν ιδέα του κυρίου Σάνον». Ο κύριος Σάνον ήταν ο διευθυντής στο σχολείο του Άλεντ. «Και καλά για να συσφιχθούν οι δεσμοί ανάμεσα στα σχολεία μας. Υποτίθεται πως ένας φίλος μου θα το έκανε... ήταν ο πρόεδρος πέρσι... αλλά έχει δουλειές... έτσι... μου ζήτησε να το κάνω εγώ... ναι».

Ο τόνος της φωνής του Άλεντ χαμήλωνε όσο μιλούσε, λες και δεν πίστευε ότι τον άκουγα, παρόλο που το βλέμμα μου ήταν στραμμένο απευθείας πάνω του.

«Κι εσύ δέχτηκες;»

«Ναι».

«*Γιατί;*»

Ο Άλεντ γέλασε. Έτρεμε.

«Γιατί είναι χαζός», είπε ο Ντάνιελ και σταύρωσε τα χέρια.

«Ναι», μουρμούρισε ο Άλεντ χαμογελαστός.

«Δεν χρειάζεται να το κάνεις», του είπα. «Μπορώ να τους πω ότι αρρώστησες και όλα καλά».

«Πρέπει να το κάνω», είπε.

«Αν δεν το θες, δεν χρειάζεται να το κάνεις», επέμεινα, αλλά ήξερα ότι δεν ίσχυε κάτι τέτοιο. Το ίδιο και ο Άλεντ, καθώς γέλασε και κούνησε το κεφάλι του.

Δεν είπαμε τίποτα άλλο.

Η Αφολαγιάν ήταν και πάλι στη σκηνή. «Και τώρα, θα ήθελα να καλωσορίσω τον Άλεντ Λαστ, έναν από τους *ξεχωριστούς* τελειόφοιτους του σχολείου αρρένων, ο οποίος θα πάει τον Σεπτέμβριο σε ένα από τα πιο διαπρεπή πανεπιστήμια της Μεγάλης Βρετανίας. Αν, δηλαδή, τα καταφέρει στις εξετάσεις του!»

Οι γονείς γέλασαν. Όχι όμως ο Ντάνιελ, ο Άλεντ κι εγώ.

Η Αφολαγιάν και οι γονείς χειροκροτούσαν τον Άλεντ, που ανέβηκε στη σκηνή. Πλησίασε το μικρόφωνο. Προσωπικά, το είχα κάνει χιλιάδες φορές και πάντα ένιωθα το στομάχι μου να σφίγγεται, αλλά να βλέπω τον Άλεντ να το κάνει ήταν τρισχειρότερο.

Δεν είχαμε ξαναμιλήσει με τον Άλεντ ποτέ. Παίρναμε το ίδιο τρένο για το σχολείο, μα καθόμασταν σε διαφορετικά βαγόνια και δεν μιλούσαμε ποτέ μεταξύ μας. Οριακά, δεν ήξερα τίποτα για εκείνον.

«Εμ, ναι», είπε. Η φωνή του ακουγόταν λες και μόλις είχε σταματήσει να κλαίει.

«Δεν ήξερα πως ήταν τόσο ντροπαλός», ψιθύρισα στον Ντάνιελ, αλλά εκείνος δεν είπε τίποτα.

«Πέρσι, που λέτε, εμ, είχα μια συνέντευξη...»

Ο Ντάνιελ κι εγώ τον παρακολουθούσαμε να βγάζει με δυσκολία τον λόγο του. Ο Ντάνιελ, πολύ έμπειρος ομιλητής, όπως κι εγώ άλλωστε, κουνούσε κάθε τόσο το κεφάλι του προβληματισμένος. «Έπρεπε να είχε αρνηθεί, ρε γαμώτο», είπε κάποια στιγμή. Δεν μου άρεσε αυτό που έβλεπα. Έτσι, κάθισα στην καρέκλα μου σε όλο το δεύτερο μισό της ομιλίας και διάβασα τα μηνύματα στο Twitter άλλες πενήντα φορές. Προσπάθησα να πετάξω τις άσχετες σκέψεις από το μυαλό μου και να συγκεντρωθώ στο *Universe City* και στα μηνύματα. Οι ζωγραφιές μου άρεσαν στο Radio! Χαζά σκίτσα των χαρακτήρων, παράξενες ζωγραφιές της μίας γραμμής, μουτζούρες που είχα φτιάξει στις τρεις τα ξημερώματα στο φθηνό μου μπλοκ – την ώρα που θα έπρεπε να ολοκληρώνω την εργασία μου στην Ιστορία. Πρώτη φορά μου συνέβαινε κάτι τέτοιο.

Όταν ο Άλεντ κατέβηκε από τη σκηνή, ήρθε να μας βρει.

«Μπράβο, ήσουν εξαιρετικός!» του είπα, παρόλο που ξέραμε ότι έλεγα ψέματα.

Με κοίταξε στα μάτια. Είχε μπλαβιές σακούλες κάτω από τα δικά του. Μάλλον ήταν και εκείνος νυχτοπούλι.

«Ευχαριστώ», είπε και έφυγε. Εκείνη τη στιγμή πίστευα πως ήταν η τελευταία φορά που τον έβλεπα.

ΚΑΝΕ Ο,ΤΙ ΘΕΣ

Η ΜΑΜΑ ΙΣΑ ΠΟΥ ΠΡΟΛΑΒΕ να με συγχαρεί για τον λόγο μου όταν τη συνάντησα στο αυτοκίνητο. Άρχισα να της λέω κατευθείαν για το *Universe City*. Κάποτε προσπάθησα να την κάνω και εκείνη φανατικιά του *Universe City* αναγκάζοντάς τη να ακούσει τα πρώτα πέντε επεισόδια καθώς πηγαίναμε στην Κορνουάλη διακοπές. «Δεν μπορώ να καταλάβω», είπε τελικά η μαμά. «Υποτίθεται πως είναι κωμωδία ή θρίλερ; Κι αυτός ο χαρακτήρας, το Radio Silence, είναι κορίτσι ή αγόρι; Ή τίποτα από τα δύο; Γιατί δεν πατάει στα μαθήματα του πανεπιστημίου;» Και, οκέι, τη νιώθω. Τουλάχιστον βλέπουμε μαζί το *Glee*.

«Είσαι σίγουρη πως δεν είναι καμιά απάτη;» ρώτησε η μαμά συνοφρυωμένη καθώς φεύγαμε με το αυτοκίνητο από την Ακαδημία. Κάθισα οκλαδόν στο κάθισμα. «Φοβάμαι πως προσπαθούν να κλέψουν τα έργα σου, αφού δεν θα σε πληρώσουν».

«Μα, έστειλε από το επίσημο account στο Twitter. Είναι επαληθευμένος», είπα, αλλά η μαμά δεν πειθόταν τότε τόσο εύκολα όσο εγώ. «Του άρεσαν πολύ τα έργα μου και μου ζήτησε να μπω στην ομάδα του!»

Δεν είπε τίποτα, παρά μόνο σήκωσε τα φρύδια της.

«Νιώσε λίγη χαρά για μένα», παραπονέθηκα και γύρισα το κεφάλι μου προς το μέρος της.

«Είναι εξαιρετικό! Υπέροχο! Απλώς, αφού αγαπάς τα σκίτσα σου, δεν θέλω να στα κλέβουν».

«Μα δεν το βλέπω ως κλοπή! Θα αναφέρουν το όνομά μου».

«Έχεις υπογράψει συμβόλαιο;»

«*Ρε μαμά!*» διαμαρτυρήθηκα. Δεν είχε νόημα να της εξηγώ. «Δεν έχει σημασία, θα του πω όχι».

«Περίμενε, τι εννοείς;»

Σήκωσα τους ώμους.

«Δεν θα έχω χρόνο. Σε μερικούς μήνες θα είμαι στην τελευταία τάξη, θα έχω *συνέχεια* διαβάσματα, βάλε και την προετοιμασία για τη συνέντευξη στο Κέιμπριτζ... δεν παίζει να βρίσκω χρόνο να σχεδιάζω κάτι κάθε εβδομάδα για κάθε επεισόδιο».

Η μαμά συνοφρυώθηκε.

«Δεν καταλαβαίνω. Νόμιζα πως ήσουν ενθουσιασμένη».

«*Είμαι*, είναι απίστευτο που μου έστειλε μήνυμα και του άρεσαν τα έργα μου, αλλά... πρέπει να δω τα πράγματα ρεαλιστικά, όπως μου λες εσύ συνήθως».

«Ξέρεις, τέτοιες ευκαιρίες δεν παρουσιάζονται συχνά», είπε η μαμά. «Και φαίνεται πόσο το θες».

«Ναι, αλλά... έχω τόσα διαβάσματα και εργασίες κάθε μέρα, οι επαναλήψεις θα γίνουν πιο απαιτητικές...»

«Νομίζω πως πρέπει να το κάνεις». Η μαμά κοιτούσε στην ευθεία και έστριβε ελαφρά το τιμόνι. «Πιστεύω πως ούτως ή άλλως διαβάζεις υπερβολικά. Ορισμένες φορές πρέπει να αρπάζουμε την ευκαιρία να κάνουμε αυτό που πραγματικά θέλουμε».

Και αυτό που ήθελα να κάνω ήταν αυτό:

Μηνύματα > με Radio

Γεια!! Ουάου... ευχαριστώ πάρα πολύ, δεν το πιστεύω πως σου αρέσουν τα έργα μου! Θα ήταν τιμή μου να με έπαιρνες στην ομάδα σου!

Το e-mail μου είναι touloser@gmail.com είναι πιο βολικό να μιλάμε εκεί. Ανυπομονώ να μου πεις πώς φαντάζεσαι τα σκίτσα!

Αλήθεια, το Universe City είναι η αγαπημένη μου σειρά. Σε υπερευχαριστώ που με σκέφτηκες!!

Ελπίζω να μην ακούγομαι σαν καμιά τρελή φαν, χαχα!

ΜΑΚΑΡΙ ΝΑ ΕΙΧΑ ΕΝΑ ΧΟΜΠΙ

ΚΑΘΕ ΦΟΡΑ που γύριζα σπίτι είχα δουλειές να κάνω. Πάντα είχα και σχεδόν πάντα τις έκανα *με το που γύριζα* σπίτι αλλιώς, αν δεν είχα να διαβάσω, ένιωθα ότι σπαταλούσα άσκοπα τον χρόνο μου. Το ξέρω, είναι θλιβερό, και μακάρι να είχα ένα χόμπι, να έπαιζα ποδόσφαιρο ή πιάνο ή να έκανα πατινάζ αλλά, για να τα λέμε όλα, το μόνο στο οποίο ήμουν καλή ήταν να παίρνω καλούς βαθμούς. Δεν με χαλούσε. Δεν ήμουν αχάριστη. Θα ήταν χειρότερα αν ίσχυε το αντίστροφο.

Εκείνη τη μέρα όμως, τη μέρα που ο δημιουργός του *Universe City* μου έστειλε μήνυμα στο Twitter, δεν έκανα τίποτα όταν γύρισα σπίτι.

Έπεσα στο κρεβάτι μου, άνοιξα το λάπτοπ και μπήκα στο Tumblr μου, όπου ανέβαζα όλα τα έργα μου. Σκρόλαρα στη σελίδα. Τι είχε δει, άραγε, ο δημιουργός της σειράς; Αφού όλα ήταν χάλια. Απλές μουτζούρες που έκανα για να χαλαρώνω ώστε να κοιμηθώ και να ξεχάσω έστω για ένα πεντάλεπτο τις εργασίες στην Ιστορία και στα υπόλοιπα μαθήματα και τις ομιλίες που έπρεπε να δώσω ως πρόεδρος.

Μπήκα στο Twitter να δω αν ο δημιουργός της σειράς είχε

απαντήσει, αλλά τίποτα. Μπήκα στο e-mail μου να δω μήπως μου είχε απαντήσει εκεί, επίσης τίποτα.

Πόσο γούσταρα το *Universe City*.

Ίσως αυτό γινόταν το χόμπι μου. Να κάνω σκίτσα για το *Universe City*.

Αλλά δεν έμοιαζε με χόμπι. Έμοιαζε με... βρόμικο μυστικό.

Τέλος πάντων. Και που ζωγράφιζα, μάταιο ήταν. Δεν πουλούσα τις ζωγραφιές μου. Ούτε τις μοιραζόμουν με τους φίλους μου. Ούτε θα με βοηθούσαν να γίνω δεκτή στο Κέιμπριτζ.

Συνέχισα να σκρολάρω, μήνες ολόκληρους πίσω, έφτασα στον περασμένο χρόνο και τον προπέρσινο, ταξίδευα στον χρόνο. Είχα ζωγραφίσει τα πάντα. Τους χαρακτήρες – τον αφηγητή, δηλαδή το Radio Silence, και τους βοηθούς του. Είχα ζωγραφίσει το σκοτεινό και σκονισμένο πανεπιστήμιο επιστημονικής φαντασίας, το Universe City. Είχα σχεδιάσει τους κακούς, τα όπλα και τα τέρατα, το σεληνιακό ποδήλατο του Radio και τις στολές του, είχα σχεδιάσει το Σκούρο Μπλε Κτίριο και τον Δρόμο της Μοναξιάς, ακόμα και τη February Friday. Αλήθεια, είχα ζωγραφίσει τα πάντα.

Γιατί; Γιατί είμαι έτσι;

Ήταν το μόνο πράγμα που απολάμβανα (το μόνο πέρα από τους βαθμούς μου).

Όχι, μισό λεπτό. Αυτό θα ήταν θλιβερό. Και περίεργο.

Με βοηθούσε όμως να κοιμηθώ.

Ίσως.

Δεν ξέρω.

Έκλεισα το λάπτοπ μου και πήγα κάτω για να φάω και προσπάθησα να το βγάλω έστω για λίγο από το μυαλό μου.

ΜΙΑ ΦΥΣΙΟΛΟΓΙΚΗ ΕΦΗΒΗ

«ΜΑΛΙΣΤΑ», είπα με το που σταμάτησε το αυτοκίνητο έξω από το Wetherspoons στις εννιά το βράδυ μερικές μέρες αργότερα. «Πάω να πιω τις ποτάρες μου, να πάρω ναρκωτικά και να κάνω πολύ σεξ».

«Αχά», είπε η μαμά μου μειδιώντας αργά. «Κοίτα να δεις που η κόρη μου αγρίεψε».

«Ξέρεις, αυτός είναι ο αυθεντικός μου εαυτός εκατό τοις εκατό». Άνοιξα την πόρτα του αυτοκινήτου και κατέβηκα στο πεζοδρόμιο. «Μη φοβάσαι, δεν θα πεθάνω!» φώναξα.

«Μη χάσεις το τελευταίο τρένο!»

Ήταν η τελευταία μέρα του σχολείου πριν το τέλος των μαθημάτων και υποτίθεται πως αργότερα θα πήγαινα σε ένα κλαμπ στην πόλη, το Johnny Richard's, με τις φίλες μου. Ήταν η πρώτη φορά που θα πήγαινα σε κλαμπ και τα είχα κάνει πάνω μου, αλλά είχα πιστολιάσει τόσες φορές τις φίλες μου που, αν δεν πήγαινα, κινδύνευα να με διαγράψουν από φίλη τους και όσο να πεις θα ήταν πολύ αμήχανο να τις βλέπω μετά καθημερινά στο σχολείο χωρίς να μου μιλάνε. Δεν φανταζόμουν τι με περίμενε, πέραν από μεθυσμένους πουκαμισάκηδες και τη Μάγια με τη Ρέιν να προσπαθούν να με κάνουν να χορέψω ακούγοντας Skrillex.

Η μαμά έφυγε.

Διέσχισα τον δρόμο και κοίταξα από την πόρτα μέσα στο Spoons. Μπορούσα να δω τις φίλες μου να κάθονται στο βάθος, να πίνουν και να γελούν. Ήταν όλες τους υπέροχες, αλλά με άγχωναν. Δεν ήταν ότι μου φέρονταν άσχημα, αλλά με έβλεπαν με έναν πολύ συγκεκριμένο τρόπο – για αυτές ήμουν η Φράνσις η πρόεδρος, η βαρετή, το φυτό. Βέβαια, δεν έκαναν και λάθος.

Πήγα στο μπαρ και ζήτησα μια διπλή βότκα με λεμονάδα. Ο μπάρμαν δεν ζήτησε να δείξω ταυτότητα, παρόλο που είχα πάρει μαζί μου μια ψεύτικη για καλό και για κακό. Περίεργο που δεν μου ζήτησε, μια και συνήθως μοιάζω με δεκατριάχρονο.

Έπειτα, πήγα στις φίλες μου περνώντας μέσα από το σμήνος των νεαρών και των μελλοντικών μεθυσμένων – άλλα δύο πράγματα που με αγχώνουν.

Έπρεπε να σταματήσω να φοβάμαι να είμαι μια φυσιολογική έφηβη.

«Τι; Πίπες;» Η Λορέιν Σενγκούπτα, γνωστή σε όλους μας ως Ρέιν, καθόταν δίπλα μου. «Δεν αξίζει, φιλενάδα. Τα αγόρια είναι μαλακισμένα. Μετά ούτε να σε φιλήσουν δεν θα θέλουν».

Η Μάγια, η πιο φωνακλού της παρέας –κάτι που την έκανε και την αρχηγό μας– στήριζε τους αγκώνες της στο τραπέζι και μπροστά της είχε κιόλας τρία άδεια ποτήρια. «Έλα μωρέ, δεν είναι όλοι έτσι».

«Πολλοί είναι, όμως, οπότε δεν τους κάνω τη χάρη. Άσε που δεν αξίζει κιόλα».

Η Ρέιν είπε «κιόλα», όχι «κιόλας». Μάλλον δεν το έκανε ειρωνικά και δεν ήξερα πώς να νιώσω γι' αυτό.

Η συζήτηση αυτή ήταν τόσο άσχετη με τη δική μου ζωή που παρίστανα ότι στέλνω μηνύματα το τελευταίο δεκάλεπτο.

Το Radio δεν είχε απαντήσει στο μήνυμα που του είχα στείλει στο Twitter, ούτε είχε στείλει κάποιο e-mail. Είχαν περάσει τέσσερις μέρες.

«Μπα, δεν πιστεύω ότι υπάρχουν ζευγάρια που κοιμούνται αγκαλιά», είπε η Ρέιν. Είχαν αλλάξει θέμα συζήτησης. «Πιστεύω ότι μας λένε ψέματα τα ΜΜΕ».

«Γεια σου, Ντάνιελ!»

Η φωνή της Μάγιας απομάκρυνε την προσοχή μου από το κινητό. Ο Ντάνιελ Τζουν και ο Άλεντ Λαστ περνούσαν δίπλα από το τραπέζι μας. Ο Ντάνιελ φορούσε ένα γκρι κοντομάνικο με τζιν παντελόνι. Δεν τον είχα δει να φοράει ρούχα με οποιοδήποτε σχέδιο όσο καιρό τον ήξερα. Παρόμοια βαρετά ρούχα φορούσε και ο Άλεντ, λες και του τα είχε διαλέξει ο Ντάνιελ.

Ο τελευταίος μας λοξοκοίταξε και για μια στιγμή οι ματιές μας συναντήθηκαν. «Γεια, όλα καλά;» απάντησε τελικά στη Μάγια

Έπιασαν την κουβέντα. Ο Άλεντ στεκόταν αμίλητος πίσω από τον Ντάνιελ και είχε καμπουριάσει ελαφρώς, σαν να ήθελε να γίνει αόρατος. Ανταλλάξαμε μια ματιά, αλλά απέστρεψε βιαστικά το βλέμμα του.

Η Ρέιν έσκυψε προς το μέρος μου, ενώ ο Ντάνιελ μιλούσε με τις υπόλοιπες. «Ποιος είναι αυτός ο καημένος;» μουρμούρησε.

«Τον Άλεντ Λαστ λες; Πάει στο σχολείο αρρένων».

«Α, είναι ο δίδυμος αδελφός της Κάρις Λαστ;»

«Ναι».

«Δεν ήσασταν φίλες κάποτε;»

«Εμ...»

Προσπάθησα να σκεφτώ τι να πω.

«Περίπου», είπα. «Καμιά φορά καθόμασταν μαζί στο τρένο και μιλούσαμε».

Η Ρέιν ήταν η φίλη με την οποία μιλούσα περισσότερο από όλες στην παρέα μου. Δεν με κορόιδευε που ήμουν φυτό, όπως έκαναν οι άλλες. Και αν ήμουν ο εαυτός μου περισσότερο, νομίζω θα γινόμασταν καλές φίλες, μια και είχαμε παρόμοια αίσθηση του χιούμορ. Αλλά εκείνη είχε την άνεση να είναι ταυτόχρονα και κουλ και παράξενη, και επειδή δεν ήταν πρόεδρος του σχολείου, ό,τι κι αν σημαίνει αυτό, και επειδή είχε ξυρίσει τη δεξιά πλευρά του κεφαλιού της, οπότε οτιδήποτε κι αν έκανε πλέον, κανείς δεν παραξενευόταν.

Η Ρέιν κατένευσε. «Μάλιστα».

Είδα τον Άλεντ να πίνει μια γουλιά από το ποτό που κρατούσε και να κοιτάζει γύρω του. Έμοιαζε σαν ψάρι έξω από το νερό.

«Φράνσις, έτοιμη να πάμε στου Johhny R.;» μια από τις φίλες μου είχε σκύψει πάνω από το τραπέζι και με κοιτούσε με ένα ειρωνικό χαμόγελο.

Όπως είπα, οι φίλες μου δεν μου μιλούσαν άσχημα, απλώς μου φέρονταν λες και δεν ήξερα τίποτα από τη ζωή, εκτός από το διάβασμα και τους βαθμούς. Και δεν είχαν άδικο, οπότε δεν μπορούσα να τις κατηγορήσω για τη συμπεριφορά τους.

«Ε, ναι, έτσι νομίζω», είπα.

Κάνα δυο αγόρια πλησίασαν τον Άλεντ και του έπιασαν την κουβέντα. Ήταν ψηλοί, είχαν μια αύρα εξουσίας γύρω τους, και αυτό επειδή ο τύπος στα δεξιά –που είχε σταρένια επιδερμίδα και φορούσε καρό πουκάμισο– ήταν ο πρόεδρος του σχολείου αρρένων και ο τύπος στα αριστερά –με μπράτσα και ξυρισμένα τα πλαϊνά του κεφαλιού του αυτός– ήταν ο αρχηγός της ομάδας ράγκμπι του σχολείου. Όταν είχα πάει κάποτε σε μια εκδήλωση στο σχολείο τους, αυτοί οι δύο ήταν ανάμεσα στους ομιλητές της εκδήλωσης.

Ο Άλεντ τους χαμογέλασε – ήλπιζα πως ο Άλεντ είχε και άλλους φίλους πέραν του Ντάνιελ. Προσπάθησα να κρυφακούσω τη συνομιλία τους. «Ναι, ο Νταν κατάφερε να με πείσει!» είπε ο Άλεντ. «Αν δεν θες, δεν είναι ανάγκη να έρθεις στου Johhny. Νομίζω πως θα πάμε νωρίς σπίτι», είπε ο πρόεδρος και κοίταξε τον αρχηγό της ομάδας ράγκμπι που ένευσε. «Ναι, πες μας αν θες να σε πάμε σπίτι, φίλε! Έχω έρθει με το αυτοκίνητο», είπε και, για να είμαι ειλικρινής, μακάρι να μπορούσα να κάνω το ίδιο, να πάω σπίτι όποτε ήθελα, αλλά δεν μπορούσα. Συχνά φοβάμαι να διεκδικήσω και να κάνω αυτό που θέλω.

«Είναι σκέτο καταγώγι», είπε άλλη μια φίλη για να τραβήξει την προσοχή μου.

«Νιώθω άσχημα», είπε μια άλλη. «Η Φράνσις είναι τόσο αθώα! Νομίζω σε καταστρέφουμε που σε παίρνουμε μαζί μας σε κλαμπ και σε βάζουμε να πίνεις».

«Ναι, αλλά της αξίζει να πάρει ρεπό από το διάβασμα για ένα βράδυ!»

«Θέλω να δω τη Φράνσις μεθυσμένη».

«Πιστεύεις ότι θα βάλει τα κλάματα;»

«Όχι, πιστεύω ότι θα γελάει. Νομίζω ότι κρύβει μέσα της έναν εαυτό που δεν ξέρουμε».

Δεν ήξερα τι να πω.

Η Ρέιν με σκούντησε. «Μη φοβάσαι. Αν σε πλησιάσει κάποιος αηδιαστικός τύπος, θα χύσω κατά λάθος το ποτό μου πάνω του».

Κάποια γέλασε. «Θα το κάνει. Το έχει ξανακάνει».

Γέλασα και εγώ και ευχήθηκα να είχα τα κότσια να πω κάτι αστείο, αλλά δεν... Δεν μου έβγαινε το χιούμορ όταν ήμουν μαζί τους. Το αντίθετο. Γινόμουν εντελώς βαρετή.

Κατέβασα μονοκοπανιά το ποτό μου και κοίταξα τριγύρω. Αναρωτήθηκα πού να είχαν πάει ο Ντάνιελ με τον Άλεντ.

Ένιωθα παράξενα που η Ρέιν είχε αναφέρει την Κάρις. Πάντα ένιωθα το ίδιο ακριβώς συναίσθημα όταν κάποιος την ανέφερε, καθώς δεν ήθελα να τη σκέφτομαι.

Η Κάρις Λαστ το έσκασε από το σπίτι της όταν πήγαινε Α΄ Λυκείου και εγώ Γ΄ Γυμνασίου. Κανείς δεν ήξερε γιατί και κανείς δεν νοιαζόταν ιδιαίτερα, μια και δεν είχε πολλούς φίλους. Για την ακρίβεια, δεν είχε κανέναν φίλο.

Εκτός από εμένα.

ΔΙΑΦΟΡΕΤΙΚΑ ΒΑΓΟΝΙΑ

ΓΝΩΡΙΣΑ ΤΗΝ ΚΑΡΙΣ ΛΑΣΤ, τη δίδυμη αδελφή του Άλεντ Λαστ, στο τρένο για το σχολείο όταν ήμασταν δεκαπέντε χρονών.

Ήταν 07:14 π.μ. και καθόμουν στη θέση της.

Με κοίταξε όπως μια βιβλιοθηκάριος κοιτάζει κάποιον από το γραφείο της. Τα μαλλιά της ήταν πλατινέ και είχε αφέλειες τόσο πυκνές που τα μάτια της σχεδόν δεν φαίνονταν. Έμοιαζε με άγγελο όπως έπεφτε πάνω της ο ήλιος.

«Ουπς», είπε. «Μωρέ, ξέρεις τι γίνεται, αγαπητή μου συνεπιβάτιδα; Κάθεσαι στη θέση μου».

Μπορεί αυτό που είπε να ακούστηκε σαν κακία, αλλά δεν ήταν. Ήταν παράξενο. Είχαμε ιδωθεί άπειρες φορές. Και οι δύο καθόμασταν στον σταθμό του χωριού κάθε πρωί, μαζί με τον Άλεντ, και ήμασταν οι τελευταίοι που κατέβαιναν από το τρένο κάθε βράδυ κι όλο αυτό γινόταν από τότε που άρχισα το Γυμνάσιο. Αλλά δεν είχαμε μιλήσει ούτε μία φορά. Φαντάζομαι πως έτσι είναι οι άνθρωποι.

Η φωνή της ήταν διαφορετική από αυτό που φανταζόμουν. Είχε μια από εκείνες τις λονδρέζικες *Made in Chelsea* προφορές, αλλά ήταν περισσότερο γοητευτική παρά ενοχλητική και μιλούσε αργά και χαμηλόφωνα, σαν να ήταν ελαφρώς μαστουρωμένη. Αξίζει να σημειωθεί πως τότε ήμουν πιο μικρόσωμη από εκείνη. Έμοιαζε με εντυπωσιακό ξωτικό, ενώ εγώ με γκρέμλιν.

Συνειδητοποίησα πως είχε δίκιο. Καθόμουν στη θέση της. Δεν ήξερα γιατί. Κανονικά καθόμουν σε διαφορετικό βαγόνι.

«Οχ, χίλια συγγνώμη, θα πάω...»

«Τι; Όχι, δεν ήθελα να σε σηκώσω από τη θέση σου. Συγγνώμη, θα πρέπει να ακούστηκα τρομερά αγενής». Κάθισε απέναντί μου.

Η Κάρις Λαστ ούτε χαμογελούσε, ούτε αισθανόταν την ανάγκη να χαμογελάσει αμήχανα όπως εγώ. Με εντυπωσίαζε αυτό.

Ο Άλεντ δεν ήταν μαζί της. Τότε δεν το θεώρησα παράξενο. Έπειτα από το περιστατικό αυτό πρόσεξα πως κάθονταν σε διαφορετικά βαγόνια. Ούτε αυτό μου φάνηκε παράξενο. Δεν τον ήξερα, άρα δεν με ένοιαζε.

«Κανονικά δεν κάθεσαι στο τελευταίο βαγόνι;» με ρώτησε με ύφος μεσήλικα επιχειρηματία.

«Ε, ναι».

Ανασήκωσε τα φρύδια.

«Και μένεις στο χωριό, σωστά;»

«Ναι».

«Απέναντί μου;»

«Νομίζω».

Η Κάρις κατένευσε. Ήταν ανέκφραστη, γεγονός ανεξήγητο, καθώς όλοι όσοι ξέρω προσπαθούν απεγνωσμένα να χαμογελούν όλη την ώρα. Η αυτοκυριαρχία της αυτή την έκανε να δείχνει μεγαλύτερη και αριστοκρατική.

Ακούμπησε τα χέρια της στο τραπέζι και πρόσεξα πως είχαν πάνω τους μικροσκοπικές ουλές από καψίματα.

«Μου αρέσει το πουλόβερ σου», είπε.

Κοίταξα προς τα κάτω, είχα ξεχάσει τι είχα βάλει. Τελικά, φορούσα ένα πουλόβερ κάτω από το σχολικό μου μπλέιζερ με στάμπα έναν θλιμμένο υπολογιστή. Ήταν αρχές Ιανουαρίου και έκανε ψοφόκρυο, γι' αυτό και φορούσα ένα επιπλέον πουλόβερ πάνω από το σχολικό πουλόβερ μου. Το συγκεκριμένο ήταν ένα από τα άπειρα ρούχα που είχα αγοράσει αλλά δεν φορούσα ποτέ όταν ήμουν με τις φίλες μου φοβούμενη ότι θα με κορόιδευαν. Οι προσωπικές μου ενδυματολογικές επιλογές παρέμεναν σπίτι.

«Α...αλήθεια;» ψέλλισα και αναρωτήθηκα αν είχα παρακούσει.

Η Κάρις χαχάνισε. «Ναι».

«Ευχαριστώ», είπα και κούνησα ελαφρώς το κεφάλι. Κοίταξα τα χέρια μου, έπειτα κοίταξα έξω από το παράθυρο. Το τρένο άρχισε να κινείται και αναχώρησε από τον σταθμό του χωριού.

«Πώς και κάθισες σήμερα σε αυτό το βαγόνι;» με ρώτησε.

Την κοίταξα πάλι, αυτή τη φορά πιο προσεκτικά. Μέχρι εκείνη τη στιγμή ήταν απλώς ένα κορίτσι με βαμμένα πλατινέ μαλλιά που καθόταν κάθε πρωί στο τέρμα του σταθμού. Αλλά να που τώρα μιλούσαμε και μπορούσα να τη δω καλύτερα – φορούσε μέικ απ, παρόλο που απαγορευόταν στο σχολείο, ήταν μεγαλόσωμη, καλοσυνάτη και είχε μια όμορφη ενέργεια. Πώς μπορούσε να είναι τόσο ευγενική δίχως να χαμογελάει καθόλου; Υποψιαζόμουν ότι θα μπορούσε να δολοφονήσει κάποιον εάν αναγκαζόταν· έμοιαζε με άτομο που πάντα ήξερε τι έπρεπε να κάνει. Με κάποιο τρόπο ήξερα ότι αυτή δεν θα ήταν η μοναδική φορά που θα μιλούσαμε. Ωστόσο, δεν φανταζόμουν *καν* τι επρόκειτο να συμβεί στο μέλλον.

«Δεν ξέρω», είπα. «Έτυχε».

ΚΑΠΟΙΟΣ ΝΑ ΑΚΟΥΕΙ

ΠΕΡΑΣΕ ΑΛΛΗ ΜΙΑ ΩΡΑ προτού σηκωθούμε να πάμε στου Johhny R. και προσπαθούσα να διατηρήσω την ψυχραιμία μου, να μη στείλω μήνυμα στη μαμά ζητώντας της να έρθει να με πάρει, θα ήταν τρομερά αξιολύπητο. Εγώ βέβαια ήξερα ότι ήμουν αξιολύπητη, αλλά δεν έπρεπε να το ξέρει κανείς άλλος.

Σηκωθήκαμε και κινήσαμε για του Johhny R. Ζαλιζόμουν κάπως και δεν έλεγχα τα πόδια μου, αλλά κατάφερα να ακούσω τη Ρέιν να σχολιάζει «ωραία επιλογή» δείχνοντας το πουκάμισό μου, ένα απλό σιφόν που διάλεξα επειδή μου φάνηκε ότι θα μπορούσε να το φοράει και η Μάγια.

Είχα σχεδόν ξεχάσει τον Άλεντ αλλά, όπως περπατούσαμε στον δρόμο, το κινητό μου χτύπησε. Το έβγαλα από την τσέπη και κοίταξα την οθόνη. Ο Ντάνιελ Τζουν με καλούσε.

Ο Ντάνιελ Τζουν είχε τον αριθμό μου μόνο και μόνο επειδή ήταν κι εκείνος πρόεδρος, οπότε διοργανώναμε μαζί τις σχολικές εκδηλώσεις. Δεν μου τηλεφωνούσε ποτέ, μου είχε στείλει τέσσερις πέντε φορές μήνυμα σχετικά με διάφορες σχολικές δραστηριότητες, του τύπου «θα στήσεις εσύ το τραπέζι για την τούρτα ή εγώ;» και «εσύ θα κόβεις εισιτήρια στην είσοδο και εγώ θα κατευθύνω τον κόσμο από την πύλη». Αυτό, συν ότι ο Ντάνιελ με αντιπαθούσε, σήμαινε πως δεν είχα την παραμικρή ιδέα για τον λόγο που με καλούσε.

Αλλά ήμουν μεθυσμένη. Έτσι, απάντησα.

Φ: Ναι;

Ντάνιελ: (πνιχτές φωνές και δυνατή μουσική)

Φ: Ναι; Ντάνιελ;

Ν: *Ναι;* (γέλια) *Σκάσε, σκάσε... ναιι;*

Φ: Ντάνιελ; Γιατί με παίρνεις;

Ν: (γέλια) (μουσικές)

Φ: Ντάνιελ;

Ν: (μου το κλείνει)

Κοίταξα το κινητό μου.

«Μάλιστα», είπα φωναχτά αλλά καμία δεν με άκουσε.

Μια παρέα αγοριών πέρασε από δίπλα μου, το πόδι μου γλίστρησε από το πεζοδρόμιο και ξάφνου βρέθηκα να περπατάω στον δρόμο. Δεν ήθελα να είμαι εδώ. Είχα να διαβάσω, να κάνω επαναλήψεις, να κρατήσω σημειώσεις στα μαθηματικά, να διαβάσω ξανά τα μηνύματα του Radio, να φτιάξω σκίτσα για τα βίντεο – είχα ένα σωρό πράγματα να κάνω και, για να είμαι ειλικρινής, αυτή η βραδινή έξοδος μου φαινόταν χάσιμο χρόνου.

Το κινητό μου χτύπησε ξανά.

Φ: Ντάνιελ, θα σε...

Άλεντ: *Φράνσις, Φράνσις, εσύ είσαι;*

Φ: Άλεντ;

Α: *Φράνσιιιιις!* (Μουσική)

Γνώριζα ελάχιστα τον Άλεντ. Και πριν από την εβδομάδα αυτή δεν είχαμε ανταλλάξει ούτε μια κουβέντα.

Γιατί...

Τι;

Φ: Εμ, γιατί μου τηλεφωνείς;

Α: *Α... ο Νταν... ο Νταν πήγε να σου κάνει φάρσα και... και δεν νομίζω πως έπιασε...*

Φ: ...μάλιστα.

Α: ...

Φ: Πού είσαι; Είναι μαζί σου ο Ντάνιελ;

Α: *Α, στου Johhny είμαστε... είναι τόσο περίεργο, δεν ξέρω καν ποιος είναι ο Τζόνι... ο Νταν...*

(γέλια, πνιχτές φωνές)

Φ: Είσαι καλά;

Α: *Είμαι καλά... συγγνώμη... ο Ντάνιελ σου ξανατηλεφώνησε και μου έδωσε το κινητό... δεν ξέρω τι έγινε ακριβώς. Δεν ξέρω γιατί μιλάμε! Χαχα...*

Άνοιξα το βήμα μου για να μη χάσω τις φίλες μου.

Φ: Άλεντ, αν ο Ντάνιελ είναι μαζί σου, τότε θα...

Α: *Ναι, συγγνώμη... εμ... ναι.*

Τον λυπόμουν. Δεν μπορούσα να καταλάβω γιατί ήταν φίλος

με τον Ντάνιελ – αναρωτήθηκα αν ο Ντάνιελ τον έκανε ό,τι ήθελε. Ο Ντάνιελ έκανε ό,τι ήθελε πολύ κόσμο.

Φ: Δεν πειράζει.
Α: *Δεν μου πολυαρέσει εδώ.*

Συνοφρυώθηκα.

Α: *Φράνσις;*
Φ: Ναι;
Α: *Δεν μου πολυαρέσει εδώ.*
Φ: Πού;
Α: *Σου αρέσει εσένα αυτό το μέρος;*
Φ: *Ποιο* μέρος;

Ακολούθησαν μερικές στιγμές σιωπής – αν εξαιρέσει κανείς τη μουσική, τις φωνές και τα γέλια.

Φ: Άλεντ, πες μου αν είναι μαζί σου ο Ντάνιελ για να συνεχίσω το βράδυ μου χωρίς να ανησυχώ για σένα.
Α: *Δεν ξέρω πού είναι ο Ντάνιελ...*
Φ: Θες να έρθω και να σε πάω σπίτι;
Α: *Ξέρεις... είναι... ακούγεσαι λες και μιλάμε στον ασύρματο, λες και σε ακούω από ηχείο ράδιου...*

Ο νους μου πήγε αμέσως στο *Universe City* και το Radio Silence.

Φ: Έχεις γίνει λιώμα.

Α: (γελάει) *Γεια. Ελπίζω κάποιος να με ακούει...*

Το έκλεισε. Ένιωσα το στομάχι μου να σφίγγεται με τις τελευταίες του λέξεις.

«Γεια... Ελπίζω κάποιος να με ακούει...» επανέλαβα μέσα από τα δόντια μου.

Ήταν λόγια που άκουγα ξανά και ξανά τα τελευταία δύο χρόνια, λόγια που είχα σχεδιάσει ξανά και ξανά μέσα σε συννεφάκια στον τοίχο του δωματίου μου, λέξεις που είχα ακούσει από μια ανδρική φωνή και μια γυναικεία φωνή, οι οποίες εναλλάσσονταν κάθε μερικές εβδομάδες, φωνές που μιλούσαν με τη χαρακτηριστική φωνή που θύμιζε εκφωνητή του Β΄ Παγκοσμίου Πολέμου.

Ήταν τα λόγια με τα οποία άρχιζε κάθε επεισόδιο του *Universe City*:

«Γεια. Ελπίζω κάποιος να με ακούει».

ΤΑ ΚΑΤΑΦΕΡΑ

Ο ΠΟΡΤΙΕΡΗΣ ΣΤΟ ΚΛΑΜΠ δεν ασχολήθηκε και πολύ με το δίπλωμα που του έδειξα, το οποίο ανήκε στη Ρίτα, τη μεγάλη αδελφή της Ρέιν, παρόλο που η Ρίτα είναι Ινδή και έχει ίσια, κοντά μαλλιά. Δεν ήξερα πώς θα μπορούσε κανείς να περάσει μια Βρετανο-Αιθιοπή για Ινδή, αλλά συνέβη και αυτό.

Η είσοδος στου Johhny ήταν δωρεάν μια και ήταν πριν τις έντεκα το βράδυ, κάτι που δέχτηκα με ανακούφιση. Σιχαίνομαι να ξοδεύω χρήματα σε πράγματα που δεν θέλω να κάνω.

Ακολούθησα τις φίλες μου μέσα.

Ήταν όπως ακριβώς το περίμενα.

Μεθυσμένοι. Φώτα που αναβόσβηναν. Δυνατή μουσική. Κλισέ.

«Φιλενάδα, πάμε να πάρουμε ποτά;» μου φώναξε η Ρέιν από δίπλα μου.

Μόρφασα από αδιαθεσία. «Ζαλίζομαι κάπως».

Η Μάγια με άκουσε και γέλασε. «Αχ, βρε Φράνσις! Να 'σαι καλά, έλα, ένα σφηνάκι ακόμα!»

«Θα πάω μισό λεπτό στην τουαλέτα».

Αλλά η Μάγια είχε ήδη αρχίσει να μιλάει αλλού.

«Θες να έρθω μαζί σου;» με ρώτησε η Ρέιν.

Αρνήθηκα με μια κίνηση του κεφαλιού. «Όλα καλά. Είμαι καλά».

«Εντάξει». Η Ρέιν με άρπαξε από το μπράτσο και έδειξε κάπου αόριστα στο βάθος. «Από εκεί είναι η τουαλέτα! Έλα μετά να μας βρεις στην μπάρα, εντάξει;»

Κατένευσα.

Δεν είχα καμία πρόθεση να πάω στην τουαλέτα.

Η Ρέιν με χαιρέτησε και απομακρύνθηκε.

Ήθελα να βρω τον Άλεντ Λαστ.

Με το που βεβαιώθηκα πως οι φίλες μου ήταν απασχολημένες στην μπάρα, κατευθύνθηκα στον πάνω όροφο. Έπαιζαν indie rock οπότε είχε περισσότερη ησυχία. Χάρηκα μια και η dubstep μου προκαλούσε πανικό, λες και έπαιζα σε ταινία δράσης και είχα δέκα δευτερόλεπτα για να σωθώ από την επικείμενη έκρηξη.

Και να σου ο Άλεντ Λαστ δίπλα μου.

Δεν σκόπευα να πάω να τον βρω, μέχρι που είπε την ατάκα από το *Universe City*. Δεν μπορούσε να είναι σύμπτωση, σωστά; Είχε πει την *ίδια* ακριβώς πρόταση. Λέξη προς λέξη. Με τον ίδιο επιτονισμό, με ένα συριστικό σίγμα στο «κάποιος» και το κενό ανάμεσα στο «α» και το «κούει» και το χαμόγελο έπειτα από τη δεύτερη τελεία...

Άραγε, παρακολουθούσε και αυτός το podcast;

Δεν είχα γνωρίσει κανέναν άλλο που να το παρακολουθεί.

Είχε λιποθυμήσει ή κοιμηθεί – και ήταν περίεργο που δεν τον είχαν πετάξει από το κλαμπ γι' αυτό. Καθόταν στο πάτωμα και στηριζόταν στον τοίχο με τέτοιο τρόπο που φαινόταν πως κάποιος άλλος τον είχε αφήσει εκεί. Μάλλον ο Ντάνιελ. Με εξέπληξε μια και ο Ντάνιελ συνήθως ήταν προστατευτικός με τον Άλεντ. Έτσι είχα ακούσει τουλάχιστον. Ίσως να ίσχυε το ανάποδο.

Έσκυψα μπροστά του. Ο τοίχος στον οποίο στηριζόταν ήταν νωπός από την υγρασία του χώρου. Τον τράνταξα και φώναξα για να με ακούσει:

«Άλεντ;»

Τον ταρακούνησα πιο δυνατά. Είχε αποκοιμηθεί για τα καλά. Τα φώτα του κλαμπ έπεφταν κόκκινα και πορτοκαλί στο πρόσωπό του. Έμοιαζε με παιδί.

«Σε παρακαλώ, μην έχεις πεθάνει. Θα μου χαλάσεις τη μέρα».

Ξύπνησε, τινάχτηκε και με κουτούλησε στο μέτωπο.

Πόνεσα τόσο πολύ που δεν έβγαλα λέξη, πέρα από ένα αθόρυβο «*να σου γαμήσω*» και ένα δάκρυ που ανάβλυσε από τη γωνία του αριστερού μου ματιού.

Ενώ είχα κουλουριαστεί σε μια προσπάθεια να αντέξω τον πόνο, ο Άλεντ φώναξε:

«Φράνσις Ζανβιέρ!»

Και πρόφερε σωστά το επώνυμό μου.

Συνέχισε: «Μήπως σε χτύπησα στο πρόσωπο;»

«Και λίγα λες», του φώναξα και σηκώθηκα.

Νόμιζα πως θα γελούσε, αλλά γούρλωσε τα μάτια, εμφανώς μεθυσμένος, και είπε «οχ, χίλια συγγνώμη». Έπειτα, έφερε το χέρι του στο μέτωπό μου και το χάιδεψε, σαν να ήθελε με κάποιο μαγικό τρόπο να απαλύνει τον πόνο. Φαινόταν από μακριά ότι ήταν μεθυσμένος.

«Χίλια συγγνώμη», είπε ξανά ανήσυχος. «Κλαις; Ακούγομαι

σαν τη Γουέντι από τον *Πίτερ Παν*». Αλληθώρισε πριν με ξανακοιτάξει. «Γιατί κλαις;»

«Δεν...» είπα. «Καλά, μπορεί να κλαίω λίγο από μέσα μου».

Τότε άρχισε να γελάει. Κάτι στο γέλιο του με έκανε να θέλω να γελάσω κι εγώ. Έφερε το χέρι του στο στόμα για να το καλύψει ενώ γελούσε. Ήταν τόσο μεθυσμένος και το κεφάλι μου πονούσε τόσο πολύ και το μέρος ήταν τόσο αηδιαστικό, αλλά για μερικά δευτερόλεπτα τα πάντα ήταν τόσο αστεία.

Αφού τελείωσε, με άρπαξε από το τζιν μπουφάν μου και στηρίχτηκε στον ώμο μου για να σηκωθεί. Αμέσως κόλλησε το χέρι του στον τοίχο για να μην πέσει κάτω. Σηκώθηκα κι εγώ. Δεν είχα ιδέα για το τι έπρεπε να κάνω. Δεν ήξερα πως ο Άλεντ μεθούσε. Βέβαια, δεν ήξερα τίποτα για εκείνον. Δεν με ένοιαζε κιόλας.

«Έχεις δει τον Νταν;» με ρώτησε. Με άγγιξε στον ώμο και έσκυψε μπροστά μου, με τα μάτια μισόκλειστα.

«Ποιος... α, τον Ντάνιελ λες». Όλοι Ντάνιελ τον έλεγαν. «Όχι, σόρι».

«Α...» κοίταξε κάτω και έμοιαζε πάλι με μικρό παιδί. Τα μακριούτσικα μαλλιά του ταίριαζαν περισσότερο σε δεκατετράχρονο, ενώ το τζιν και το πουλόβερ του ήταν τόσο παράταιρα. Έμοιαζε... δεν ξέρω με τι ακριβώς έμοιαζε.

Και ήθελα να τον ρωτήσω για το *Universe City*.

«Πάμε λίγο έξω», του πρότεινα, αλλά δεν νομίζω πως ο Άλεντ με άκουσε. Τον πήρα από τον ώμο και άρχισα να τον σέρνω μέσα από το πλήθος, τα μπάσα, τον ιδρώτα, τον κόσμο προς τις σκάλες.

«Άλεντ!»

Σταμάτησα με τον Άλεντ να ρίχνει όλο το βάρος του πάνω μου και γύρισα προς την κατεύθυνση της φωνής. Ο Ντάνιελ περνούσε ανάμεσα από τον κόσμο και ερχόταν προς το μέρος μας κρατώντας ένα ποτήρι νερό.

«Α», είπε και με κοίταξε λες και ήμουν στοίβα με άπλυτα πιάτα. «Δεν ήξερα πως είχες βγει απόψε».

Τι ακριβώς συνέβαινε με την πάρτη του; «Αφού με πήρες τηλέφωνο, Ντάνιελ».

«Σε πήρα επειδή ο Άλεντ είπε ότι ήθελε να σου μιλήσει».

«Ο Άλεντ είπε ότι μου έκανες φάρσα».

«Γιατί να σου κάνω φάρσα; Δεν είμαι δώδεκα».

«Και γιατί ο Άλεντ ήθελε να μου μιλήσει; Αφού δεν τον ξέρω».

«Και πού να ξέρω γω;»

«Επειδή είσαι ο κολλητός του και σήμερα είχατε βγει μαζί, ίσως;»

Ο Ντάνιελ δεν είχε να πει κάτι.

«Ή και όχι», συνέχισα. «Να ξέρεις, μόλις μάζεψα τον Άλεντ από το πάτωμα».

«Τι πράγμα;»

Γέλασα. «Μη μου πεις ότι άφησες τον κολλητό σου λιπόθυμο στο πάτωμα ενός κλαμπ, ρε Ντάνιελ».

«Όχι!» Μου έδειξε το νερό. «Του έφερνα νερό. Δεν είμαι τόσο μαλάκας».

Αμφέβαλλα για αυτό, αλλά το θεώρησα υπερβολή να του το πω.

Έτσι, γύρισα στον Άλεντ ο οποίος τριβόταν πάνω μου. «Γιατί μου τηλεφώνησες;»

Συνοφρυώθηκε και έπειτα μου άγγιξε τη μύτη με το ένα δάχτυλο. «Μου αρέσεις», είπε.

Άρχισα να γελάω επειδή πίστευα ότι αστειευόταν, αλλά ο Άλεντ δεν γέλασε. Με άφησε και κρεμάστηκε από τον Ντάνιελ, ο οποίος τρέκλισε από το ξαφνικό βάρος, πιάνοντας το ποτήρι και με τα δύο χέρια για να μην του πέσει.

«Δεν είναι παράξενο», είπε ο Άλεντ με το πρόσωπο κυριολεκτικά κολλημένο στου Ντάνιελ, «που ήμουν ο ψηλότερος για, πόσο, δεκάξι χρόνια, αλλά τώρα ξαφνικά με πέρασες;»

«Ναι, πολύ παράξενο», είπε ο Ντάνιελ και η έκφρασή του θύμισε κάτι σε χαμόγελο. Ήταν το πρώτο που είχα δει εδώ και μήνες. Ο Άλεντ έγειρε το κεφάλι του στον ώμο του Ντάνιελ και έκλεισε τα μάτια. Ο Ντάνιελ χτύπησε ελαφρά τον Άλεντ στο στήθος. Μουρμούρησε κάτι ακατάληπτο στον Άλεντ το οποίο δεν κατάφερα να ακούσω και του έδωσε το νερό. Ο Άλεντ το πήρε δίχως να πει κάτι και άρχισε να πίνει. Τους κοίταξα και ξαφνικά ο Ντάνιελ θυμήθηκε πως ήμουν κι εγώ εκεί.

«Πας σπίτι;» ρώτησε. «Μπορείς να τον πάρεις μαζί σου;»

Έβαλα τα χέρια στις τσέπες. Έτσι κι αλλιώς, δεν ήθελα να βρίσκομαι εδώ. «Ναι».

«Δεν τον παράτησα στο πάτωμα», είπε. «Του έφερνα νερό».

«Το είπες ήδη αυτό».

«Ναι, αλλά δεν νομίζω ότι με πίστεψες».

Σήκωσα τους ώμους. Ο Ντάνιελ έσπρωξε τον Άλεντ σε εμένα και αμέσως στηρίχτηκε πάνω μου, χύνοντας νερό στο μανίκι μου.

«Κανονικά δεν έπρεπε να τον είχα φέρει μαζί μου», μονολόγησε ο Ντάνιελ, έτσι πιστεύω δηλαδή και διέκρινα κάτι σαν τύψεις στο βλέμμα του όπως παρατηρούσε τον Άλεντ, ο οποίος ήταν έτοιμος να κοιμηθεί στα χέρια μου, ενώ τα φώτα του κλαμπ έπεφταν πάνω του.

❋

«Τι...» μουρμούρισε ο Άλεντ καθώς βγήκαμε έξω. «Πού είναι ο Νταν;»

«Μου ζήτησε να σε πάω σπίτι». Αναρωτήθηκα πώς θα το εξηγούσα αυτό στις φίλες μου. Έκανα μια νοερή σημείωση να στείλω μήνυμα στη Ρέιν με το που φτάσουμε στον σταθμό του τρένου.

«Καλά».

Τον λοξοκοίταξα επειδή ξαφνικά μου ακούστηκε σαν τον ντροπαλό Άλεντ στον οποίο είχα μιλήσει εκείνο το βράδυ στο σχολείο – τον Άλεντ που τραύλιζε και δεν μπορούσε να με κοιτάξει.

«Παίρνεις το τρένο μου», συνέχισε, ενώ περπατούσαμε στον άδειο κεντρικό δρόμο.

«Ναι», είπα.

«Κάθεστε... καθόσασταν μαζί με την Κάρις».

Η καρδιά μου σκίρτησε στο άκουσμα του ονόματος της Κάρις.

«Ναι», απάντησα.

«Σε συμπαθούσε», είπε ο Άλεντ, «περισσότερο από... εμ...»

Έχασε τον ειρμό του. Δεν ήθελα να μιλήσουμε για την Κάρις, έτσι δεν τον πίεσα.

«Άλεντ, ακούς μήπως το *Universe City*;» ρώτησα.

Σταμάτησε και το χέρι μου έπεσε από τον ώμο του.

«Τι;» είπε. Οι φανοστάτες του έδιναν μια μπρούτζινη απόχρωση, ενώ η πινακίδα νέον του Johhny αναβόσβηνε πίσω του.

Βλεφάρισα. Γιατί του έκανα αυτή την ερώτηση;

«Το *Universe City*;» είπε με μάτια νυσταγμένα και με φωνή δυνατή λες και ήμασταν ακόμη μέσα στο κλαμπ. «Γιατί;»

Κοίταξα αλλού. Μάλλον δεν το άκουγε. Τουλάχιστον δεν θα θυμόταν τη συζήτησή μας το πρωί. «Δεν έχει σημασία».

«*Όχι*», είπε. Σκόνταψε στο πεζοδρόμιο και παραλίγο να πέσει ξανά πάνω μου. Είχε γουρλώσει τα μάτια. «Γιατί με ρώτησες;»

Τον κοίταξα. «Εμ...»

Περίμενε.

«Επειδή... νόμιζα ότι είπες μια ατάκα από το podcast. Αλλά ίσως έκανα λάθος...»

«*Ακούς* το *Universe City*;»

«Ε, ναι», είπα.

«Πόσο... παράξενο. Ούτε 50.000 subscribers δεν έχω πιάσει».

Για μισό.

«Τι;»

Ο Άλεντ με πλησίασε. «Πώς το ήξερες; Ο Νταν είπε ότι κανείς δεν θα το καταλάβει».

«*Τι;*» είπα, αυτή τη φορά σε πιο έντονο ύφος. «Τι δεν θα καταλάβει κανείς;»

Ο Άλεντ δεν μου απάντησε. Άρχισε να χαμογελάει.

«Ακούς το *Universe City*;» ρώτησα, παρόλο που είχα ξεχάσει γιατί τον είχα ρωτήσει, αν ήταν επειδή δεν θα ένιωθα φρικιό μαθαίνοντας πως το ακούει και κάποιος άλλος ή αν ήθελα να πει ο Άλεντ αυτό που, φαινομενικά, δεν ήθελε να πει.

«*Εγώ είμαι το Universe City*», είπε και έμεινα.

«Τι πράγμα;»

«Είμαι το Radio», είπε. «Είμαι το Radio Silence. Είμαι ο δημιουργός του *Universe City*».

Και έμεινα παγωτό.

Και δεν μας έβγαινε λέξη.

Ο άνεμος φυσούσε. Μια παρέα κοριτσιών γελούσε στην κοντινή παμπ. Ο συναγερμός ενός αυτοκινήτου άρχισε να χτυπάει.

Ο Άλεντ κοίταξε αλλού, σαν να στεκόταν κάποιος δίπλα μας, τον οποίο εγώ δεν μπορούσα να δω. Έπειτα γύρισε σε εμένα, με άγγιξε στον ώμο και έσκυψε. «Είσαι καλά;» με ρώτησε με ενδιαφέρον.

«Εγώ... απλώς...» αλλά δεν ήξερα πώς να του πω ότι τα τελευταία δύο χρόνια είχα πάθει εμμονή με ένα podcast στο YouTube που αφηγούνταν τις περιπέτειες ενός φοιτητή ή φοιτήτριας, αγνώστου φύλου στην πραγματικότητα, σε ένα πανεπιστήμιο επιστημονικής φαντασίας, που φορούσε πάντα γάντια και χρησιμοποιούσε υπερδυνάμεις και την ευφυΐα του για να εξιχνιάσει μυστήρια σε μια πόλη, το όνομα της οποίας έβγαινε από το πιο χαζό λογοπαίγνιο που έχω ακούσει στη ζωή μου και πως φυλούσα στο δωμάτιό μου τα τριάντα επτά μπλοκ, γεμάτα ζωγραφιές για το συγκεκριμένο show και ότι δεν είχα συναντήσει από κοντά κάποιον άλλο που το άκουγε. Δεν το είχα μοιραστεί ποτέ με τις φίλες μου και να που τώρα, έξω από του Johhny R., την τελευταία μέρα πριν το τέλος των μαθημάτων, μάθαινα πως το άτομο του οποίου η δίδυμη αδελφή ήταν κάποτε η κολλητή μου, που έκανε ζωή εκ διαμέτρου αντίθετη με τη δική μου, ένα άτομο που δεν μου είχε πει λέξη χωρίς να πιει αλκοόλ, κρυβόταν πίσω από το podcast.

Αυτός ο μικροκαμωμένος ξανθός δεκαεπτάχρονος που δεν μιλούσε πολύ και στεκόταν μπροστά μου.

«Ακούω», είπε ο Άλεντ με ένα αδιόρατο χαμόγελο. Ήταν *τόσο* μεθυσμένος – ήξερε, άραγε, τι έλεγε;

«Θα μου πάρει ώρες να σου εξηγήσω», είπα.

«Θα σε ακούω για ώρες τότε», είπε.

I. ΘΕΡΙΝΟ ΤΡΙΜΗΝΟ

β)

Ο ΑΛΕΝΤ ΛΑΣΤ ΣΤΟ ΚΡΕΒΑΤΙ ΜΟΥ

ΔΕΝ ΜΟΥ ΑΡΕΣΕΙ να φέρνω κόσμο στο δωμάτιό μου. Φοβάμαι ότι θα ανακαλύψουν κάποιο από τα μυστικά μου, όπως τα σκίτσα που ζωγραφίζω εμπνευσμένη από το podcast ή το ιστορικό αναζήτησης στο Ίντερνετ ή πως ακόμη κοιμάμαι αγκαλιά με ένα λούτρινο αρκουδάκι.

Κυρίως όμως δεν μου αρέσει να κοιμούνται άλλοι στο κρεβάτι μου από τότε που ήμουν δώδεκα και συνέβη ένα ντροπιαστικό περιστατικό. Μια φίλη κοιμόταν δίπλα μου και είδα σε εφιάλτη ένα ταμαγκότσι να μου μιλάει με βαριά φωνή. Γύρισα στη φίλη μου, της έριξα μπουκέτο στη μούρη μες στον ύπνο της, της άνοιξα τη μύτη και έβαλε τα κλάματα. Τώρα που το σκέφτομαι, αυτό ήταν ένα μικρό δείγμα όλων των περασμένων φιλικών μου σχέσεων.

Παρ' όλα αυτά, εκείνο το βράδυ ο Άλεντ Λαστ κατέληξε στο κρεβάτι μου.

Χαχα.

Όχι. Όχι έτσι.

Όταν ο Άλεντ και εγώ κατεβήκαμε από το τρένο –βασικά ο Άλεντ κουτρουβαλιάστηκε– και κατεβήκαμε τα πέτρινα σκαλιά που συνέδεαν τον σταθμό με το χωριό μας, ο Άλεντ μου ανακοίνωσε πως τα κλειδιά του τα είχε ο Ντάνιελ Τζουν επειδή ο Ντάνιελ φορούσε το μπουφάν του Άλεντ, μέσα στο οποίο υπήρχαν και τα κλειδιά του. Δεν μπορούσε να ξυπνήσει τη μαμά του επειδή θα «του έσπαγε το κεφάλι». Ο τρόπος που το είπε ήταν αρκετά πειστικός, άσε που η μαμά του ήταν στον σύλλογο γονέων της Ακαδημίας. Επίσης, πάντα μου φαινόταν τρομακτική. Βασικά, θα μπορούσε να μου καταστρέψει την αυτοπεποίθηση με μία λέξη και μετά να την ταΐσει στο σκυλί της. Όχι βέβαια πως αυτό είναι και πολύ δύσκολο.

Τέλος πάντων. «Τι λες να κοιμηθείς σπίτι μου;» του πρότεινα λοιπόν και προφανώς αστειευόμουν, αλλά εκείνος έγειρε με όλο του το βάρος στον ώμο μου. *«Ε, ξέρεις...»* είπε και γέλασα, λες και είχα προβλέψει πως στο τέλος αυτό θα γινόταν από τη στιγμή που ο Άλεντ είχε μπουσουλήσει στη μέση του δρόμου.

«Καλά, καλά», του είπα. Θα κοιμόταν αμέσως. Φυσικά, εγώ δεν ήμουν σαν εκείνους τους παράξενους πενηντάρηδες που πιστεύουν ότι τα αγόρια και τα κορίτσια δεν μπορούν να μοιραστούν ένα κρεβάτι χωρίς να έχουν κάτι ερωτικό στο μυαλό τους.

Ο Άλεντ μπήκε στο σπίτι και έπεσε στο κρεβάτι μου δίχως να βγάλει λέξη και, όταν γύρισα από το μπάνιο όπου είχα πάει για να βάλω τις πιτζάμες μου, κοιμόταν με την πλάτη γυρισμένη σε εμένα. Το στήθος του ανεβοκατέβαινε αργά. Έσβησα τα φώτα.

Ευχόμουν να ήμουν κι εγώ ένα τσικ πιο μεθυσμένη καθώς μου πήρε ένα γεμάτο δίωρο μέχρι να αποκοιμηθώ, όπως συνέβαινε πάντα έτσι κι αλλιώς. Για αυτές τις δύο ώρες, όταν δεν έπαιζα παιχνίδια στο κινητό μου ή δεν χάζευα στο Tumblr, κοιτούσα την πίσω πλευρά του κεφαλιού του να φωτίζεται από το απαλό μπλε φως του δωματίου μου. Την τελευταία φορά που είχε κοιμηθεί κάποιος μαζί μου στο μεγάλο διπλό κρεβάτι μου ήταν η Κάρις όταν ήμουν δεκαπέντε, μερικά βράδια πριν το σκάσει. Αν μισόκλεινα κάπως τα μάτια, εκείνος έμοιαζε με εκείνη, με τα ξανθά του μαλλιά και τα ξωτικίσια αφτιά. Αλλά όταν άνοιξα τα μάτια μου ξανά, είδα τον Άλεντ, όχι την Κάρις, στο κρεβάτι μου. Για κάποιο λόγο, ένιωθα ασφαλής. Δεν ξέρω.

Ο Άλεντ ήθελε κούρεμα και ξαφνικά συνειδητοποίησα ότι το πουλόβερ του ήταν του Ντάνιελ.

ΤΡΕΛΟ, ΕΤΣΙ;

ΞΥΠΝΗΣΑ ΠΡΩΤΗ, γύρω στις έντεκα και κάτι. Ο Άλεντ είχε μείνει ακίνητος όλο το βράδυ. Έτσι, πριν σηκωθώ από το κρεβάτι, έλεγξα πρώτα μήπως είχε πεθάνει (δεν είχε). Αναλογίστηκα στα γρήγορα όλες τις χθεσινοβραδινές μου αποφάσεις. Όλες συμφωνούσαν με την εντύπωση που είχα σχηματίσει πλέον για τον εαυτό μου – ήμουν ένα κορόιδο που θα έμπλεκε σε αμήχανες καταστάσεις για να κρατήσει ασφαλή άτομα που ούτε καν γνώριζε, θα έκανε αμήχανες ερωτήσεις και αργότερα θα τις μετάνιωνε... Ο Άλεντ Λαστ κοιμόταν στο κρεβάτι μου. Τίποτα ασυνήθιστο δηλαδή για τη ζωή της Φράνσις.

Τι ακριβώς θα του έλεγα όταν θα ξυπνούσε; «Καλημέρα, Άλεντ. Είσαι στο κρεβάτι μου, μάλλον δεν θυμάσαι γιατί, αλλά, στ' ορκίζομαι, δεν σε έφερα εδώ με το ζόρι. Α, μια και το 'φερε η κουβέντα, θυμάσαι εκείνο το περίεργο podcast που ανεβάζεις στο YouTube; Βασικά, έχω φάει κόλλημα μαζί του εδώ και δύο χρόνια».

Αμέσως κατέβηκα κάτω. Καλύτερα να πω γρήγορα στη μαμά μου τι έγινε, προτού τον δει ξαφνικά μπροστά της και υποθέσει πως η κόρη της φιλοξενούσε ένα μικροκαμωμένο, ξανθό, ντροπαλό αγόρι δίχως να της έχει πει λέξη γι' αυτό.

Η μαμά έβλεπε *Game of Thrones* στο σαλόνι φορώντας τις πιτζαμούλες της με τους μονόκερους. Με παρατηρούσε προσεκτικά καθώς έμπαινα στο δωμάτιο και σωριαζόμουν δίπλα της στον καναπέ.

«Καλώς την», είπε. Στο ένα της χέρι κρατούσε ένα πακέτο μπαγιάτικα δημητριακά. Έφαγε μια χούφτα. «Νυσταγμένη μου φαίνεσαι».

«Είμαι κάπως...» είπα, δίχως να ξέρω πώς να συνεχίσω.

«Πέρασες καλά στην ντίσκο;» με ρώτησε, αλλά χαμογελούσε. Στη μαμά μου άρεσε να παριστάνει την ανήξερη για όλα όσα έκαναν οι έφηβοι του εικοστού πρώτου αιώνα. Ήταν άλλο ένα από τα πράγματα που απολάμβανε, πέρα από το να ειρωνεύεται τους καθηγητές. «Χόρεψες; Ανέβηκες στις καρέκλες;»

«Α, ναι, όλα τα κάναμε», είπα και έκανα πως χορεύω.

«Υπέροχα. Κάπως έτσι θα καταφέρεις να γνωριστείς κάποτε και με το σεξ».

Γέλασα δυνατά, κυρίως επειδή δεν μπορούσα να με φανταστώ να «γνωρίζομαι κάποτε με το σεξ», αλλά εκείνη τη στιγμή την είδα να πατάει επιτηδευμένα αργά παύση στο τηλεκοντρόλ, να αφήνει δίπλα της τα δημητριακά και να με κοιτάζει στα μάτια, πλέκοντας τα δάχτυλά της στα πόδια της, λες και ήταν διευθύντρια στο γραφείο της.

«Μια και πιάσαμε το θέμα αυτό», συνέχισε, «αναρωτιόμουν ποιος είναι ο γοητευτικός νεαρός που κοιμάται στο κρεβάτι σου».

Αχά. Μάλιστα.

«Ναι», είπα γελώντας. «Ναι. Ο γοητευτικός νεαρός».

«Μπήκα στο δωμάτιό σου για να μαζέψω τα άπλυτα και τον

είδα». Η μαμά άπλωσε τα χέρια της, σαν να ξαναζούσε τη σκηνή. «Αρχικά νόμιζα πως ήταν ένα γιγαντιαίο λούτρινο αρκουδάκι. Ή ένα από εκείνα τα γιαπωνέζικα μαξιλάρια που μου έδειχνες στο Ίντερνετ».

«Ναι... όχι. Είναι αληθινός».

«Φορούσε ρούχα, άρα υποθέτω πως δεν παίχτηκε καθόλου φίκι-φίκι».

«Μαμά, ακόμα κι όταν λες ειρωνικά τη φράση "φίκι-φίκι" θέλω να βουλώσω τα αφτιά μου με ψαρόκολλα. Δηλαδή, ποιος μιλάει έτσι;»

Η μαμά παρέμεινε σιωπηλή για μια στιγμή, το ίδιο κι εγώ, και ξαφνικά ακούσαμε έναν δυνατό γδούπο από πάνω.

«Ο Άλεντ Λαστ είναι», είπα. «Ο δίδυμος αδελφός της Κάρις».

«Ο *αδελφός* της φίλης σου;» κακάρισε η μαμά. «Κοίτα να δεις που στο τέλος θα γίνουμε ρομαντική κομεντί».

Ήταν αστείο, αλλά δεν γέλασα και η μαμά σοβάρεψε.

«Τι τρέχει, Φράνσις; Νόμιζα πως θα έμενες έξω μέχρι αργά με τις φίλες σου. Το αξίζεις να ξεδώσεις πριν πέσεις με τα μούτρα στις επαναλήψεις».

Με κοίταζε συμπονετικά. Πίστευε ότι ήμουν υπερβολική με το διάβασμα. Γενικά, η μαμά μου ήταν το ακριβώς αντίθετο από αυτό που έχουμε στο μυαλό μας ως «φυσιολογικός γονιός» και κατάφερνε να είναι γαμάτη.

«Ο Άλεντ είχε μεθύσει και τον έφερα σπίτι. Ξέχασε τα κλειδιά του και η μαμά του είναι λίγο μαλάκω».

«Α, ναι, η Κάρολ Λαστ». Η μαμά σούφρωσε τα χείλη. Κοίταξε αλλού, σαν να θυμόταν κάτι. «Πάντα προσπαθεί να μου πιάσει την κουβέντα στο ταχυδρομείο».

Άλλος ένας γδούπος ακούστηκε από το δωμάτιό μου. Η μαμά συνοφρυώθηκε και κοίταξε πάνω. «Δεν τον έχεις τραυματίσει σοβαρά, έτσι;»

«Λέω να πάω να δω πώς είναι».

«Ναι, τράβα δες τον άντρα σου. Πιθανότατα προσπαθεί να το σκάσει απ' το παράθυρο».

«Αχ, ελάτε, μητέρα, ένας σύντροφός μου δεν θα προσπαθούσε ποτέ να το σκάσει από το παράθυρο».

Χαμογέλασε με τον τρόπο που με κάνει να πιστεύω ότι ξέρει κάτι που εγώ αγνοώ. Σηκώθηκα να φύγω.

«Μην τον αφήσεις να ξεφύγει!» είπε η μαμά. «Ίσως είναι η μοναδική σου ευκαιρία να βρεις σύζυγο!»

Έπειτα θυμήθηκα το άλλο που πιθανότατα έπρεπε να αναφέρω στη μαμά.

«Α, δεν σου είπα», έκανα μεταβολή στην πόρτα, «θυμάσαι το *Universe City*, έτσι;»

Το γέλιο της μαμάς μετατράπηκε σε μια μπερδεμένη έκφραση. «Ε, ναι».

«Ωραία, ο Άλεντ το έφτιαξε».

Συνειδητοποίησα πως ο Άλεντ δεν θα θυμόταν μάλλον ότι μου είπε πως είχε δημιουργήσει το *Universe City*. Υπέροχα. Ακόμα μία αμήχανη κατάσταση που θα έπρεπε να αντιμετωπίσω.

«Τι πράγμα;» είπε η μαμά. «Τι εννοείς;»

«Εκείνος μου έστειλε το μήνυμα στο Twitter. Εκείνος είναι ο δημιουργός του *Universe City*. Το έμαθα χθες».

Η μαμά έμεινε παγωτό.

«Ναι», είπα. «Τρελό, έτσι;»

ΤΟΣΟ ΠΕΡΙΕΡΓΟ

ΓΥΡΙΣΑ ΣΤΟ ΔΩΜΑΤΙΟ ΜΟΥ και βρήκα τον Άλεντ κουλουριασμένο δίπλα στο κρεβάτι μου να κρατάει μια κρεμάστρα λες και ήταν δρεπάνι. Με το που μπήκα γύρισε για να με αντιμετωπίσει με βλέμμα αγριεμένο και τα μαλλιά του –που ήθελαν κούρεμα– να πετάγονται προς κάθε κατεύθυνση, ανακατεμένα από τον ύπνο. Θα έλεγα πως έμοιαζε κάπως… πώς να το πω… τρομαγμένος. Δεν τον αδικώ.

Μου πήρε μερικά δευτερόλεπτα μέχρι να αποφασίσω τι να πω.

«Μήπως σχεδίαζες… να με αποκεφαλίσεις με την κρεμάστρα;»

Ανοιγόκλεισε τα βλέφαρα και έπειτα χαμήλωσε το όπλο του και σηκώθηκε. Ο τρόμος υποχώρησε κάπως. Τον κοίταξα από πάνω μέχρι κάτω – φορούσε φυσικά τα ίδια ρούχα με χθες βράδυ, το μπορντό πουλόβερ του Ντάνιελ, ένα μαύρο τζιν παντελόνι, αλλά για πρώτη φορά πρόσεξα πως φορούσε κάτι όμορφα λαχανί πάνινα παπούτσια με μοβ φωσφοριζέ κορδόνια και σκέφτηκα να τον ρωτήσω από πού τα πήρε.

«Α. Η Φράνσις Ζανβιέρ», είπε. Και εξακολουθούσε να προφέρει σωστά το επώνυμό μου.

Έπειτα πήρε μια βαθιά ανάσα και κάθισε στο κρεβάτι μου.

Ήταν λες και έβλεπα άλλον άνθρωπο. Τώρα που ήξερα ότι αυτός ήταν ο δημιουργός του podcast, η φωνή του Radio Silence, δεν μου έμοιαζε πια με τον Άλεντ Λαστ – τουλάχιστον όχι με τον Άλεντ Λαστ που ήξερα εγώ. Δεν ήταν πια η σιωπηρή σκιά του Ντάνιελ Τζουν, το αγόρι πού ήταν πιο αόρατο και από τζάμι. Δεν ήταν το αγόρι που απλώς χαμογελούσε με ότιδήποτε κι αν του έλεγες. Γενικά, για να είμαι ειλικρινής, δεν έμοιαζε πια με το πιο βαρετό και basic άτομο σε ολόκληρο το σύμπαν.

Ήταν το *Radio Silence.* Ήταν ο άνθρωπος που έκανε ένα podcast στο YouTube τα τελευταία *δύο χρόνια.* Μια γαμάτη, ευφάνταστη, γεμάτη δράση ιστορία.

Ήμουν στα πρόθυρα να πάθω νευρικό κλονισμό μπροστά στο είδωλό μου. Ρεζίλι θα γινόμουν.

«Jesus Christ», είπε. Η φωνή του ήταν τόσο χαμηλή τώρα που ήταν ξεμέθυστος, έμοιαζε λες και δεν ήταν συνηθισμένος να μιλάει φυσιολογικά όπως οι υπόλοιποι άνθρωποι, λες και αναγκαζόταν να μιλάει δυνατά με το ζόρι. «Νόμιζα πως με είχαν απαγάγει». Έκρυψε το πρόσωπο στα χέρια του και στήριξε τους αγκώνες στα γόνατά του.

Έμεινε έτσι για αρκετή ώρα. Και εγώ τον παρακολουθούσα από την πόρτα.

«Εμ... συγγνώμη», του είπα, αν και δεν ήξερα για τι ακριβώς του ζητούσα συγγνώμη. «Εσύ μου το ζήτησες. Δεν σε παρέσυρα στο σπίτι μου. Δεν είχα κάποιον κακό σκοπό». Με κοίταξε με μάτια γουρλωμένα. «Ναι, βέβαια, αυτό θα έλεγε κάποιος που είχε κάποιον κακό σκοπό», αναφώνησα.

«Όλο αυτό είναι τέρμα άβολο», είπε και το στόμα του

συσπάστηκε, σχηματίζοντας κάτι σαν χαμόγελο. «Εγώ θα έπρεπε να σου ζητήσω συγγνώμη».

«Ναι, είναι άβολο».

«Θες να φύγω;»

«Εμ...» κόμπιασα. «Δεν θα σε σταματήσω αν θες να φύγεις. Αλήθεια δεν σε απήγαγα».

Ο Άλεντ με παρατήρησε.

«Για περίμενε», είπε. «Κάναμε... ξέρεις, μήπως... κάναμε *σεξ;*»

Και μόνο η σκέψη μού φάνηκε τόσο χαζή που γέλασα. Τώρα που το σκέφτομαι, ίσως και να ήταν κάπως αγενές.

«Όχι. Δεν έγινε κάτι».

«Εντάξει», είπε. Κοίταξε κάτω και δεν μπορούσα να καταλάβω τι σκεφτόταν. «Ναι. Θα ήταν τόσο άβολο μετά».

Και πάλι σωπάσαμε. Έπρεπε να πω κάτι για το *Universe City* προτού φύγει. Προφανώς δεν θυμόταν τίποτα. Το πρόβλημα ήταν (εκτός του ότι ήμουν κακή ψεύτρα) ότι δεν μπορούσα να κρατήσω μυστικά.

Τελικά, άφησε δίπλα του στο κρεβάτι την κρεμάστρα που κρατούσε.

«Έχεις ωραίο δωμάτιο», είπε ντροπαλά. Έδειξε την αφίσα του podcast *Welcome to Night Vale.* «Είναι τέλειο αυτό».

Φυσικά και είναι. Το *Welcome to Night Vale* ήταν άλλο ένα podcast που λάτρευα, όπως το *Universe City*, αν και προτιμούσα το *Universe City* – οι χαρακτήρες του μου άρεσαν περισσότερο.

«Δεν ήξερα ότι σου αρέσουν τέτοια πράγματα», συνέχισε.

Δεν ήμουν σίγουρη πού το πήγαινε. «Ε, ναι».

«Νόμιζα πως... ξέρεις... σου αρέσει μόνο να διαβάζεις συνέχεια και... να είσαι πρόεδρος και... ναι, αυτά».

«Α, ναι». Γέλασα αμήχανα. Το σχολείο ήταν τα πάντα για μένα. Οπότε μάλλον είχε δίκιο. «Ναι... Θεωρώ τους υψηλούς βαθμούς σημαντικούς, το ίδιο και να είμαι πρόεδρος... θέλω να μπω στο Κέιμπριτζ, ξέρεις, οπότε πρέπει... πρέπει να μελετάω συνέχεια, οπότε... ναι, αυτά».

Με παρακολουθούσε να μιλάω γνέφοντας αργά. «Α, καταλαβαίνω», είπε αλλά φαινόταν πως δεν τον ένοιαζε τόσο όσο η αφίσα του *Welcome to Night Vale*. Κατάλαβε πως κοιτούσε σαν χάνος, έτσι χαμήλωσε το βλέμμα. «Συγγνώμη, όλο αυτό το κάνω πιο αμήχανο». Σηκώθηκε και έστρωσε τα μαλλιά του με το ένα χέρι. «Θα φύγω. Έτσι κι αλλιώς δεν θα βλεπόμαστε πια».

«Τι;»

«Αφού τελείωσα το σχολείο».

«Α».

«Χαχα».

Αλληλοκοιταχτήκαμε. Ήταν τόσο αμήχανο. Το παντελόνι της πιτζάμας μου είχε πάνω του τα Χελωνονιντζάκια.

«Μου είπες ότι εσύ έφτιαξες το *Universe City*», είπα τόσο βιαστικά που φοβήθηκα ότι δεν με είχε ακούσει. Σκέφτηκα πως, αφού δεν υπήρχε κάποιος εύκολος τρόπος να του το πω, μπορούσα απλώς να το ξεφουρνίσω. Κάπως έτσι λειτουργούσα στη ζωή μου.

Ο Άλεντ δεν είπε κάτι, αλλά η έκφρασή του άλλαξε και πισωπάτησε.

«Σου είπα... τι;» είπε, αλλά η φωνή του έσβησε.

«Δεν ξέρω πόσα θυμάσαι, αλλά είμαι...» σταμάτησα πριν πω κάτι που θα με έκανε να φαίνομαι παρανοϊκή. «Λατρεύω το podcast σου και το ακούω από τη μέρα που το ξεκίνησες».

«Τι;» είπε πάλι και ακούστηκε στ' αλήθεια έκπληκτος. «Μα... αυτό σημαίνει... το ξεκίνησα δύο χρόνια πριν... από τότε;»

«Από τότε», γέλασα. «Περίεργο, ε;»

«Όχι, είναι...» Η φωνή του δυνάμωσε. «Είναι κουλ».

«Ναι, αλήθεια το λατρεύω, δεν ξέρω τι να σου πω. Οι χαρακτήρες είναι τόσο καλοφτιαγμένοι και ταυτίζεσαι εύκολα μαζί τους. Το Radio, για παράδειγμα, ήταν τόσο έξυπνο να μην του δώσεις φύλο. Όταν πρωτοεμφανίστηκε η γυναικεία φωνή, άκουσα το επεισόδιο τουλάχιστον είκοσι φορές. Και είναι τόσο γαμάτο όταν δεν ξέρεις αν η φωνή που ακούς είναι αγορίστικη ή κοριτσίστικη, είναι υπέροχο. Και... καμία από τις φωνές δεν είναι κοριτσίστικες ή αγορίστικες, σωστά; Το Radio, αν και άνθρωπος, δεν έχει φύλο. Τέλος πάντων, και οι βοηθοί του είναι γαμάτοι, χωρίς τη σεξουαλική έννοια του *Doctor Who*. Είναι ολοκληρωμένοι χαρακτήρες και μου αρέσει που δεν είναι πάντα κολλητοί με το Radio. Μερικές φορές είναι εχθροί. Και κάθε ιστορία είναι τόσο αστεία, χωρίς να ξέρεις τι θα συμβεί στο τέλος, αλλά και οι υποπλοκές είναι τέλειες, για παράδειγμα δεν έχω ιδέα γιατί το Radio δεν μπορεί να βγάλει τα γάντια του ή τι βρίσκεται στο Μπλε Κτίριο ή αν το Radio θα συναντήσει ποτέ τη Vulpes και δεν θα σε ρωτήσω καν για την όλη συνωμοσία της "February Friday" γιατί θα μου κατέστρεφε τα πάντα το συγκεκριμένο spoil. Ναι, είναι... είναι τόσο γαμάτο που δεν μπορώ καν να περιγράψω πόσο το λατρεύω. Αλήθεια».

Όσο μιλούσα, τα μάτια του Άλεντ γούρλωναν ολοένα και περισσότερο. Στα μισά, κάθισε στο κρεβάτι μου. Προς το τέλος, κάλυψε τα χέρια του με τα μανίκια. Όταν τελείωσα, μετάνιωσα που είχα ανοίξει το στόμα μου.

«Πρώτη φορά συναντάω μια θαυμάστρια», είπε με φωνή σιγανή, ίσα που ακουγόταν πάλι. Και γέλασε. Κάλυψε το στόμα του με το χέρι όπως είχε κάνει και χθες βράδυ και αναρωτήθηκα, για ακόμα μία φορά, γιατί το έκανε.

«Επίσης...» συνέχισα, με την πρόθεση να του πω ότι ήμουν η Τουλούζ, η καλλιτέχνιδα με την οποία είχε μιλήσει στο Twitter. Από το μυαλό μου πέρασε η εικόνα. Να του το λέω, εκείνος να φρικάρει, εγώ να του δείχνω τα τριάντα επτά μου μπλοκ, εκείνος να φρικάρει περισσότερο, να με λέει «φρικιό», να φεύγει τρέχοντας και να μη συναντιόμαστε ποτέ ξανά.

Κούνησα αμήχανη το κεφάλι μου. «Ξέχασα τι ήθελα να πω».

Ο Άλεντ κατέβασε το χέρι του. «Καλά».

«Έπρεπε να έβλεπες τη φάτσα μου χθες όταν μου το είπες», είπα με προσποιητό γέλιο.

Χαμογέλασε, αλλά φαινόταν αγχωμένος.

Χαμήλωσα το βλέμμα. «Ναι... Τέλος πάντων. Μπορείς να πας σπίτι τώρα, αν θες. Συγγνώμη».

«Μη ζητάς συγγνώμη», είπε ψιθυριστά.

Έπρεπε να καταβάλλω μεγάλη προσπάθεια για να μη ζητάω συγγνώμη με το παραμικρό.

Σηκώθηκε, αλλά δεν πήγε στην πόρτα. Με κοίταζε λες και ήθελε να πει κάτι αλλά δεν ήξερε ποιες λέξεις να διαλέξει.

«Ή... θες να φας πρωινό; Θα ήθελες να σου φέρω; Δεν θέλω να σε πιέσω αν δεν...»

«Θα ένιωθα άσχημα», είπε, αλλά χαμογελούσε αμυδρά και για πρώτη φορά πίστευα ότι ήξερα τι σκεφτόταν.

«Δεν πειράζει. Δεν καλώ συχνά κόσμο στο σπίτι μου οπότε... έχει φάση!» με το που το είπα κατάλαβα πόσο θλιβερό ακούστηκε.

«Καλά», απάντησε. «Αν δεν σε πειράζει».

«Τέλεια».

Κοίταξε το δωμάτιό μου για άλλη μια φορά. Τον είδα να παρατηρεί το γραφείο μου, τα φυλλάδια και τις σημειώσεις μου πεταμένες παντού, συμπεριλαμβανομένου και του πατώματος. Κοίταξε τη βιβλιοθήκη μου, όπου πάνω στα βιβλία κλασικής λογοτεχνίας που σκόπευα να διαβάσω πριν τη συνέντευξή μου στο Κέιμπριτζ είχα DVD με ολόκληρη τη συλλογή ταινιών του Στούντιο Γκίμπλι που μου είχε αγοράσει η μαμά για δώρο στα δέκατα έκτα γενέθλιά μου. Κοίταξε έξω από το παράθυρο το σπίτι του. Δεν ήξερα ποιο παράθυρο ήταν του δωματίου του.

«Δεν έχω πει σε κανέναν για το *Universe City*», είπε και στράφηκε ξανά προς το μέρος μου. «Πίστευα πως θα με θεωρούσαν περίεργο».

Θα μπορούσα να είχα πει ένα εκατομμύριο άλλα πράγματα. «Κι εγώ το ίδιο», του απάντησα τελικά.

Και σωπάσαμε πάλι. Νομίζω προσπαθούσαμε να καταλάβουμε όσα συνέβαιναν. Μέχρι σήμερα δεν έχω ιδέα αν χάρηκε για την αποκάλυψη που του είχα κάνει. Μερικές φορές πιστεύω πως όλα θα ήταν καλύτερα αν δεν του είχα πει ότι ήξερα. Άλλες φορές θεωρώ πως είναι ό,τι καλύτερο έχω κάνει ποτέ στη ζωή μου.

«Τι λες... πάμε να φάμε;» ρώτησα, μια και δεν υπήρχε περίπτωση αυτή η συζήτηση, αυτή η συνάντηση, αυτή η γελοία και απίστευτη σύμπτωση να σταματήσει εκεί.

«Ναι, πάμε», είπε. Παρόλο που μιλούσε χαμηλόφωνα και ντροπαλά, φαινόταν πως ήθελε να μείνουμε κι άλλο μαζί για να μιλήσουμε περισσότερο.

ΘΑ ΒΓΑΖΑΜΕ ΕΚΑΤΟΜΜΥΡΙΑ

ΔΕΝ ΕΜΕΙΝΕ ΤΕΛΙΚΑ ΓΙΑ ΠΟΛΥ. Νομίζω είχε καταλάβει ότι είχα καταρρεύσει εντελώς μέσα μου από την όλη κατάσταση, κατάφερα πάντως να του ψήσω ένα τοστ και προσπάθησα να μην τον βομβαρδίσω με αμέτρητες ερωτήσεις, όσο κι αν το ήθελα. Αφού τον ρώτησα ποιοι ήξεραν για το *Universe City* (μόνο ο Ντάνιελ) και γιατί το είχε ξεκινήσει (βαριόταν) και πώς κατάφερνε να κάνει όλες τις διαφορετικές φωνές (με λογισμικό), σκέφτηκα να ηρεμήσω λιγάκι. Έτσι, μου έβαλα ένα μπολ δημητριακά και κάθισα απέναντί του στον πάγκο όπου τρώμε πρωινό. Ήταν Μάιος, ακόμη δεν είχε μπει το καλοκαίρι, αλλά ο πρωινός ήλιος με τύφλωνε μπαίνοντας από το παράθυρο της κουζίνας.

Μιλήσαμε για τα κλασικά, για το σχολείο και τις διακοπές και τις επαναλήψεις που είχαμε κάνει. Είχαμε δώσει και οι δύο Καλλιτεχνικά, αλλά εκείνος είχε ακόμα να δώσει Λογοτεχνία, Ιστορία και Μαθηματικά, ενώ εγώ Λογοτεχνία, Ιστορία και Φιλοσοφία της Πολιτικής. Προέβλεπε ότι θα έπαιρνε άριστα στα πάντα και δεν με εξέπληξε, μια και σκόπευε να μπει σε ένα από τα κορυφαία πανεπιστήμια της χώρας και είπε ότι, για κάποιο λόγο, δεν τον άγχωναν οι εξετάσεις. Δεν ανέφερα ότι εγώ είχα τόσο πολύ άγχος που έχανα άπειρα μαλλιά στην ντουζιέρα.

Κάποια στιγμή με ρώτησε αν είχα παυσίπονα και ξαφνικά πρόσεξα πως τα μάτια του ήταν κατακόκκινα και βουρκωμένα, ενώ δεν είχε φάει το τοστ του. Θυμάμαι ακόμη πώς έμοιαζε εκείνη την πρώτη μέρα στην κουζίνα μου. Στο φως του ήλιου, τα μαλλιά και το δέρμα του έμοιαζαν να έχουν το ίδιο χρώμα.

«Βγαίνεις συχνά;» τον ρώτησα, δίνοντάς του ένα χάπι και ένα ποτήρι νερό.

«Μπα», είπε. Και γέλασε. «Για να πω την αλήθεια, δεν μου αρέσει να βγαίνω. Είμαι λίγο loser».

«Ούτε σε μένα αρέσει», είπα. «Χθες βράδυ ήταν η πρώτη μου φορά στου Johhny R. Δεν περίμενα ότι θα ήταν όλοι τόσο ιδρωμένοι».

Γέλασε ξανά, καλύπτοντας με το χέρι το στόμα του. «Ναι, αηδία ήταν».

«Οι τοίχοι ήταν, πώς να το πω; *Μουσκίδι* από την υγρασία».

«Ναι!»

«Άνετα έκανες νεροτσουλήθρα. Και, για να πω την αλήθεια, θα προτιμούσα να υπήρχε μια τέτοια στον χώρο». Έκανα μια παράξενη χειρονομία με τα χέρια μου, σαν να κατέβαιναν νεροτσουλήθρα. «Να τσουλούσαμε μεθυσμένοι. Θα πλήρωνα γι' αυτό».

Τι παράξενη φράση. Γιατί την είπα; Περίμενα να με κοιτάξει με ύφος σαν να μου έλεγε «Φράνσις, τι λες;»

Αλλά δεν το έκανε.

«Εγώ πάλι θα πλήρωνα για να κάναμε τραμπολίνο μεθυσμένοι», είπε. «Να υπήρχε ένα δωμάτιο όπου το πάτωμα θα ήταν τραμπολίνο».

«Ή ένα δωμάτιο που θα ήταν παιδική χαρά».

«Έχεις πάει στο Monkey Bizz;»

«Ναι!»

«Θυμάσαι που είχαν μια τραμπάλα με λάστιχα πάνω από έναν λάκκο γεμάτο μπάλες; Κάτι τέτοιο θα ήθελα».

«Ναι, ρε συ. Ένα τέτοιο μέρος να φτιάχναμε, θα βγάζαμε εκατομμύρια».

«Πράγματι».

Ακολούθησε μια παύση και έπειτα αρχίσαμε να τρώμε. Δεν νιώθαμε αμηχανία πια.

Πριν φύγει, όπως ήμασταν στο κατώφλι, είπα:

«Από πού πήρες τα παπούτσια σου; Είναι τέλεια».

Με κοίταξε σαν να του είχα πει ότι κέρδισε το λαχείο.

«Από το ASOS», απάντησε.

«Α, τέλεια».

«Είναι...» Παραλίγο να μην το πει. «Ξέρω ότι είναι περίεργα. Είναι γυναικεία».

«Α, δεν μοιάζουν με γυναικεία». Κοίταξα τα πόδια του. «Ούτε με αντρικά μοιάζουν. Είναι απλώς παπούτσια». Τον κοίταξα και χαμογέλασα. Δεν ήξερα πού ήθελα να καταλήξω. Με κοιτούσε κι εκείνος με έναν τρόπο που δεν μπορούσα να καταλάβω τι σκεφτόταν.

«Έχω πάρει ένα παλτό από το Topman», συνέχισα. «Και τα αντρικά στο Primark έχουν τα καλύτερα χριστουγεννιάτικα πουλόβερ».

Ο Άλεντ Λαστ έκρυψε τα χέρια του μέσα στα μανίκια. Μαζί με αυτά, προσπαθούσε να κρύψει και πόσο ντροπαλός ήταν.

«Σ' ευχαριστώ για όσα είπες για το *Universe City*», είπε χωρίς να με κοιτάζει στα μάτια. «Σημαίνει… ξέρεις… σημαίνει πολλά για μένα».

Ήταν η κατάλληλη ευκαιρία να του το πω.

Πως εγώ ήμουν η καλλιτέχνιδα με την οποία μίλησε στο Twitter.

Αλλά δεν τον ήξερα. Δεν ήξερα πώς θα αντιδρούσε. Μπορεί να πίστευα ότι ήταν το πιο κουλ άτομο που είχα γνωρίσει, αλλά αυτό δεν σήμαινε ότι τον εμπιστευόμουν κιόλας.

«Αφού ισχύει!» είπα.

Όταν αποχαιρετιστήκαμε και απομακρύνθηκε, ξαφνικά συνειδητοποίησα ότι αυτή ήταν η μεγαλύτερη σε διάρκεια συζήτηση που είχα κάνει με συνομήλικό μου εδώ και τουλάχιστον μερικές εβδομάδες. Ίσως να γινόμασταν φίλοι, ίσως όμως και να ήταν κάπως περίεργο τελικά.

Γύρισα στο δωμάτιό μου, είδα τα μπλοκ που ξεπρόβαλλαν κάτω από το κρεβάτι μου και σκέφτηκα *αχ και να ήξερε*. Στο μυαλό μου ήρθε η Κάρις, αν θα έπρεπε να τη φέρω κάπως στη συζήτηση – my God, ο Άλεντ ήξερε ότι ήμασταν φίλες. Αφού ήταν κι εκείνος στο τρένο μαζί μας κάθε φορά, επομένως ήξερε ότι κάναμε παρέα.

Έπρεπε να του πω ότι ήμουν εγώ η καλλιτέχνιδα επειδή, αν το ανέβαλλα, ίσως να έφτανε στο σημείο να με μισήσει και αυτό δεν το ήθελα σε καμία περίπτωση. Τίποτα καλό δεν βγαίνει με τα ψέματα. Θα έπρεπε να το είχα εμπεδώσει μέχρι τώρα.

ΔΡΑΜΑΤΙΚΗ ΚΑΙ ΔΥΝΑΜΙΚΗ

Η ΚΑΡΙΣ ΔΕΝ ΕΛΕΓΕ ΠΟΤΕ ΨΕΜΑΤΑ. Ούτε έλεγε και όλη την αλήθεια βέβαια, κάτι που για κάποιο λόγο μου φαινόταν χειρότερο. Και το κατάλαβα αφότου είχε εξαφανιστεί.

Μονοπωλούσε τις συζητήσεις μας στο τρένο με ιστορίες από τη ζωή της. Για καυγάδες με τη μαμά της, τους συμμαθητές και τους καθηγητές της. Για κακές εκθέσεις που είχε γράψει και διαγωνίσματα στα οποία είχε πάρει κάτω από τη βάση. Για πάρτι στα οποία πήγαινε κρυφά, για μεθύσια, για κουτσομπολιά από την τάξη της. Ήταν ό,τι δεν ήμουν – δραματική, συναισθηματική, δυναμική. Εγώ ήμουν ένα τίποτα. Τίποτα δεν συνέβαινε στη δική μου ζωή.

Αλλά δεν είπε ποτέ την πλήρη αλήθεια κι εγώ ούτε που το πήρα χαμπάρι. Ήμουν τόσο εντυπωσιασμένη από τη λάμψη της, τις απίστευτες ιστορίες της και τα πλατινέ μαλλιά της που δεν έβρισκα παράξενο που εκείνη και ο Άλεντ έφταναν χώρια στον σταθμό τα πρωινά και εκείνος τα απογεύματα περπατούσε είκοσι μέτρα πίσω μας. Δεν μου φαινόταν παράξενο που δεν μιλούσαν ποτέ, ούτε κάθονταν μαζί. Δεν με προβλημάτιζε τίποτα. Δεν πρόσεχα τίποτα.

Είχα τυφλωθεί και απέτυχα. Και δεν θα το αφήσω να ξανασυμβεί.

UNIVERSE CITY: ΕΠ. 2 – σκέιτ

UniverseCity 84.873 views

Από δω και πέρα μαζεύω συμμάχους. Μέχρι να λάβω απάντηση, προτεραιότητά μου θα είναι η επιβίωση.

Δείτε παρακάτω για την απομαγνητοφώνηση >>>

[...]

Έχει τέλειο ποδήλατο, μπορώ να σας το πω με σιγουριά. Με τρεις ρόδες και φωσφορίζει στο σκοτάδι. Και, φυσικά, είναι χρήσιμο να βρίσκεται δίπλα μου κάποιος που μπορεί να χρησιμοποιήσει τα γυμνά του χέρια. Δεν περιγράφεται η δυσκολία του να φοράς αυτά τα γάντια συνέχεια.

Ακόμη δεν ξέρω γιατί ζήτησα τη βοήθειά του. Έχω επιβιώσει μόνος μου τόσο καιρό. Αλλά από τότε που άρχισα να σας μιλάω, φαντάζομαι... φαντάζομαι πως άλλαξα γνώμη.

Αν θέλω να ξεφύγω από δω, θα πρέπει κάθε τόσο να συνεργάζομαι με κατοίκους της πόλης. Όσοι είστε στον πραγματικό κόσμο δεν φαντάζεστε τι πλάσματα κρύβονται κάτω από τη μεταλλική σκόνη της Universe City. Τέρατα και δαίμονες και συνθετικά εκτρώματα.

Κάθε μέρα μαθαίνεις και για μια νέα απώλεια – κάποιος καημένος που γύριζε μόνος του από μια διάλεξη, ένα κουρασμένος φύτουκλας σε κάποια γωνιά της βιβλιοθήκης, κάποιο δύσμοιρο κορίτσι μόνο στο κρεβάτι του.

Σε αυτό θέλω να καταλήξω, φιλαράκο: Έχω συμπεράνει πως είναι αδύνατον να επιβιώσεις μόνος στη Universe City.

[...]

ONLINE

Η ΜΑΜΑ ΚΑΙ ΕΓΩ βλέπαμε το *Πέμπτο Στοιχείο* και τρώγαμε πίτσα, όταν το κινητό μου δονήθηκε. Μου είχε έρθει μήνυμα στο Facebook. Το πήρα περιμένοντας να είναι κάποια φίλη και στο παρατσάκ δεν πνίγηκα από την κόρα της πίτσας μόλις διάβασα το όνομα στην οθόνη.

(19:31) **Άλεντ Λαστ**
καλησπέρα Φράνσις ήθελα να σε ευχαριστήσω που με άφησες να κοιμηθώ σπίτι σου εχθές, μάλλον σου χάλασα το βράδυ... χίλια συγγνώμη xx

(19:34) **Φράνσις Ζανβιέρ**
Δεν κάνει τίποτα!! Μην ανησυχείς!! <3
Για να πω την αλήθεια δεεεεεεν ήθελα και τόσο να βγω... Και, για να μη λέμε ψέματα, ίιιιισως να σε χρησιμοποίησα ως δικαιολογία για να γυρίσω σπίτι

(19:36) **Άλεντ Λαστ**
α όλα καλά τότε!

πίστευα πως θα ήταν καλή ιδέα να μεθύσω επειδή
είχα αγχωθεί που θα πήγαινα στου τζόνι αλλά μάλλον
δεν υπολόγισα σωστά πόσο αλκοόλ αντέχω χαχα
δεν έχω ξαναμεθύσει έτσι

(19:37) **Φράνσις Ζανβιέρ**
Δεν πειράζει!! Είχες μαζί σου και τον Ντάνιελ οπότε
όλα καλά! Σου έφερνε νερό όταν σε βρήκα ☺

(19:38) **Άλεντ Λαστ**
ναι, σωστά ☺

(19:38) **Φράνσις Ζανβιέρ**
:D

Μείναμε και οι δύο online για μερικά λεπτά ακόμα και κάτι ήθελα να του πω και ένιωθα πως το ίδιο ήθελε και εκείνος, αλλά κανείς μας δεν ήξερε τι να πει, οπότε έσβησα την οθόνη του κινητού και προσπάθησα να συγκεντρωθώ στην ταινία, αλλά το μόνο που μπορούσα να σκεφτώ ήταν εκείνος.

STOP-MOTION

Η ΕΠΟΜΕΝΗ ΜΕΡΑ ΗΤΑΝ ΚΥΡΙΑΚΗ. Ήταν η μέρα που αποφάσισα να αρχίσω τις επαναλήψεις των διακοπών και η μέρα που μου έστειλε μήνυμα το Radio Silence –ο Άλεντ– ενώ ήμουν στα μισά ενός προβλήματος στα μαθηματικά.

Radio Silence <universecitypodcast@gmail.com>

Προς εμένα

Καλημέρα Τουλούζ,

Σ' ευχαριστώ που απάντησες στο μήνυμά μου! Χαίρομαι που θέλεις να συνεργαστούμε. Ήθελα εδώ και καιρό να εντάξω σκίτσα στη σειρά.

Το e-mail συνεχίστηκε για μερικές παραγράφους ακόμα. Ο Άλεντ μοιράστηκε μαζί μου όλες τις ιδέες που είχε για το podcast – gif πιξελιασμένα σαν εκείνα που είχε δει στο blog μου ή stop-motion ζωγραφιές πάνω σε ασπροπίνακα. Ίσως και να σχεδίαζα ξανά το σήμα του *Universe City*, αν δεν μου φαινόταν μεγάλη η ευθύνη. Με ρώτησε αν ήμουν σίγουρη πως ήθελα να συνεργαστούμε, επειδή δεν θα ήθελε να απογοητεύσει τους subscribers του – αν ήμουν σύμφωνη, ήμουν *σύμφωνη*, δεν θα μπορούσα να κάνω πίσω δίχως να υπάρχει καλός λόγος.

Ανακατεύτηκα.

Άφησα το κινητό μου να πέσει στις ασκήσεις που έλυνα. Τα γράμματα στο e-mail και οι αριθμοί στη σελίδα του σημειωματάριου μπλέχτηκαν για μια στιγμή μεταξύ τους.

Έπρεπε να του πω ότι είμαι εγώ.

Προτού χαλάσω άλλη μία φιλία.

#ΞΕΧΩΡΙΣΤΗΧΙΟΝΟΝΙΦΑΔΑ

ΜΟΥ ΠΗΡΕ ΜΕΧΡΙ ΤΟ ΑΠΟΓΕΥΜΑ ΤΗΣ ΔΕΥΤΕΡΑΣ για να καταστρώσω ένα σχέδιο.

Θα τον ρωτούσα για τα παπούτσια του. Έτσι θα του έπιανα ξανά την κουβέντα.

Και με κάποιο τρόπο θα κατέληγα να του αποκαλύψω ότι ήμουν η Τουλούζ, η καλλιτέχνιδα στην οποία είχε στείλει e-mail για το podcast με το οποίο του είχα πει ήδη πως ήμουν τρελαμένη.

Με κάποιο τρόπο. Δεν ήξερα πώς.

Όλα θα πήγαιναν καλά.

Είμαι έμπειρη στην τέχνη του μπλα μπλα.

(16:33) **Φράνσις Ζανβιέρ**

Άλεντ!! Το ξέρω πως είναι τελείως άσχετο, αλλά ξέχασα από πού μου είπες ότι πήρες τα παπούτσια σου. Έχω ξετρελαθεί μαζί τους και έχω φάει μια ώρα να ψάχνω στο Ίντερνετ lmao

(17:45) **Άλεντ Λαστ**

Γεια! Από το ASOS τα αγόρασα αλλά χμμμμ ήταν

ένα παλιό ζευγάρι Vans, δεν ξέρω αν τα πουλάνε ακόμη.

(17:49) **Φράνσις Ζανβιέρ**
Γαμώτο κρίμα

(17:50) **Άλεντ Λαστ**
Σόρι!! :(
Αν σε παρηγορεί ο Νταν μου λέει πως μοιάζουν με παπούτσια δωδεκάχρονου και παίρνει μια αηδιαστική γκριμάτσα κάθε φορά που τα φοράω

(17:52) **Φράνσις Ζανβιέρ**
Μάλλον γι' αυτό μου αρέσουν, τα περισσότερα ρούχα μου μοιάζουν με δωδεκάχρονου. Είμαι ένα δωδεκάχρονο κατά βάθος

(17:53) **Άλεντ Λαστ**
Τιιιι αφού πάντα ντύνεσαι στην πένα για το σχολείο!!

(17:53) **Φράνσις Ζανβιέρ**
Ναι... ε, ξέρεις τώρα... έχω τη φήμη της άριστης μαθήτριας να διατηρήσω
Στο σπίτι φοράω συνέχεια πουλόβερ με μπέργκερ και μπλουζάκια των Simpsons.

(17:55) **Άλεντ Λαστ**
πουλόβερ με μπέργκερ;; θέλω να τα δω

(17:57) **Φράνσις Ζανβιέρ**
[φωτογραφία του πουλόβερ που φοράει η Φράνσις –έχει πάνω του μικρά μπεργκεράκια]

(17:58) **Άλεντ Λαστ**
ΠΟΟΟ
απίθανο
Επίσης
Έχω πάρει πουλόβερ από το ίδιο site!! Το φοράω τώρα που μιλάμε!!

(17:58) **Φράνσις Ζανβιέρ**
ΤΙ;;
Δείξε μου

(18:00) **Άλεντ Λαστ**
[φωτογραφία του πουλόβερ που φοράει ο Άλεντ – έχει UFO στα μανίκια του]

(18:00) **Φράνσις Ζανβιέρ**
Omfg
Γαμάτο
Δεν ήξερα ότι φοράς τέτοια ρούχα!! Εκτός σχολείου φοράς πάντα πολύ απλά ρούχα

(18:01) **Άλεντ Λαστ**
ναι φοβάμαι πως θα γελάνε μαζί μου... μάλλον είμαι χαζός χαχα

(18:02) **Φράνσις Ζανβιέρ**
Όχι κι εγώ έτσι είμαι
Όλες οι φίλες μου είναι κουλ, όμορφες και σικάτες
συνέχεια... αν με έβλεπαν να φοράω πουλόβερ με
μπέργκερ θα με έστελναν σπίτι μου

(18:03) **Άλεντ Λαστ**
omg οι φίλες σου είναι πολύ σκληρές

(18:03) **Φράνσις Ζανβιέρ**
Όχι μωρέ, καλές είναι αλλά λιγάκι... βασικά, μερικές
φορές νιώθω λιγάκι διαφορετική από εκείνες. Είμαι μια
#ξεχωριστηχιονονιφαδα!!!!

(18:04) **Άλεντ Λαστ**
καταλαβαίνω πολύ καλά πώς νιώθεις! χαχα

Τελικά συνεχίσαμε τα μηνύματα στο Facebook μέχρι τις δέκα το βράδυ και ξέχασα να του πω ότι είμαι η καλλιτέχνιδα. Και όταν το θυμήθηκα στις τρεις τα ξημερώματα πανικοβλήθηκα και μετά δεν μπορούσα να κοιμηθώ για το επόμενο δίωρο...

ΑΒΟΛΑ

«ΕΙΣΑΙ ΧΑΖΗ», είπε η μαμά όταν της μετέφερα την Τετάρτη πώς είχε η κατάσταση. «Όχι χαζή-χαζή, αλλά αφελής χαζή που μπλέκει σε δύσκολες καταστάσεις και μετά δεν μπορεί να ξεφύγει επειδή νιώθει τρομερά άβολα».

«Μόλις περιέγραψες τη ζωή μου». Είχα ξαπλώσει στη μοκέτα του σαλονιού και μελετούσα θέματα περασμένων ετών στα μαθηματικά, ενώ η μαμά μου έβλεπε επαναλήψεις του *How I Met Your Mother* καθισμένη οκλαδόν στον καναπέ, με μια κούπα τσάι στο χέρι.

Αναστέναξε. «Το ξέρεις ότι είναι απλό να του το πεις, έτσι;»

«Μα νιώθω πως είναι πολύ σημαντικό για να του το πω από το Facebook».

«Τότε πήγαινε σπίτι του. Απέναντί μας μένει».

«Είναι περίεργο να εμφανιστώ έτσι ξαφνικά σε ξένο σπίτι».

«Καλά, στείλ' του μήνυμα και πες ότι πρέπει να περάσεις από το σπίτι του για να του πεις κάτι σημαντικό».

«Μαμά, αν του το πω αυτό θα νομίζει ότι θέλω να του κάνω ερωτική εξομολόγηση».

Αναστέναξε πάλι. «Ε, δεν ξέρω τι άλλο να σου πω πια. Εσύ

παραπονιόσουν πως αυτό το θέμα σου αποσπά την προσοχή από τα μαθήματα. Νόμιζα πως το *θεωρούσες* σημαντικό».

«*Είναι σημαντικό*!»

«Μα τον ξέρεις ελάχιστα! Γιατί σε απασχολεί τόσο πολύ;»

«Μιλήσαμε με τις ώρες τη Δευτέρα. Νιώθω άβολα να του το πω τώρα».

«Έτσι είναι η ζωή».

Γύρισα στο πλάι για να δω τη μαμά.

«Νομίζω πως μπορούμε να γίνουμε φίλοι», είπα. «Αλλά δεν θέλω να το χαλάσω».

«Αχ, καρδιά μου». Η μαμά με κοίταξε συμπονετικά. «Έχεις κι άλλες φίλες».

«Οι οποίες, όμως, συμπαθούν τη Φράνσις “του σχολείου”. Όχι την πραγματική Φράνσις».

ΛΟΓΑΡΙΘΜΟΙ

ΠΑΡΟΛΟ ΠΟΥ ΑΡΙΣΤΕΥΣΑ ΣΕ ΟΛΕΣ ΤΙΣ ΕΞΕΤΑΣΕΙΣ που έχω δώσει μέχρι σήμερα, πάντα με πανικοβάλλουν. Ξέρω πως είναι λογικό, αλλά δεν μου φαίνεται λογικό να κλαίω εξαιτίας εκθετικών συναρτήσεων και λογαρίθμων – ένα εντελώς άσχετο θέμα σ' ένα διαγώνισμα των μαθηματικών. Δεν μπορούσα να βρω τις σημειώσεις μου στον φάκελο και το βιβλίο είναι εντελώς άχρηστο, δεν εξηγεί τίποτα. Δεν θυμάμαι την τύφλα μου από άλγεβρα.

Είχε πάει 22:24, ήταν το βράδυ πριν την εξέταση και καθόμουν στο πάτωμα του σαλονιού με τη μαμά μου, με τις σημειώσεις και τα βιβλία των μαθηματικών σκόρπια γύρω μας. Η μαμά είχε πάρει το λάπτοπ αγκαλιά και έψαχνε σε διάφορα sites για οποιαδήποτε καλή επεξήγηση των λογαρίθμων. Προσπαθούσα να μη με πιάσουν τα κλάματα για τρίτη φορά εκείνο το βράδυ.

Και μόνο η σκέψη πως θα μου έκοβαν βαθμούς επειδή δεν μπορούσα να βρω μια εξήγηση για ένα συγκεκριμένο θέμα με έκανε να νιώθω πως μου έμπηγαν μαχαίρια.

«Μπορείς να ρωτήσεις κάποιον;» ρώτησε η μαμά μου καθώς έψαχνε στο Google. «Παρακολουθεί καμιά από τις φίλες σου το μάθημα;»

Η Μάγια πήγαινε μαζί μου μαθηματικά, αλλά ήταν άσχετη και θα ήταν τόσο μπερδεμένη όσο εγώ. Αλλά ακόμα και να ήξερε, δεν ξέρω αν θα μπορούσα να της στείλω μήνυμα. Δεν της είχα στείλει ποτέ μήνυμα, με εξαίρεση τις ομαδικές μας.

«Όχι», είπα.

Η μαμά συνοφρυώθηκε και έκλεισε το λάπτοπ. «Τότε, ίσως θα ήταν καλύτερα να πέσεις για ύπνο, αγάπη μου», είπε με γλυκιά φωνή. «Αν είσαι και κουρασμένη αύριο, θα τα κάνεις όλα χειρότερα».

Δεν ήξερα τι να πω, δεν ήθελα να πέσω για ύπνο.

«Δεν πιστεύω ότι μπορείς να κάνεις κάτι. Δεν φταις εσύ».

«Το ξέρω», είπα.

Έτσι, έπεσα στο κρεβάτι.

Και έκλαψα.

Για να είμαι απολύτως ειλικρινής, ήταν αξιολύπητο. Κι εγώ αξιολύπητη είμαι. Δεν θα έπρεπε να εκπλήσσομαι.

Έτσι εξηγείται αυτό που έκανα εκείνο το βράδυ.

Έστειλα ξανά μήνυμα στον Άλεντ.

(00:13) **Φράνσις Ζανβιέρ**

Είσαι ξύπνιος;

(00:17) **Άλεντ Λαστ**

ναι γεια είμαι. όλα καλά;;

(00:18) **Φράνσις Ζανβιέρ**

Συγγνώμη που σου στέλνω πάλι στο άσχετο...

Περνάω δύσκολο βράδυ lol

(00:19) **Άλεντ Λαστ**
δεν πειράζει!!!! τι λέει;
αν νιώθεις άσχημα είναι καλύτερο να τα βγάζεις από μέσα σου

(00:21) **Φράνσις Ζανβιέρ**
Λοιπόν, αύριο γράφω μαθηματικά
Και σήμερα συνειδητοποίησα πως ξέχασα να κάνω επανάληψη σε ένα θέμα
Και το θέμα αυτό είναι από τα πιο δύσκολα, λογάριθμοι
Και αναρωτιόμουν (ΑΝ δεν κάνεις κάτι άλλο τώρα!!) αν ήξερες κανένα καλό σάιτ ή οτιδήποτε που να τα εξηγεί;; δεν μπορώ να συγκεντρωθώ και νιώθω σκατά

(00:21) **Άλεντ Λαστ**
γαμώτο πολύ άσχημο

(00:23) **Φράνσις Ζανβιέρ**
Και... αν πάρω Β στα μαθηματικά... δεν ξέρω αν θα με δεχθούν καν για συνέντευξη στο Κέιμπριτζ
Δεν ξέρω
Είναι τελείως χαζό και ξέρω πως κανονικά δεν θα έπρεπε να με απασχολεί τόσο χαχα

(00:23) **Άλεντ Λαστ**
όχι σε νιώθω... δεν υπάρχει κάτι πιο αγχωτικό από

το να πας να γράψεις γνωρίζοντας πως δεν έχεις
προετοιμαστεί
μισό να δω αν μπορώ να βρω τις σημειώσεις μου

(00:24) **Φράνσις Ζανβιέρ**
Μόνο αν δεν έχεις δουλειά!! Νιώθω άσχημα που στο
ζητάω, αλλά... είσαι το μοναδικό άτομο που μπορώ να
ρωτήσω

(00:25) **Άλεντ Λαστ**
ίσως είναι χαζή ιδέα αλλά
τι λες να ερχόμουν;
τώρα;
για να σε βοηθήσω;

(00:25) **Φράνσις Ζανβιέρ**
Αλήθεια;;; Θα ήταν τέλειο

(00:26) **Άλεντ Λαστ**
ναι! μένω δίπλα σου και δεν έχω να σηκωθώ νωρίς
αύριο

(00:27) **Φράνσις Ζανβιέρ**
Νιώθω άσχημα, είσαι σίγουρος; Είναι περασμένα
μεσάνυχτα

(00:27) **Άλεντ Λαστ**
θέλω να σε βοηθήσω! εσύ με βοήθησες να γυρίσω από

του τζόνι την περασμένη εβδομάδα και νιώθω κι εγώ άσχημα γι' αυτό οπότε... είμαστε πάτσι. χαχα

(00:27) **Φράνσις Ζανβιέρ**

Εντάξει!! Με σώζεις

(00:28) **Άλεντ Λαστ**

έρχομαι

Αγκάλιασα τον Άλεντ με το που άνοιξα την πόρτα στις δωδεκάμιση το βράδυ πριν το διαγώνισμα μαθηματικών.

Δεν ήταν άβολο, παρόλο που πήρα εγώ την πρωτοβουλία, είπε ένα «οχ» και έκανε ένα βήμα πίσω επειδή δεν το περίμενε.

«Γεια», του είπα αφού τον άφησα.

«Γεια σου κι εσένα», είπε σχεδόν ψιθυριστά και καθάρισε τον λαιμό του. Φορούσε ένα φούτερ με στάμπα του Ravenclaw με γκρι πιτζαμέ σορτσάκι, κάλτσες και τα λαχανί παπούτσια του. Κρατούσε ένα μοβ κλασέρ. «Συγγνώμη που ήρθα με τις πιτζάμες».

Παραμέρισα για να περάσει μέσα και έκλεισα την πόρτα. Προχώρησε στον διάδρομο προτού γυρίσει στο μέρος μου.

«Σε άφησε η μαμά σου;» ρώτησα.

«Ίσως και να το έσκασα από το παράθυρο».

«Πόσο κλισέ, Θεέ μου».

Μου χαμογέλασε. «Λοιπόν... πιάνουμε τους λογαρίθμους;» Μου έδειξε το κλασέρ. «Έφερα τις περσινές μου σημειώσεις».

«Πίστευα πως θα τις είχες κάψεις ή κάτι τέτοιο».

«Έκανα πολύ κόπο να τις φτιάξω, *δεν* θα τις έκαιγα».

Καθίσαμε στο σαλόνι για πάνω από μία ώρα. Η μαμά μάς έφτιαξε ζεστή σοκολάτα και ο Άλεντ, με τη φωνούλα του, μου εξήγησε τι ήταν οι εκθετικές και οι λογαριθμικές εξισώσεις, τα πιθανά προβλήματα που θα μπορούσαν να πέσουν και πώς θα τα έλυνα.

Για κάποιον τόσο συνεσταλμένο, ήταν σοκαριστικά καλός δάσκαλος. Μου εξήγησε τα πάντα βήμα προς βήμα και μου παρουσίασε από ένα παράδειγμα για κάθε υποθέμα. Για κάποια σαν κι εμένα, που μιλούσα ακατάπαυστα μέχρι τελικής πτώσεως, με άφησε άφωνη.

Και αφού τελειώσαμε, αισθανόμουν πως όλα θα πήγαιναν καλά.

«Μου έσωσες κυριολεκτικά τη ζωή», είπα αφού τον συνόδεψα ξανά μέχρι την πόρτα.

Ο Άλεντ με κοίταξε κουρασμένα, με μάτια ερεθισμένα και πέρασε τα μαλλιά πίσω από τα αφτιά του.

«Ε όχι και κυριολεκτικά», είπε χαχανίζοντας. «Αλλά ελπίζω πως βοήθησα».

Ήθελα να του πω ότι είχε κάνει πολλά περισσότερα αλλά ντράπηκα. Επειδή τότε κατάλαβα τι είχε κάνει για εμένα. Είχε σηκωθεί από το κρεβάτι του με τις πιτζάμες του μες στη μαύρη νύχτα, το είχε σκάσει από το παράθυρο του δωματίου του και είχε έρθει εδώ για να με βοηθήσει με τα μαθηματικά. Είχαμε κάνει μόνο άλλη μία μεγάλη συζήτηση από κοντά. Γιατί να κάνει κάτι τέτοιο; Για *μένα*;

«Πρέπει να σου πω κάτι», είπα, «αλλά φοβόμουν να στο πω».

Η έκφραση του Άλεντ άλλαξε. «Έχεις να μου πεις κάτι;» είπε κάπως αγχωμένος. Πήρα μια ανάσα.

«Είμαι η Τουλούζ», είπα. «Η Touloser από το Twitter και το Tumblr. Η καλλιτέχνιδα στην οποία έστειλες μήνυμα».

Έπεσε σιωπή.

Και τότε μου είπε:

«Ψέματα λες; Μου κάνεις... μου κάνεις πλάκα; Ο Νταν... ήταν ιδέα του Ντάνιελ;»

«Όχι, απλώς... Ξέρω πως μοιάζει με φάρσα... αλλά δεν ήξερα πώς να στο πω. Όταν μου είπες ότι εσύ φτιάχνεις το Universe City... φρίκαρα κάπως. Και ήθελα να στο πω, αλλά δεν ήξερα πώς θα αντιδρούσες και δεν ήθελα να με μισήσεις».

«Επειδή είμαι ο creator», με διέκοψε. «Ο creator του αγαπημένου σου καναλιού στο YouTube».

«Ναι».

«Μάλιστα». Κοίταξε κάτω. Φαινόταν θλιμμένος.

«Δηλαδή... έκανες την... τόσο καιρό μου έκανες την καλή;» είπε με φωνή εύθραυστη, ίσα που ακουγόταν. «Που... εμ... ξέρεις, με πήγες σπίτι και... ξέρεις... έλεγες ψέματα για τα ρούχα σου; Και που μου ζήτησες βοήθεια με τα μαθηματικά; Για να είσαι φίλη με τον creator του αγαπημένου σου καναλιού στο YouTube για να... μαθαίνεις πρώτη τι θα γίνει ή;...»

«Τι; Όχι! Τίποτα απ' όσα σου είπα δεν ήταν ψέματα, σ' το ορκίζομαι».

«Τότε γιατί μου μιλάς;» ρώτησε. Και τη στιγμή που εκείνος είπε «αφού είμαι τόσο βαρετός», εγώ είπα «επειδή είσαι γαμάτος». Κοιταζόμασταν στα μάτια.

Έπειτα γέλασε ανεπαίσθητα και κούνησε το κεφάλι. «Είναι τόσο περίεργο».

«Ναι...»

«Τέτοια σύμπτωση, *απίστευτο*! Είναι αδύνατον να συμβαίνει. Ζούμε απέναντι. Έχουμε το ίδιο γούστο στα ρούχα».

Ένευσα.

«Είσαι η πρόεδρος του σχολείου και ζωγραφίζεις στα κρυφά για την αγαπημένη σου σειρά;» είπε.

Ένευσα πάλι και αντιστάθηκα στην ανάγκη να του ζητήσω συγγνώμη.

«Είμαι ο μοναδικός που το ξέρει;» ρώτησε.

Ένευσα για τρίτη φορά και ένιωθα ότι καταλαβαίναμε πραγματικά ο ένας τον άλλον.

«Μάλιστα», είπε και έσκυψε για να φορέσει τα παπούτσια του.

Τον έβλεπα να δένει τα κορδόνια του και να σηκώνεται.

«Δεν... δεν χρειάζεται να το κάνω, αν δεν θες», είπα. «Αν σε φέρνει σε δύσκολη θέση».

Έκρυψε τα χέρια στα μανίκια του. «Τι εννοείς;»

«Βασικά, αν σου είναι αμήχανο να φτιάχνω τα σκίτσα του *Universe City*... Θα μπορούσαμε να μη μιλήσουμε ξανά, να ζητήσεις βοήθεια από κάποιον άλλο, κάποιον άγνωστο. Δεν με πειράζει».

Τα μάτια του γούρλωσαν. «Μα *θέλω* να σε ξαναδώ». Έπειτα, κούνησε ελαφρώς το κεφάλι του. «Και *θέλω* να τα φτιάξεις εσύ τα σκίτσα».

Και τον πίστεψα. Αλήθεια.

Ήθελε να με ξαναδεί και ήθελε να του φτιάξω τα σκίτσα.

«Είσαι σίγουρος; Δεν με πειράζει αν δεν θες να...»

«Θέλω!»

Προσπάθησα να συγκρατηθώ και να μη χαμογελάσω. «Ωραία».

Κατένευσε και κοιταχτήκαμε για λίγο και, παρόλο που ψυλλιάζομαι ότι ήθελε να πει κάτι ακόμα, έκανε μεταβολή και άνοιξε την πόρτα. Κοίταξε πίσω του ακόμα μια φορά προτού φύγει. «Θα σου στείλω μήνυμα αύριο».

«Εντάξει!»

«Καλή επιτυχία στα μαθηματικά». Με χαιρέτησε και έφυγε. Έκλεισα την πόρτα και έκανα μεταβολή. Η μαμά στεκόταν από πίσω μου και με κοιτούσε.

«Μπράβο», είπε και χαμογέλασε.

«Τι;» είπα μπερδεμένη. Ακόμη προσπαθούσα να καταλάβω τι είχε γίνει, ενώ φοβόμουν ότι σε λίγο θα ξεχάσω τα πάντα.

«Του το είπες».

«Ναι».

«Δεν σε μίσησε».

«Όχι».

Στεκόμουν τελείως ακίνητη.

«Είσαι καλά;» ρώτησε η μαμά.

«Δεν... δεν έχω ιδέα τι μπορεί να σκέφτεται».

«Ναι, καταλαβαίνω».

«Τι καταλαβαίνεις, δηλαδή;»

«Ότι είναι ο τύπος του ανθρώπου που δεν μιλάει αυθόρμητα». Σταύρωσε τα χέρια. «Που δεν λέει τίποτα αν δεν τον ρωτήσεις».

«Χμ».

«Σου αρέσει;» με ρώτησε.

Ανοιγόκλεισα τα μάτια. Δεν κατάλαβα την ερώτηση. «Εμ, ναι, προφανώς».

«Όχι, εννοώ αν... σου αρέσει-αρέσει».

Βλεφάρισα πάλι. «Α. Εμ, δεν το έχω σκεφτεί».

Και τότε το σκέφτηκα.

Και κατάλαβα πως δεν μου άρεσε με αυτό τον τρόπο.

Και δεν είχε σημασία.

«Όχι, δεν νομίζω», είπα. «Άσχετο δεν είναι;»

Η μαμά συνοφρυώθηκε. «Άσχετο με τι;»

«Δεν ξέρω, απλώς άσχετο». Την προσπέρασα και άρχισα να ανεβαίνω τις σκάλες σκεπτόμενη «τι άσχετη ερώτηση».

ΚΑΤΙ ΠΡΙΝ ΣΥΝΕΧΙΣΟΥΜΕ

ΜΕΤΑ ΑΠΟ ΕΚΕΙΝΟ ΤΟ ΒΡΑΔΥ, δεν ειδωθήκαμε από κοντά με τον Άλεντ για αρκετό καιρό, αλλά συνεχίσαμε τα μηνύματα στο Facebook. Τα διστακτικά «τι κάνεις;» έγιναν οργισμένοι μονόλογοι για σειρές και, παρόλο που είχαμε κάνει παρέα ουσιαστικά δύο φορές, ένιωθα πως ήμασταν φίλοι. Φίλοι που δεν ήξεραν τίποτα ο ένας για τον άλλον, εκτός από το πιο ενδόμυχο μυστικό τους.

Απλώς θέλω να τονίσω κάτι πριν συνεχίσουμε.

Μάλλον πιστεύετε πως ο Άλεντ Λαστ κι εγώ θα ερωτευτούμε. Επειδή εκείνος είναι αγόρι κι εγώ κορίτσι.

Ήθελα να πω...

Δεν ερωτευόμαστε!

Αυτό.

ΥΠΑΡΧΟΥΜΕ ΚΙ ΕΜΕΙΣ

ΤΟ ΜΟΝΑΔΙΚΟ ΑΤΟΜΟ που είχα κάποιο crush μαζί του σ' όλη μου τη ζωή ήταν η Κάρις Λαστ. Εκτός κι αν μετράμε και άτομα που δεν ήξερα προσωπικά, όπως ο Σεμπάστιαν Σταν, η Νάταλι Ντόρμερ, ο Άλφι Ίνοκ, η Κρίστεν Στιούαρτ κτλ. Όχι πως είχα περισσότερες ελπίδες με την Κάρις.

Νομίζω ο βασικός λόγος για τον οποίο έπαθα το crush ήταν η ομορφιά της και ύστερα, πιστεύω, επειδή ήταν το μοναδικό κουήρ κορίτσι που ήξερα.

Και όσο περισσότερο το σκέφτομαι τόσο πιο χαζό μου φαίνεται.

«Μιλούσα που λες με μια κοπέλα από την Ακαδημία, *πανέμορφη*, και... *για μισό λεπτό*». Η Κάρις κοντοστάθηκε και με κοίταξε. Πρέπει να είχαν περάσει δύο μήνες από τότε που αρχίσαμε να καθόμαστε μαζί στο τρένο. Κάθε πρωί και κάθε απόγευμα ήμουν τόσο αγχωμένη και εκείνη τόσο επιβλητική που φοβόμουν μήπως πω καμιά χαζομάρα μπροστά της. «Ξέρεις πως είμαι γκέι, σωστά;»

Δεν το ήξερα.

Σήκωσε τα φρύδια, πιθανότατα από το σοκ. «Α, κι εγώ που

νόμιζα ότι όλοι το ήξεραν!» Στήριξε το πηγούνι της στο χέρι, τον αγκώνα της στο τραπέζι και με κοίταξε. «Πλάκα έχεις».

«Δεν έχω συναντήσει άλλο γκέι άτομο», είπα. «Ούτε μπάι».

Παραλίγο να προσθέσω «εκτός από εμένα», αλλά συγκρατήθηκα την τελευταία στιγμή.

«Πιθανότατα έχεις συναντήσει», μου είπε, «απλώς δεν ήξερες πως ήταν γκέι».

Το είπε λες και είχε γνωρίσει όλους τους ανθρώπους του κόσμου.

Έφτιαξε τις αφέλειές της με το ένα χέρι και είπε με φωνή ανατριχιαστική: *«Υπάρχουμε κι εμείς, ξέρεις»*.

Γέλασα, δεν ήξερα τι να πω.

Συνέχισε την ιστορία της για την κοπέλα από την Ακαδημία. Μου έλεγε πως όσοι πήγαιναν στην Ακαδημία ήταν περισσότερο ομοφοβικοί γενικά, επειδή ήταν μικτό σχολείο και όχι θηλέων όπως το δικό μας, αλλά δεν μπορούσα να συγκεντρωθώ, επειδή προσπαθούσα να επεξεργαστώ αυτό που μου είχε πει. Μου πήρε λίγη ώρα να καταλάβω ότι αυτό που ένιωθα βασικά ήταν ζήλια. Ζούσε την εφηβεία της με τα όλα της, ενώ εγώ μελετούσα κάθε βράδυ μέχρι τα μεσάνυχτα.

Τη μισούσα που είχε τα πάντα λυμένα και την εκτιμούσα επειδή ήταν τέλεια.

Είχα crush μαζί της και δεν μπορούσα να κάνω τίποτα απολύτως γι' αυτό και σίγουρα δεν έπρεπε να τη φιλήσω.

Δεν ήταν ανάγκη και δεν έπρεπε.

Αλλά αυτό δεν με σταμάτησε και φίλησα την Κάρις Λαστ, μια καλοκαιρινή μέρα, δύο χρόνια πριν. Και κατέστρεψα τα πάντα.

ΝΤΑΝΙΕΛ ΤΖΟΥΝ

ΤΟ ΠΡΩΙ ΠΟΥ ΕΓΡΑΦΑ ΔΙΑΓΩΝΙΣΜΑ ΣΤΟ ΜΑΘΗΜΑ της ιστορίας, συνέβη κάτι παράξενο.

Ο Ντάνιελ Τζουν ήρθε και μου μίλησε.

Ήμουν στη μεγαλύτερη αίθουσα του έτους μας, με τη δήθεν ονομασία «Κέντρο Ανεξάρτητης Μάθησης» ή ΚΑΜ, αντί να την πουν αυτό που πραγματικά ήταν – ένας κοινόχρηστος χώρος. Μελετούσα τις σημειώσεις που είχα κάνει πριν από μια εβδομάδα, σε μια προσπάθεια να απομνημονεύσω όλες τις συνέπειες του Δόγματος Τρούμαν και του Σχεδίου Μάρσαλ (καθόλου εύκολο στις 08:20 το πρωί) όταν ήρθε μπροστά μου, περνώντας μέσα από τα τραπέζια στα οποία κάθονταν μαθητές που έκαναν πανικόβλητοι μια τελευταία επανάληψη.

Ο Ντάνιελ πίστευε πως ήταν ο αρχηγός αυτού του σχολείου, παρόλο που ήμασταν και οι δύο πρόεδροι. Συχνά πυκνά ξεσπούσε σε μακροσκελή κηρύγματα για τον καπιταλισμό στο Facebook.

Το έβρισκα παράξενο που κάποιος τόσο πράος και αγαθός όσο ο Άλεντ Λαστ μπορούσε να είναι κολλητός με τον απαίσιο Ντάνιελ Τζουν.

«Φράνσις», είπε με το που πλησίασε το τραπέζι μου. Σήκωσα το κεφάλι από τις σημειώσεις.

«Ντάνιελ», είπα δίχως να κρύψω την καχυποψία μου.

Έσκυψε πάνω από το τραπέζι και στηρίχτηκε στο χέρι του, αφού πρώτα πρόλαβα να μετακινήσω τις σημειώσεις μου για να του κάνω χώρο.

«Έχεις μιλήσει στον Άλεντ τώρα πρόσφατα;» είπε φτιάχνοντας τα μαλλιά του.

Ήταν η τελευταία ερώτηση που περίμενα.

«Αν έχω μιλήσει στον Άλεντ τώρα πρόσφατα;» επανέλαβα.

Ο Ντάνιελ σήκωσε τα φρύδια του.

«Μιλάμε κάπου κάπου στο Facebook», είπα, «και με βοήθησε με τις επαναλήψεις μου την περασμένη εβδομάδα».

Και είπα την αλήθεια, μόνο που αντί για «κάπου κάπου» μιλούσαμε καθημερινά και δεν «με βοήθησε με τις επαναλήψεις μου» μόνο, αλλά ήρθε σπίτι μου για ένα δίωρο μέσα στη νύχτα, με τις πιτζάμες του, παρόλο που είχαμε κάνει μονάχα μια κανονική συζήτηση από κοντά.

«Μάλιστα», είπε ο Ντάνιελ. Ένευσε και κοίταξε κάτω, αλλά δεν έφυγε. Τον κοίταξα. Η ματιά του έπεσε στις σημειώσεις μου. «Τι είναι αυτά;»

«Σημειώσεις, Ντάνιελ», είπα προσπαθώντας να μη δείξω την ενόχλησή μου. Δεν ήθελα να μου χαλάσει τελείως η διάθεση πριν την εξέταση. Ήταν που ήταν ανυπόφορο να γράφω για ένα δίωρο σχετικά με τη διαίρεση της Γερμανίας.

«Α», είπε και τις κοίταξε λες και ήταν εμετός. «Μάλιστα».

Αναστέναξα. «Ντάνιελ, θέλω να κάνω επανάληψη. Και θα με βοηθούσες αν έφευγες».

Ίσιωσε την πλάτη του. «Καλά, καλά». Αλλά δεν έφυγε. Συνέχισε να με παρατηρεί.

«*Τι;*» του είπα.

«Μήπως...» Κόμπιασε. Τον λοξοκοίταξα. Μια νέα έκφραση εμφανίστηκε στο πρόσωπό του και μου πήρε λίγο να καταλάβω πως *ανησυχούσε.*

«Εμ... δεν τον έχω δει και πολύ τώρα τελευταία», είπε και η φωνή του ακουγόταν διαφορετική. Πιο απαλή. Λες και μιλούσε κάποιος άλλος.

«Και;»

«Μήπως σου είπε τίποτα για μένα;»

Ο Ντάνιελ σηκώθηκε, δίχως να φύγει, για άλλη μια φορά.

«Όχι. Μαλώσατε;»

«Όχι», απάντησε, αλλά δεν ήμουν σίγουρη πως μου έλεγε την αλήθεια. Έκανε μεταβολή για να φύγει.

Αλλά σταμάτησε και γύρισε ξανά.

«Τι βαθμούς θες; Για να μπεις στο Κέιμπριτζ;»

«A*AA», είπα. «Εσύ;»

«A*A*A».

«Μάλιστα. Θες καλύτερους βαθμούς στη φυσική;»

«Δεν ξέρω».

Αλληλοκοιταχτήκαμε για μια στιγμή, έπειτα σήκωσε τους ώμους. «Λοιπόν, τα λέμε», είπε και έφυγε. Ίσως αν ήξερα όσα ξέρω τώρα, να έλεγα κάτι στον Άλεντ. Ίσως να τον ρωτούσα για τον Ντάνιελ και για τη σχέση τους. Ή και όχι. Δεν ξέρω.

Ό,τι έγινε έγινε.

ΒΑΡΕΤΗ

«ΦΡΑΝΣΙΣ; Μ' ΑΚΟΥΣ;»

Σήκωσα το κεφάλι. Η Μάγια με κοίταζε από απέναντι, όπως καθόμασταν στο τραπέζι. Οι εξετάσεις είχαν τελειώσει και είχαμε αρχίσει πάλι τα μαθήματα. Αυτό σήμαινε πως τα μαθήματα επιπέδου Α2 μόλις ξεκινούσαν και δεν ήθελα να χαλάσω τη συγκέντρωσή μου, φοβόμουν μη μου διαφύγει κάποια σημαντική πληροφορία. Έτσι, δεν πίστευα ότι θα είχα χρόνο να δω τον Άλεντ πριν τις καλοκαιρινές διακοπές, αλλά συμφωνήσαμε να συναντηθούμε το Σαββατοκύριακο και, για να πω την αλήθεια, είχα ενθουσιαστεί.

«Το άκουσες;» συνέχισε η Μάγια.

Έλυνα προβλήματα στα μαθηματικά, ασκήσεις τις οποίες οι περισσότεροι δεν έκαναν, αλλά εγώ δεν τις παρέλειπα ποτέ.

«Εμ, όχι», είπα ντροπιασμένη.

Οι φίλες μου γέλασαν.

«Λέγαμε να πάμε σινεμά το Σάββατο», είπε μια άλλη. «Είσαι μέσα;»

Κοίταξα τριγύρω μήπως δω τη Ρέιν, αλλά δεν ήταν εκεί.

«Δεν ξέρω...» Κόμπιασα. «Έχω διάβασμα. Αλλά θα σας πω».

Οι φίλες μου γέλασαν ξανά.

«Κλασική Φράνσις», είπε μία για να με πειράξει. Με στενοχώρησε, όμως. «Δεν τρέχει κάτι».

Η ειρωνεία ήταν πως δεν είχα και πολύ διάβασμα μέσα στο Σαββατοκύριακο. Είχαμε μόλις δώσει για τα AS-levels και τα A2 είχαν μόλις ξεκινήσει. Αλλά θα έβλεπα τον Άλεντ το Σάββατο και, παρόλο που μιλούσαμε εδώ και έναν μήνα μόνο και κυρίως μέσω του Facebook, προτιμούσα να αράξω μαζί του. Ήμουν βαρετή όταν έκανα παρέα με τις φίλες μου. Ήμουν η ολιγόλογη, εργασιομανής, βαρετή Φράνσις «του σχολείου».

Αλλά δεν ήμουν έτσι όταν έκανα παρέα με τον Άλεντ.

ΜΠΑΜΠΑΡ

Η ΕΠΟΜΕΝΗ ΦΟΡΑ που βρεθήκαμε μετά το μεταμεσονύκτιο ιδιαίτερο στα μαθηματικά ήταν στο σπίτι του, το Σάββατο εκείνης της εβδομάδας που άρχισαν τα μαθήματα. Δεν ένιωθα άγχος, κάτι που βρήκα παράξενο επειδή, όπως έχω αναφέρει, συνήθως αγχωνόμουν κάθε φορά που έβλεπα τις φίλες μου, οπότε το λογικό θα ήταν να ένιωθα το ίδιο με ένα παιδί που ήξερα ουσιαστικά εδώ και τέσσερις εβδομάδες.

Στάθηκα μπροστά στην πόρτα του, βεβαιώθηκα πως δεν είχα φορέσει κατά λάθος γελοία ρούχα και τότε χτύπησα το κουδούνι.

Μου άνοιξε μέσα σε δύο δευτερόλεπτα.

«Γεια», είπε και χαμογέλασε.

Είχε αλλάξει την εμφάνισή του από την τελευταία φορά που τον είχα δει. Τα μαλλιά του είχαν μακρύνει κι άλλο, κάλυπταν τα αφτιά και τα φρύδια του τελείως, ενώ δεν φορούσε φούτερ με σορτσάκι, αλλά τζιν παντελόνι και κοντομάνικο που δεν του πήγαιναν καθόλου.

«Γεια», είπα. Ήθελα να τον αγκαλιάσω, αλλά φοβήθηκα μην ήταν αμήχανο.

Παρόλο που ήμουν φίλη με τη δίδυμη αδελφή του Άλεντ για

έναν χρόνο, δεν είχα μπει στο σπίτι τους. Ο Άλεντ με ξενάγησε. Στην κουζίνα είχαν μαυροπίνακα με τις δουλειές του σπιτιού, στα περβάζια και σε διάφορες άλλες επιφάνειες είχαν ψεύτικα λουλούδια μέσα σε βάζα και είχαν κι ένα γκρι λαμπραντόρ, τον Μπράιαν, ο οποίος χοροπηδούσε στα πόδια μας μέχρι που ανεβήκαμε πάνω. Η μαμά του Άλεντ έλειπε.

Το δωμάτιό του, από την άλλη, έμοιαζε με σπηλιά που έκρυβε θησαυρούς. Κάθε άλλο δωμάτιο του σπιτιού ήταν βαμμένο σε χρώμα κρεμ και καφέ, αλλά στο δικό του οι τοίχοι χάνονταν κάτω από τις αφίσες, λαμπιόνια κάλυπταν το ταβάνι και το κρεβάτι, φυτά εσωτερικού χώρου ξεφύτρωναν από παντού, είχε έναν ασπροπίνακα με σημειώσεις και τέσσερα πουφ. Στο κρεβάτι του, η κουβέρτα έδειχνε το νυχτερινό τοπίο μιας πόλης.

Έμοιαζε αγχωμένος που θα μου έδειχνε το δωμάτιό του. Το πάτωμα, το γραφείο και το κομοδίνο δεν είχαν τίποτα πάνω τους. Μάλλον είχε τακτοποιήσει τα πράγματά του και τα είχε καταχωνιάσει κάπου πριν έρθω. Προσπάθησα να μην κοιτάξω για πολλή ώρα κάποιο συγκεκριμένο σημείο του δωματίου και κάθισα στην καρέκλα του γραφείου του – ασφαλέστερη επιλογή από το κρεβάτι. Τα υπνοδωμάτια είναι τα παράθυρα της ψυχής.

Ο Άλεντ κάθισε στο κρεβάτι του και σταύρωσε τα πόδια. Το κρεβάτι του ήταν μονό, το μισό από το δικό μου, αλλά ο Άλεντ δεν ήταν και πολύ ψηλός –είχαμε το ίδιο ύψος– οπότε μάλλον του ήταν οκέι.

«Λοιπόν!» είπα. «Πάμε να μιλήσουμε για το *Universe City*! Για τα σκίτσα! Να τα βάλουμε όλα κάτω!»

Χτυπούσα παλαμάκια στο τέλος κάθε πρότασης και ο Άλεντ χαμογέλασε, χαμηλώνοντας το βλέμμα. «Ναι...»

Είχαμε συμφωνήσει να συναντηθούμε εκείνη τη μέρα για ένα «μίτινγκ» σχετικά με το *Universe City*. Είχα χρησιμοποιήσει επίτηδες τη λέξη «μίτινγκ» όταν πρότεινα να συναντηθούμε. Ένιωθα άβολα να του ζητήσω να αράξουμε επειδή ήθελα απλώς να τον δω, παρόλο που αυτό ήθελα στην πραγματικότητα.

Ο Άλεντ άνοιξε το λάπτοπ του. «Έβλεπα το blog σου, έχεις ανεβάσει μερικές ζωγραφιές που θεωρώ ότι θα ταίριαζαν στα βίντεο... το στιλ τους είναι ωραίο...» Άρχισε να πληκτρολογεί, αλλά δεν μπορούσα να δω τι. Έκανα πέρα δώθε την καρέκλα.

Σταμάτησε και με κοίταξε. Μου έκανε νόημα να τον πλησιάσω. «Έλα να δεις».

Έτσι πήγα και κάθισα δίπλα του στο κρεβάτι.

Αρχίσαμε να βλέπουμε τα σκίτσα στο blog μου και να μιλάμε για το στιλ που θα ταίριαζε σε ένα εικοσάλεπτο βίντεο, δίχως όμως να αναγκαζόμουν να δημιουργώ κινούμενα σχέδια διάρκειας είκοσι λεπτών κάθε εβδομάδα (θα ήταν αδύνατον). Στην αρχή μιλούσα μόνο εγώ, αλλά όσο περισσότερο συζητούσαμε τόσο ξεθάρρευε και στο τέλος καταλήξαμε και οι δύο να μιλάμε ακατάπαυστα.

«Τι θα γίνει όμως με τους χαρακτήρες; Πιστεύω πως οι περισσότεροι έχουν μια δική τους ιδέα για την εμφάνιση των χαρακτήρων οπότε θα απογοητευτούν», μου έλεγε, πληκτρολογώντας τις σημειώσεις μας στο Evernote. Είχαμε ανέβει στο κρεβάτι και στηριζόμασταν με την πλάτη στον τοίχο. «Το Radio, για παράδειγμα... Αν προσπαθούσες να το σχεδιάσεις, θα είχαμε να αντιμετωπίσουμε διάφορα προβλήματα, όπως θα αλλάζει η εμφάνισή του όταν αλλάζει και η φωνή, ή μήπως είναι εντελώς ανδρόγυνος; Και πώς μπορεί να αποδοθεί η ανδρόγυνη εμφάνιση, όταν το φύλο δεν έχει να κάνει ούτε με την εμφάνιση ούτε με τη φωνή;»

«Ναι, ακριβώς, ούτε μπορείς να δώσεις στο Radio αντρικά ρούχα και λεπτό γυναικείο κορμί... είναι πολύ στερεοτυπική εμφάνιση της ανδρόγυνης μορφής».

Κατένευσε. «Οι άνθρωποι μπορούν να είναι άφυλοι και ταυτόχρονα να φορούν φούστες, να έχουν γενειάδες και τα πάντα».

«Ακριβώς».

Ο Άλεντ πληκτρολόγησε «Radio: χωρίς φυσική μορφή» στην επόμενη γραμμή, ένευσε στον εαυτό του και με κοίταξε. «Θες να πιεις κάτι;»

«Ναι, αμέ! Τι υπάρχει;»

Αφού μου είπε τι επιλογές είχα, ζήτησα μια λεμονάδα και πήγε να φέρει τα αναψυκτικά μας. Έκλεισε το λάπτοπ σαν να φοβόταν πως θα άρχιζα να ψάχνω το ιστορικό αναζήτησής του με το που έφευγε. Και δεν τον κατηγορώ. Ούτε εγώ με εμπιστεύομαι.

Έμεινα ακίνητη για λίγο.

Αλλά η περιέργειά μου δεν μπορούσε να συγκρατηθεί άλλο.

Πρώτα πήγα στο ράφι πάνω από το κεφάλι του. Στη μια πλευρά είχε μια συλλογή από παλιά CD η οποία περιλάμβανε κάθε άλμπουμ που είχε βγάλει ο Κέντρικ Λαμάρ, γεγονός που με εξέπληξε, και πέντε άλμπουμ των Radiohead, δεύτερη έκπληξη. Στην άλλη πλευρά είχε χρησιμοποιημένα σημειωματάρια και αισθάνθηκα πως θα πήγαινε πολύ αν τα άνοιγα για να δω τι έγραφε.

Το γραφείο δεν είχε τίποτα, αλλά κοιτάζοντας καλύτερα πρόσεξα μικρές πιτσιλιές από ξεραμένη μπογιά και κόλλα. Δεν τόλμησα να ανοίξω τα συρτάρια του.

Διάβασα τα ορνιθοσκαλίσματα που είχε κάνει στον πίνακα. Δεν έβγαζαν ιδιαίτερο νόημα, αλλά θα έλεγα πως ήταν μια μίξη από λίστες και σημειώσεις για τα επερχόμενα επεισόδια του *Universe City*. Το Μπλε Κτίριο ήταν κυκλωμένο. Στα δεξιά είχε γράψει «αστέρια, λάμπουν πάνω σε κάτι, μεταφορά;» Και σε μια γωνία είχε γράψει «ΙΩΑΝΝΑ ΤΗΣ ΛΩΡΡΑΙΝΗΣ».

Πήγα στη ντουλάπα του, η οποία ήταν καλυμμένη με αφίσες ταινιών, και την άνοιξα.

Ήταν παραβιαστικό, αλλά το έκανα.

Ήθελα να δω μάλλον αν υπάρχει κάποιος άλλος σαν εμένα στον κόσμο.

Μέσα υπήρχαν κοντομάνικα. Πολλά κοντομάνικα. Κοντομάνικα με τσέπες στο στήθος, κοντομάνικα με στάμπες ζώων, κοντομάνικα με πατίνια, πατάτες τηγανιτές και αστέρια. Υπήρχαν πουλόβερ, μάλινα με φαρδιούς γιακάδες, ζιβάγκο και στενά, ζακέτες με μπαλώματα στους αγκώνες, φαρδιές μπλούζες με βάρκες και υπολογιστές, ενώ μια μπλούζα στην πλάτη της είχε τη λέξη «ΟΧΙ» με μαύρα γράμματα. Υπήρχε ένα μπλε παντελόνι με πασχαλίτσες και ένα καπέλο με το σήμα της NASA. Είδα ένα μεγάλο τζιν μπουφάν με τον ελέφαντα Μπαμπάρ στην πλάτη του.

«Ψάχνεις... τα ρούχα μου;»

Γύρισα αργά και είδα τον Άλεντ να στέκεται στην πόρτα κρατώντας από ένα ποτήρι λεμονάδα σε κάθε χέρι. Με κοίταζε κάπως έκπληκτος, αλλά όχι θυμωμένος.

«Γιατί δεν τα φοράς όλα αυτά;» τον ρώτησα. Ένιωθα λες και με είχε χτυπήσει κεραυνός, γιατί η ντουλάπα του θα μπορούσε άνετα να είναι η δική μου.

Γέλασε και κοίταξε τα ρούχα που φορούσε. Τζιν παντελόνι και γκρι κοντομάνικο. «Δεν ξέρω. Ο Νταν... ο Ντάνιελ πιστεύει πως είναι χάλια».

Έβγαλα το μπουφάν με τον Μπαμπάρ από την ντουλάπα και το φόρεσα. Με κοίταξα στον καθρέφτη. «Είναι το πιο γαμάτο ρούχο που έχω δει. Αλήθεια. Τα κατάφερες. Έχεις το πιο γαμάτο ρούχο στον γαλαξία». Γύρισα και πήρα πόζα. «Να ξέρεις, θα στο κλέψω». Άρχισα να σκαλίζω τη ντουλάπα του. «Είναι... μοιάζει με την ντουλάπα μου. Δεν ήξερα αν αστειευόσουν όταν μου το είπες στο Facebook, θα φορούσα κάτι καλύτερο σήμερα, αλλά δεν ήξερα. Έχω ένα κολάν με χαρακτήρες από τον *Μπαμπούλα ΑΕ*... έλεγα να το φορέσω, αλλά δεν ξέρω... Πρέπει να μου πεις από πού αγόρασες αυτό το παντελόνι γιατί... δεν έχω ξαναδεί κάτι τέτοιο...»

Μιλούσα χωρίς σταματημό και δεν θυμάμαι πότε ήταν η τελευταία φορά που με είχε πιάσει τέτοια ασταμάτητη φλυαρία σε κάποιον πέρα από τη μάνα μου.

Ο Άλεντ με κοιτούσε.

Ο ήλιος έπεφτε μέσα από το παράθυρο στο πρόσωπό του και δεν μπορούσα να καταλάβω τι σκεφτόταν.

«Αλήθεια, πίστευα», είπε μόλις σταμάτησα να μιλάω, «ότι ήσουν... μια μονόχνοτη, εθισμένη στο διάβασμα κοπέλα που δεν την ενδιέφερε τίποτα άλλο. Όχι πως είναι *κακό* να είσαι έτσι, αλλά, εμ, δεν ξέρω. Απλώς... νόμιζα πως ήσουν βαρετή. Και δεν είσαι».

Το είπε με τόσο ειλικρινή τρόπο που σχεδόν κοκκίνισα. Σχεδόν.

Κούνησε το κεφάλι αμήχανα και γέλασε. «Σόρι, όταν το σκέφτηκα δεν μου φαινόταν τόσο κακό».

Σήκωσα τους ώμους και κάθισα στο κρεβάτι του. «Η αλήθεια είναι κι εγώ πίστευα ότι ήσουν βαρετός. Και ξαφνικά μαθαίνω πως έχεις δημιουργήσει ό,τι αγαπώ περισσότερο στον κόσμο».

Χαμογέλασε κάπως ντροπαλά. «Το *Universe City* είναι ό,τι αγαπάς περισσότερο στον κόσμο;»

Έμεινα κόκαλο. Αναρωτιόμουν γιατί το είχα πει αυτό. Αναρωτιόμουν αν ήταν η αλήθεια. Ήταν πολύ αργά για να το πάρω πίσω.

Γέλασα. «Εμ, ναι».

«Είναι... πολύ όμορφη σκέψη».

Αρχίσαμε να μιλάμε ξανά για το *Universe City*, αλλά σύντομα η προσοχή μου στράφηκε στη συλλογή του στο iTunes όπου ανακαλύψαμε πως άρεσε και στους δυο μας η M.I.A. και αρχίσαμε να βλέπουμε συναυλίες της στο YouTube, καθισμένοι στο κρεβάτι με την κουβέρτα από πάνω, πίνοντας τη λεμονάδα μας. Τραγούδησα το *Bring The Noize* και εκείνος με παρακολούθησε έκπληκτος. Στα μισά, όμως, ντράπηκα, όταν άρχισε να κουνάει ρυθμικά το κεφάλι.

Μετά είπαμε μήπως αρχίσουμε να μιλάμε πάλι για το *Universe City*, αλλά ο Άλεντ παραδέχτηκε πως είχε κουραστεί και πρότεινα να δούμε ταινία, έτσι είδαμε το *Χαμένοι στη Μετάφραση* επειδή δεν το είχα ξαναδεί και ο Άλεντ ξαφνικά αποκοιμήθηκε.

Βρεθήκαμε ξανά την επόμενη μέρα. Πήραμε το τρένο για να πάμε στο Κριμς, ένα καφέ που έφτιαχνε μιλκσέικ, και καλά για να μιλήσουμε για το *Universe City*, αλλά τελικά πιάσαμε την κουβέντα για τις σειρές που βλέπαμε όταν ήμασταν μικρά.

Ήμασταν και οι δύο πωρωμένοι με τα Digimon και αποφασίσαμε να δούμε την ταινία όταν γυρίσουμε σπίτι. Εγώ φορούσα το κολάν με τους χαρακτήρες από το *Μπαμπούλας ΑΕ* και εκείνος το μπουφάν με τον Μπαμπάρ.

2. ΚΑΛΟΚΑΙΡΙΝΕΣ ΔΙΑΚΟΠΕΣ

α)

ΕΙΝΑΙ... ΥΠΕΡΟΧΟ

«ΜΙΛΑΣ ΣΤΟΝ ΕΑΥΤΟ ΣΟΥ;» ρώτησε ο Άλεντ. «Φωναχτά;»

Ήταν τέλη Ιουλίου, το σχολείο είχε τελειώσει και αράζαμε στο δωμάτιό μου. Καθόμουν στο πάτωμα σχεδιάζοντας σκίτσα στο λάπτοπ για το πρώτο μου επεισόδιο. Πάντα κουβαλούσα το δικό μου λάπτοπ όταν πήγαινα σπίτι του, επειδή ο Άλεντ για κάποιον ανεξήγητο λόγο δεν ήθελε να χρησιμοποιούν άλλοι το δικό του. Έλεγε αστειευόμενος πως σίγουρα η μαμά του το έψαχνε όταν εκείνος ήταν στο σχολείο και αυτό τον έκανε κάπως... υπερβολικό. Δεν τον αδικούσα – δεν θα ήθελα κανείς να ψάξει το ιστορικό αναζήτησής μου, ούτε καν ο Άλεντ. Ορισμένα πράγματα τα κρατάς μονάχα για τον εαυτό σου.

Καθόταν στο κρεβάτι μου και έγραφε το σενάριο. Ακούγαμε ραδιόφωνο. Μια αχτίδα ήλιου έπεφτε πάνω στη μοκέτα.

«Εμ, μερικές φορές», είπα. «Ναι. Αν δεν είναι κανείς κοντά μου. Συμβαίνει, δεν το κάνω επίτηδες». Δεν είπε τίποτα, έτσι τον ρώτησα «γιατί ρωτάς;»

Σταμάτησε να πληκτρολογεί και σήκωσε το κεφάλι του. Στήριξε το πηγούνι στο χέρι του. «Απλώς αναρωτιόμουν τις προάλλες... εγώ δεν μιλάω ποτέ μόνος μου. Και σκέφτηκα πως ίσως είναι φυσιολογικό, αλλά μετά αναρωτήθηκα μήπως είναι αφύσικο».

«Νόμιζα πως αφύσικο και περίεργο είναι να μιλάς *μόνος σου*», είπα. Η μαμά με είχε πιάσει να το κάνω αρκετές φορές και με κορόιδευε. «Και ποιος είναι ο περίεργος;» είπα χαμογελώντας.

«Δεν ξέρω», απάντησε και σήκωσε τους ώμους του. «Μερικές φορές πιστεύω πως, αν δεν μου μιλούσε κανείς, τότε δεν θα μιλούσα ποτέ».

«Μα αυτό είναι στενάχωρο».

Ανοιγόκλεισε τα βλέφαρα. «Ναι, είναι».

Ό,τι κάναμε με τον Άλεντ ήταν ωραίο και είχε πλάκα. Συνήθως ήταν και τα δύο μαζί. Συνειδητοποιήσαμε πως δεν είχε σημασία τι κάναμε όταν ήμασταν μαζί, επειδή ξέραμε πως, αν ήμασταν μαζί, θα περνούσαμε καλά.

Άρχισα να ντρέπομαι λιγότερο για τα πράγματα που έκανα και θεωρούσα περίεργα, όπως να τραγουδάω ξαφνικά χωρίς κανέναν λόγο, ή να έχω αποθηκευμένο στο μυαλό μου έναν απίστευτο όγκο εντελώς άσχετων μεταξύ τους πληροφοριών, ή να ξεκινάω μια συζήτηση διάρκειας τεσσάρων ωρών με θέμα το γιατί το τυρί πρέπει να θεωρείται κανονικό φαγητό.

Συνέχιζα να τον πειράζω για τα μαλλιά του μέχρι που μια μέρα μου είπε με ύφος αποφασιστικό ότι τα ήθελε έτσι, τόσο μακριά, οπότε σταμάτησα να τον πειράζω.

Παίζαμε video games ή επιτραπέζια, βλέπαμε βίντεο στο YouTube ή σειρές και ταινίες, φτιάχναμε κέικ και μπισκότα και παραγγέλναμε απ' έξω. Στο σπίτι του μπορούσαμε να αράζουμε μόνο όταν έλειπε η μαμά του, έτσι καθόμασταν κυρίως στο δικό μου. Είχε ανεχθεί τη δεινότητά μου στο τραγούδι ενώ βλέπαμε το *Μουλέν Ρουζ* και εγώ τον είχα ανεχθεί όταν παπαγάλιζε κάθε ατάκα του *Επιστροφή στο Μέλλον*. Προσπάθησα να μάθω πώς να παίζω κιθάρα χρησιμοποιώντας την κιθάρα του, τελικά όμως τα παράτησα επειδή ήμουν απαράδεκτη. Με βοήθησε να ζωγραφίσω ένα νυχτερινό αστικό τοπίο στον τοίχο του δωματίου μου. Είδαμε τέσσερις σεζόν του *The Office*. Καθόμασταν στα δωμάτιά μας με τα λάπτοπ μας αγκαλιά. Τον έπαιρνε ο ύπνος σε άσχετες στιγμές της ημέρας. Προσπαθούσα να τον πείσω ότι είχε πλάκα να παίζουμε το *Just Dance* και ανακαλύψαμε πως μοιραζόμασταν το ίδιο πάθος για τη *Μονόπολη*. Όταν ήμουν μαζί του δεν διάβαζα για το σχολείο. Και εκείνος, όταν ήταν μαζί μου, δεν διάβαζε για τη σχολή.

Αλλά στο επίκεντρο της φιλίας μας υπήρχε το *Universe City*.

Αρχίσαμε να σχεδιάζουμε σκίτσα και τα κολλούσαμε στον τοίχο του δωματίου μου, αλλά οι ιδέες ήταν άπειρες και μας πήρε άπειρο, επίσης, καιρό μέχρι να καταλήξουμε κάπου. Ο Άλεντ είχε αρχίσει να μου ζητάει συμβουλές για τα επόμενα επεισόδια και μου αποκάλυπτε τι θα γίνει. Ένιωθα πως δεν μου άξιζε και παραλίγο να του ζητήσω να σταματήσει. Παραλίγο.

«Νομίζω πως κάτι δεν πάει καλά», είπα αφού είχαμε καθίσει σιωπηλοί για ώρα, σχεδιάζοντας και πληκτρολογώντας. Ο Άλεντ σήκωσε το κεφάλι και του έδειξα τι σχεδίαζα στο Photoshop – τη Universe City, με τα λαμπερά φώτα της και τα σκοτεινά σοκάκια. «Δες τα σχήματα. Είναι τόσο γωνιώδη και τετραγωνισμένα, μου φαίνεται κάπως φλατ».

«Χμ», είπε. Αναρωτιόμουν αν ήξερε για τι πράγμα μιλούσα. Συχνά καταλάβαινα πως έλεγα πράγματα μπροστά στον Άλεντ που δεν έβγαζαν νόημα, με αποτέλεσμα μερικές φορές να παριστάνει πως με καταλαβαίνει. «Ναι. Ίσως».

«Απλώς δεν ξέρω αν...» Η φωνή μου έσβησε. Το σκέφτηκα και το αποφάσισα στη στιγμή.

Έσκυψα, έχωσα το χέρι μου κάτω από το κρεβάτι και πήρα το μπλοκ μου. Το άνοιξα, το ξεφύλλισα και βρήκα αυτό που έψαχνα – ένα σκίτσο της πόλης, στο οποίο όμως η πόλη έμοιαζε εντελώς διαφορετική. Είχα σχεδιάσει την κάτοψή της και τα κτίρια είχαν καμπύλες, ήταν πιο αεράτα, σαν να κινούνταν.

Δεν είχα δείξει σε κανέναν άλλο τα μπλοκ μου.

«Τι λες γι' αυτό;» ρώτησα και έδειξα το σκίτσο στον Άλεντ.

Ο Άλεντ πήρε με προσοχή το μπλοκ από τα χέρια μου. Το κοίταξε για λίγο. «Είναι... υπέροχο. Ζωγραφίζεις τέλεια», είπε.

Έβηξα.

«Ευχαριστώ».

«Νομίζω πως κάτι τέτοιο θα ήταν ό,τι πρέπει», είπε.

«Ναι;»

«Ναι».

«Εντάξει».

Ο Άλεντ συνέχισε να παρατηρεί το μπλοκ. Διέγραψε το περίγραμμα με τους αντίχειρες και γύρισε προς το μέρος μου. «Εδώ σχεδιάζεις διάφορα για το *Universe City*;»

Δίστασα, αλλά ένευσα.

Στράφηκε ξανά στο μπλοκ. «Μπορώ να δω;»

Ήξερα πως θα με ρωτούσε και είχα άγχος που θα τον άφηνα. Παρ' όλα αυτά, είπα «ναι, αμέ!»

ΑΓΓΕΛΟΣ

ΟΑΛΕΝΤ ΑΡΡΩΣΤΗΣΕ ΜΕ ΓΡΙΠΗ μερικές μέρες αργότερα, παρ' όλα αυτά βάλαμε στόχο να βγάζαμε το πρώτο μου επεισόδιο στις 10 Αυγούστου, έτσι συνέχισα να τον επισκέπτομαι ακόμα κι άρρωστο. Αφήστε που είχα συνηθίσει να τον βλέπω καθημερινά και ένιωθα μόνη όταν δεν τον έβλεπα. Οι φίλες μου είχαν καιρό να μου μιλήσουν.

Η μαμά του Άλεντ δεν ήταν ποτέ σπίτι. Τον ρώτησα γιατί και μου απάντησε ότι δούλευε πολύ. Το μόνο που ήξερα για εκείνη ήταν πως δεν του επέτρεπε να μένει έξω μέχρι αργά – ο Άλεντ έπρεπε να γυρίζει σπίτι το αργότερο μέχρι τις 8 μ.μ. Αυτό μόνο.

Ένα απόγευμα, είχε χωθεί κάτω από την κουβέρτα του και έτρεμε. «Δεν καταλαβαίνω γιατί συνεχίζεις να έρχεσαι», μου είπε.

«Είμαστε φίλοι», απάντησα, «και ξέρω πως θα ακουστώ κάπως, αλλά είμαι άνθρωπος που ανησυχεί εύκολα για τον άλλον».

«Ναι, αλλά δεν περνάς καλά», είπε και γέλασε αδύναμα. «Είμαι άρρωστος». Τα μαλλιά του ήταν λαδωμένα και μπλεγμένα. Καθόμουν στο πάτωμα και του έφτιαχνα με αφοσίωση ένα σάντουιτς με διάφορα υλικά που είχα φέρει σε ένα μεγάλο φορητό ψυγείο από το σπίτι μου.

«Τι να σου πω; Αν δεν ερχόμουν, θα καθόμουν μόνη στο σπίτι. Και θα περνούσα χειρότερα».

Αγκομάχησε. «Δεν καταλαβαίνω», είπε.

Γέλασα. «Γι' αυτό δεν είναι οι φίλοι;» Αλλά τότε συνειδητοποίησα πως δεν ήμουν και σίγουρη. Κανείς δεν είχε κάνει κάτι αντίστοιχο για εμένα. Να ήταν άραγε όντως παράξενο; Μήπως ξεπερνούσα κάποιο όριο, μήπως εισέβαλλα στον προσωπικό του χώρο και γινόμουν κολλιτσίδα;...

«Δεν... δεν ξέρω», μουρμούρισε.

«Κι όμως, εσύ έχεις έναν κολλητό φίλο». Μετάνιωσα που το είπα τη στιγμή που το ξεστόμισα, αλλά πίστευα πως ήταν η αλήθεια.

«Τον Νταν; Δεν θα ερχόταν να με δει ενώ είμαι άρρωστος», είπε ο Άλεντ. «Δεν θα είχε νόημα. Θα βαριόταν».

«Εγώ πάντως δεν βαριέμαι», είπα γιατί ήταν η αλήθεια. «Αφού μιλάμε. Και σου φτιάχνω σάντουιτς».

Γέλασε ξανά. «Γιατί είσαι τόσο καλή μαζί μου;»

«Γιατί είμαι ένας άγγελος», γέλασα κι εγώ πάλι.

«Είσαι». Τέντωσε το χέρι του και με χάιδεψε στο κεφάλι. «Και εγώ είμαι πλατωνικά ερωτευμένος μαζί σου».

«Αυτό ήταν η βερσιόν του "no homo" για αγόρια και κορίτσια, αλλά το εκτιμώ».

«Μπορώ να έχω το σάντουιτς;»

«Όχι ακόμη. Δεν έχω τελειοποιήσει την αναλογία τυριού και πατατών».

Αφού το έφαγε ο Άλεντ, κοιμήθηκε και του άφησα ένα μήνυμα στον ασπροπίνακα (ΠΕΡΑΣΤΙΚΑ) μαζί με μια ζωγραφιά (εγώ να οδηγώ ασθενοφόρο). Έπειτα γύρισα σπίτι. Είχα μόλις συνειδητοποιήσει ότι δεν ήξερα πώς να φέρομαι στους φίλους μου.

ΠΟΛΥ ΧΑΖΗ

ΔΕΝ ΜΠΟΡΟΥΣΑ ΝΑ ΚΑΤΑΛΑΒΩ γιατί η Κάρις με έκανε παρέα, μέχρι που κατάλαβα πως κανείς άλλος δεν ήθελε να είναι φίλος της, οπότε ήμουν η μοναδική της επιλογή. Αυτό με έκανε να νιώθω λιγάκι άσχημα. Ήξερα πως αν είχε άλλη επιλογή, πιθανότατα θα ακολουθούσε εκείνη την άλλη επιλογή. Με συμπαθούσε μονάχα επειδή την άκουγα.

Με το που μεταφερθήκαμε στην Ακαδημία από το σχολείο μας μετά τη φωτιά που το κατέστρεψε, άρχισε να μιλάει λιγότερο για τις φίλες της από το σχολείο. Παρόλο που δεν μου εξήγησε ποτέ γιατί, κατάλαβα πως δεν είχε πλέον φίλες, οπότε δεν μπορούσε και να μιλήσει γι' αυτές.

«Γιατί μου μιλάς; Εννοώ, γιατί με κάνεις παρέα και μάλιστα κάθε μέρα;» με είχε ρωτήσει μια ανοιξιάτικη μέρα, πηγαίνοντας στο σχολείο.

Δεν ήξερα αν έπρεπε να της πω ότι το έκανα επειδή *εκείνη* μιλούσε *σε εμένα* κάθε μέρα ή επειδή δεν είχα κάποιον άλλο για να μιλήσω ή επειδή τη γούσταρα.

«Γιατί όχι;» είπα και χαμογέλασα.

Σήκωσε τους ώμους. «Για πολλούς λόγους».

«Όπως;»

«Δεν είμαι εκνευριστική;» ρώτησε απότομα. «Και πολύ χαζή σε σύγκριση με εσένα;»

Ήξερα πως οι βαθμοί της ήταν χάλια. Αλλά ποτέ δεν ένιωσα πως αυτό την έκανε κατώτερή μου. Πίστευα μάλιστα ότι μέσα της είχε ξεπεράσει το όλο ζήτημα του σχολείου – δεν την ένοιαζε, ούτε ένιωθε την ανάγκη να ασχοληθεί μαζί του.

«Δεν είσαι ούτε εκνευριστική ούτε χαζή», της είπα.

Ονειρευόμουν πως αυτό που είχαμε θα μετατρεπόταν σε μια υπέροχη ρομαντική ιστορία. Ότι, μια μέρα, θα ξυπνούσε και θα καταλάβαινε ότι ήμουν εκεί για *εκείνη*. Πως θα τη φιλούσα και θα καταλάβαινε ότι νοιαζόμουν για εκείνη περισσότερο από κάθε άλλον.

Φαντασιόπληκτη. Ήμουν φαντασιόπληκτη. Δεν ήμουν εκεί για εκείνη.

«Νομίζω πως θα τα πήγαινες καλά με τον αδελφό μου», είπε.

«Γιατί;»

«Γιατί είστε και οι δύο πολύ καλοί άνθρωποι». Χαμήλωσε το βλέμμα και έπειτα κοίταξε έξω από το παράθυρο. Ο ήλιος έλαμψε στα μάτια της.

UNIVERSE CITY: Επ. 15 – η μ4γ314 των υπ0λ0γ1στών

UniverseCity 84.375 views

Για τη Σημασία της Μαγείας στους Σωλήνες από Κάτω

Δείτε παρακάτω για την απομαγνητοφώνηση >>>

[...]

Ένα μέρος για τη μαγεία των υπολογιστών. Αυτό χρειάζεται μονάχα, φίλοι μου. Όταν μένεις σε μια τόσο μεγάλη πόλη, πώς αλλιώς μπορείς να επικοινωνείς; Μόνο χάρη στη μαγεία των υπολογιστών. Οι Κυβερνήτες προσφάτως επισκεύασαν όλους τους σωλήνες – ένα από τα ελάχιστα καλά πράγματα που έκαναν για εμάς τώρα τελευταία. Παίρνω όρκο πως κάτι διαβολικό κρύβεται πίσω τους, αλλά η άγνοια ισοδυναμεί με ευτυχία, λένε.

Έχω επαφές παντού. Και είναι πιο χρήσιμες από τους φίλους. Έχω μάτια και αφτιά παντού. Βλέπω και ακούω τα πάντα. Είμαι έτοιμος για ό,τι κι αν με περιμένει. Ξέρω πως μου την έχουν στημένη. Το έχω δει στα όνειρά μου και στον καθρέφτη του μέλλοντος. Το βλέπω να πλησιάζει. Από μακριά.

Αλλά έχω στο πλευρό μου τη μαγεία των υπολογιστών. Έχω τους φίλους μου – όχι, τις *επαφές* μου. Και είναι πολύτιμες, φιλαράκο, στο υπογράφω. Υπάρχει μαγεία κάτω από τα πόδια μας, όχι μόνο στα μάτια μας.

[...]

Η ΑΛΗΘΕΙΑ

«ΦΡΑΝΣΙΣ, ΚΑΛΗ ΜΟΥ, ΤΙ ΤΡΕΧΕΙ;»

Η μαμά έπλεξε τα δάχτυλά της και έσκυψε προς το μέρος μου, πάνω από τον πάγκο όπου τρώγαμε το πρωινό.

«Έ'α μου;» είπα, επειδή είχα το στόμα μου γεμάτο με δημητριακά.

«Δεν έχεις κάνει ούτε μια επανάληψη όλη την εβδομάδα». Η μαμά σήκωσε τα φρύδια της και προσπάθησε να πάρει σοβαρό ύφος. Δεν τα κατάφερε, μια και φορούσε πιτζαμούλα με μονόκερους. «Και κάνεις παρέα με τον Άλεντ πεντακόσια τοις εκατό περισσότερο από ό,τι με τις φίλες σου».

Κατάπια. «Ναι, αυτό είναι... αλήθεια».

«Και έχεις τα μαλλιά σου κάτω πιο συχνά. Νόμιζα πως δεν σου άρεσε να τα έχεις κάτω».

«Βαριέμαι να τα έχω πιασμένα συνέχεια».

«Μα νόμιζα ότι τα προτιμούσες πιασμένα».

Σήκωσα τους ώμους.

Η μαμά με κοίταξε.

Το ίδιο έκανα κι εγώ.

«Τι πρόβλημα έχεις;» τη ρώτησα.

Σήκωσε τους ώμους. «Δεν έχω κάποιο πρόβλημα. Απλώς με τρώει η περιέργεια».

«Γιατί;»

«Γιατί είναι κάτι διαφορετικό και μου φαίνεται παράξενο».

«Και λοιπόν;»

Η μαμά σήκωσε πάλι τους ώμους. «Δεν ξέρω».

Δεν το είχα πολυσκεφτεί, αλλά η μαμά είχε δίκιο. Στις διακοπές του καλοκαιριού συνήθως διάβαζα, έκανα επαναλήψεις, έπιανα καμιά δουλειά – τις γνωστές απαίσιες δουλειές σε ένα από τα εστιατόρια του χωριού ή τα καταστήματα με ρούχα.

Δεν το είχα σκεφτεί όμως έτσι.

«Δεν είσαι αγχωμένη, έτσι;» με ρώτησε η μαμά.

«Όχι», της είπα. «Δεν είμαι».

«Και αυτή είναι η μόνη αλήθεια;»

«Είναι».

Η μαμά ένευσε αργά. «Εντάξει», είπε. «Ήθελα απλώς να βεβαιωθώ. Έχω πολύ καιρό να δω τη Φράνσις “του σχολείου”».

«Τη Φράνσις “του σχολείου”; Τι εννοείς;»

Μου χαμογέλασε. «Είναι κάτι που είπες πριν καιρό. Τίποτα, τίποτα».

ΝΑ ΕΤΡΕΧΑΝ ΚΑΙ ΝΑ ΓΕΛΟΥΣΑΝ

ΜΟΥ ΠΗΡΕ ΑΡΚΕΤΟ ΚΑΙΡΟ ΝΑ ΚΑΤΑΛΑΒΩ, μέχρι την πρώτη εβδομάδα του Αυγούστου, πως ο Άλεντ προσπαθούσε να αποτρέψει μια συνάντηση ανάμεσα σε εμένα και τη μαμά του.

Ήξερα ελάχιστα πράγματα για την Κάρολ Λαστ. Ήταν πρόεδρος του συλλόγου γονέων. Ήταν χωρισμένη και αυστηρή ως γονιός. Έπιανε την κουβέντα στη μαμά μου κάθε φορά που βλέπονταν στο ταχυδρομείο του χωριού. Αν ήταν σπίτι, ο Άλεντ έλεγε πως θα ήταν καλύτερο να αράζαμε σπίτι μου ή να βγαίναμε επειδή δεν της άρεσαν οι επισκέψεις.

Κάτι που μου φαινόταν μια πολύ βολική δικαιολογία, μέχρι τη μέρα που τη γνώρισα.

Εκείνη τη μέρα σχεδίαζα να πάω σπίτι του και, μια και τόσο ο Άλεντ όσο και εγώ κοιμόμασταν αργά, συνήθως συναντιόμασταν γύρω στις δύο. Από την εκδρομή μας στο Κριμς και μετά, φορούσαμε τα περίεργα ρούχα μας – εγώ τη συλλογή των κολάν και φαρδιών μπουφάν και πουλόβερ μου, εκείνος τα ριγέ σορτσάκια, τις φαρδιές ζακέτες και τα κοντομάνικά του και εκείνα τα λαχανί παπούτσια. Σήμερα, φορούσε μαύρο σορτσάκι και μια φαρδιά μαύρη μπλούζα με στάμπα τη χρονολογία 1995 με μεγάλα λευκά γράμματα. Τα μαλλιά του είχαν μακρύνει αρκετά, ώστε να τα φέρνει από τη μια πλευρά.

Πίστευα ότι έμοιαζε πιο κουλ από εμένα, αλλά εκείνος πίστευε ότι εγώ φαινόμουν πιο κουλ από εκείνον.

Κανονικά χτυπούσα την πόρτα, αλλά σήμερα καθόταν έξω και με περίμενε. Ο Μπράιαν, το γέρικο λαμπραντόρ του Άλεντ, καθόταν υπομονετικά στο πεζοδρόμιο, αλλά με το που βγήκα από το σπίτι ήρθε να με προϋπαντήσει. Ο Μπράιαν με αγαπούσε, κάτι που μου έδινε αυτοπεποίθηση.

«Γεια», είπα στον Άλεντ και πέρασα απέναντι.

Ο Άλεντ μου χαμογέλασε και σηκώθηκε. «Όλα καλά;»

Πλέον αγκαλιαζόμασταν μονάχα όταν αποχαιρετιόμασταν. Νομίζω πως έτσι οι αγκαλιές μας γίνονταν πιο ξεχωριστές.

Το πρώτο που πρόσεξα ήταν το αυτοκίνητο της μαμάς του απ' έξω. Ήξερα ήδη τι θα μου έλεγε ο Άλεντ.

«Έλεγα να βγάλουμε τον Μπράιαν βόλτα», είπε και έκρυψε τα χέρια του στα μανίκια, όπως όταν ντρεπόταν.

Ήμασταν στα μισά του δρόμου όταν αναφέρθηκα στο θέμα.

«Είναι παράξενο που δεν έχω μιλήσει στη μαμά σου».

Ακολούθησε μια εκκωφαντική σιωπή.

«Αλήθεια;» είπε με το κεφάλι σκυφτό.

«Ναι, ούτε καν την έχω δει. Εσύ έχεις μιλήσει αμέτρητες φορές στη δική μου». Φαντάστηκα πως είχαμε έρθει αρκετά κοντά και μπορούσα πλέον να ρωτάω πράγματα που ενδεχομένως τον έφερναν σε δύσκολη θέση. Ήταν κάτι που έκανα αρκετά την περασμένη εβδομάδα. «Δεν με συμπαθεί η μαμά σου;»

«Τι εννοείς;»

«Έχω έρθει είκοσι φορές σπίτι σου και δεν την έχω δει ούτε μία». Έχωσα τα χέρια στις τσέπες. Ο Άλεντ δεν είπε κάτι και συνέχιζε να περπατάει. «Πες μου την αλήθεια. Μήπως είναι ρατσίστρια;»

«Όχι βέβαια, όχι...»

«Εντάξει», είπα και περίμενα να συνεχίσει.

Σταμάτησε να προχωράει, έμεινε με το στόμα μισάνοιχτο σαν να ήταν έτοιμος να πει κάτι. Αλλά δεν μπορούσε να μου πει αυτό που ήθελε.

«Με... με μισεί τότε; Αυτό είναι;» είπα και γέλασα, μήπως ελαφρύνω κάπως το θέμα.

«Όχι! Στ' ορκίζομαι, δεν αφορά εσένα!» μου είπε τόσο βιαστικά, με τα μάτια του ορθάνοιχτα, που ήξερα ότι δεν έλεγε ψέματα. Τότε κατάλαβα σε *πόσο* δύσκολη θέση τον έφερνα.

«Καλά, καλά». Έκανα ένα βήμα πίσω και μια κίνηση αδιαφορίας με το κεφάλι μου, αρκετά πειστική ως προς την αδιαφορία ήθελα να πιστεύω. «Δεν είναι ανάγκη να μου πεις αν δεν θες. Δεν πειράζει. Πλάκα σου κάνω». Χαμήλωσα το βλέμμα. Ο Μπράιαν με κοιτούσε, έτσι, έσκυψα και τον χάιδεψα.

«Άλι;»

Ο Άλεντ γύρισε το κεφάλι, εγώ το σήκωσα και την είδα. Η Κάρολ Λαστ. Το κεφάλι της προεξείχε από το παράθυρο του αυτοκινήτου της. Ούτε που είχα καταλάβει πώς είχε έρθει από πίσω μας. Έμοιαζε τρομακτική. Ήταν μια τυπική λευκή, μεσοαστή μαμά. Βαμμένα μαλλιά κομμένα κοντά, παχουλή, με χαμόγελο που έλεγε «να σου προσφέρω ένα φλιτζάνι τσάι;» και μάτια που έλεγαν «θα σου φάω την ψυχή».

«Πας έξω, καρδιά μου;» είπε με τα φρύδια σηκωμένα.

Ο Άλεντ ήταν στραμμένος προς το μέρος της και δεν μπορούσα να δω την έκφρασή του.

«Ναι, βγάζουμε βόλτα τον Μπράιαν».

Και τα μάτια της με κάρφωσαν.

«Μάλιστα. Φράνσις;» Σήκωσε το χέρι και μου χαμογέλασε. «Καιρό έχω να σε δω».

Ήξερα πως εννοούσε από τον καιρό που έκανα παρέα με την Κάρις.

«Α, ναι, καλά είμαι, ευχαριστώ», είπα.

«Πώς πάνε τα μαθήματα; Όλα όπως τα θες;»

«Έτσι ελπίζω!» είπα με ένα πολύ προσποιητό γέλιο.

«Όλοι μας δεν ελπίζουμε;» είπε και χαχάνισε. «Ο Άλεντ θα πρέπει να πάρει πολύ υψηλούς βαθμούς αν θέλει να μπει στη σχολή που θέλει, έτσι δεν είναι;» Απευθύνθηκε στον Άλεντ. «Αλλά έχει διαβάσει πολύ και *είμαι σίγουρη* ότι θα τα πάει μια χαρά».

Ο Άλεντ δεν μίλησε.

Η Κάρολ με κοίταξε με ένα απαλό μειδίαμα. «Έχει δουλέψει τόσο σκληρά. Η οικογένειά μας είναι περήφανη. Ξέραμε πως ήταν πανέξυπνος από τότε που ήταν μικρός». Χαχάνισε ξανά. Έμοιαζε σαν να ξαναζεί μια ανάμνηση. «Μπορούσε να διαβάζει βιβλία προτού αρχίσει το δημοτικό. Ο Άλι μας είχε κλίση από γεννησιμιού του. Προοριζόταν από μικρός να γίνει ακαδημαϊκός». Αναστέναξε και στράφηκε στον Άλεντ. «Αλλά όλοι μας ξέρουμε πως δεν σου δίνεται τίποτα τσάμπα αν δεν *δουλέψεις* γι' αυτό, σωστά;»

«Μμμ», συμφώνησε κάπως απρόθυμα ο Άλεντ.

«Και καλό είναι να μην αποσπάται η προσοχή μας, έτσι;»

«Ναι».

Η Κάρολ σταμάτησε να μιλάει και κοίταξε με προσοχή τον γιο της. Χαμήλωσε ελαφρώς τον τόνο της φωνής της. «Δεν θα αργήσεις, έτσι, Άλι;» ρώτησε. «Η γιαγιά θα έρθει στις τέσσερις και είπες πως θα τη δεις».

«Θα έχουμε γυρίσει πριν τις τέσσερις», είπε ο Άλεντ. Η φωνή του είχε γίνει παράδοξα μονότονη.

«Εντάξει», είπε η Κάρολ. Γέλασε. «Πρόσεχε μη φάει σαλιγκάρια ο Μπράιαν!»

Και έφυγε.

Ο Άλεντ ξεκίνησε να περπατάει αμέσως. Έτρεξα να τον προλάβω.

Προχωρήσαμε σιωπηλοί για λίγο.

Και όταν φτάσαμε στο τέλος του δρόμου, είπα «λοιπόν... με μισεί ή δεν με μισεί;»

Ο Άλεντ κλότσησε ένα χαλίκι. «Δεν σε μισεί».

Στρίψαμε αριστερά και σκαρφαλώσαμε τον φράχτη που χώριζε το χωριό από τα χωράφια και το δάσος. Ο Μπράιαν, μια και ήξερε τη διαδρομή που θα ακολουθούσαμε, είχε ήδη πηδήξει τον φράχτη και μύριζε το γρασίδι παραπέρα.

«Ευτυχώς!» είπα γελώντας, παρόλο που αισθανόμουν πως κάτι κρυβόταν πίσω από την έκφρασή του.

Ακολουθήσαμε το μονοπάτι μέσα από το χωράφι με τα καλαμπόκια. Τα καλαμπόκια είχαν ψηλώσει τόσο που δεν βλέπαμε τίποτα από πάνω τους.

«Ξέρεις... δεν ήθελα να τη συναντήσεις», είπε ο Άλεντ μετά από λίγο.

Περίμενα, αλλά δεν συνέχισε. Δεν ήθελε ή δεν μπορούσε. «Γιατί; Αφού μια χαρά φαίνεται...»

«Α, ναι, έτσι *φαίνεται*», είπε ο Άλεντ με φωνή που έβγαζε μια πίκρα, την οποία δεν είχα ξανακούσει.

«Δεν... δεν είναι όπως τη βλέπεις;» ρώτησα.

Δεν με κοιτούσε. «*Άσ' το*».

«Καλά».

«Καλά».

«Άλεντ». Σταμάτησα να προχωράω. Μερικά βήματα αργότερα σταμάτησε και εκείνος και έκανε μεταβολή. Ο Μπράιαν είχε προχωρήσει και μύριζε τα καλαμπόκια. «Αν νιώθεις άσχημα», είπα όπως μου είχε πει και ο ίδιος το βράδυ που μου έμαθε ένα ολόκληρο θέμα μαθηματικών μέσα σε μία ώρα, «καλύτερα να μιλάς, να το λες».

Ανοιγόκλεισε τα μάτια και χαμογέλασε. Δεν μπορούσε να αντισταθεί. «Δεν ξέρω τι να πω. Συγγνώμη». Πήρε μια ανάσα. «Δεν συμπαθώ τη μαμά μου. Αυτό είναι όλο».

Και ξαφνικά κατάλαβα γιατί δυσκολευόταν να μου το πει. Επειδή ακουγόταν τόσο παιδιάστικο. Κάτι που θα έλεγε ένας έφηβος. *Ω, ρε φίλε, σιχαίνομαι τους δικούς μου.*

«Μου φέρεται απαίσια όλη την ώρα», είπε. «Ξέρω πως σου φάνηκε μια χαρά άνθρωπος. Αλλά δεν... δεν... δεν είναι έτσι». Γέλασε. «Και ξέρω πως ακούγεται χαζό».

«Δεν είναι», είπα. «Ακούγεται πολύ άσχημο».

«Το μόνο που ήθελα ήταν να σας κρατήσω χώρια». Ο ήλιος πέρασε πίσω από ένα σύννεφο και κατάφερα ξανά να τον δω καλύτερα. Το αεράκι σήκωνε τα μαλλιά του από το μέτωπο. «Όταν... όταν κάνουμε παρέα, δεν σκέφτομαι ούτε εκείνη ούτε την οικογένειά μου ούτε... το διάβασμα. Περνάμε καλά. Αλλά αν σε γνωρίσει, τότε... οι δύο αυτοί κόσμοι ενώνονται». Έκανε μια χειρονομία και γέλασε ξανά, αλλά αυτή τη φορά κάπως θλιμμένα. «Είναι τελείως χαζό».

«Δεν είναι».

«Ξέρεις...» Επιτέλους με κοίταξε κατάματα. «Μου αρέσει που κάνουμε παρέα και δεν θέλω τίποτα να το χαλάσει αυτό».

Δεν ήξερα τι να πω. Έτσι, τον αγκάλιασα.

Και είπε «οχ» όπως την πρώτη φορά.

«Θα προτιμούσα να μου κοπεί το πόδι παρά να χαλάσει η παρέα μας», του είπα με το πηγούνι μου στον ώμο του. «Και δεν κάνω πλάκα. Θα έκοβα το Ίντερνετ για έναν χρόνο. Θα έκαιγα τα DVD μου του *Parks and Recreation*».

Γέλασε με τη μύτη του. «Ναι καλά». Με αγκάλιασε στη μέση.

«Δεν κάνω πλάκα», είπα και τον αγκάλιασα πιο σφιχτά. Δεν θα άφηνα τίποτα να χαλάσει την παρέα μας. Ούτε τους απαίσιους γονείς, ούτε το σχολείο, ούτε την απόσταση, ούτε τίποτα άλλο. Ίσως αυτή η συζήτηση φαίνεται ανόητη και χαζή. Αλλά δεν... δεν ξέρω τι ήταν ακριβώς. Δεν ξέρω γιατί ένιωθα έτσι όταν τον ήξερα μονάχα δύο μήνες. Να ήταν επειδή μας άρεσε η ίδια μουσική; Να ήταν επειδή είχαμε παρόμοιο γούστο στη μόδα; Να ήταν επειδή δεν υπήρχαν αμήχανες σιωπές ανάμεσά μας ούτε καυγάδες; Επειδή με βοήθησε όταν κανείς άλλος δεν μπορούσε και τον βοήθησα όταν ο κολλητός του ήταν απασχολημένος; Να ήταν επειδή λάτρευα τις ιστορίες που έγραφε; Επειδή *τον* λάτρευα;

Δεν ξέρω. Ούτε με νοιάζει.

Η φιλία με τον Άλεντ με έκανε να νιώθω πως ποτέ πριν δεν είχα έναν πραγματικό φίλο.

❊

Μισή ώρα αργότερα πιάσαμε την κουβέντα για το επόμενο επεισόδιο του *Universe City*. Ο Άλεντ δεν ήξερε αν το Radio θα έπρεπε να σκοτώσει τον Atlas, τον νυν βοηθό του, ή αν ο Atlas θα έπρεπε να θυσιαστεί για το Radio. Στον Άλεντ άρεσε η δεύτερη ιδέα, αλλά είπα πως αν το Radio τον σκότωνε, αυτό θα ήταν πιο λυπηρό, άρα καλύτερο, μια και ο Atlas ήταν βοηθός του εδώ και πάνω από τρεις μήνες. Τον συμπαθούσα και πίστευα πως του άξιζε ένας καλός θάνατος.

«Θα μπορούσες να τον κάνεις ζόμπι», είπα. «Βασικά, το Radio να τον σκοτώσει πριν γίνει ζόμπι. Αυτό πιάνει πάντα, οι φαν θα κλαίνε ασταμάτητα».

«Ναι, αλλά είναι τόσο κλισέ», είπε ο Άλεντ. Πέρασε το χέρι μέσα από τα μαλλιά του. «Πρέπει να είναι κάτι που δεν έχει ξαναγίνει, αλλιώς ποιο το νόημα;»

«Εντάξει, άσε τα ζόμπι. Πιάσε τους δράκους. Δράκοι αντί για ζόμπι».

«Δηλαδή, το Radio να πρέπει να τον σκοτώσει προτού γίνει *δράκος*;»

«Για να πω την αλήθεια, είναι φουλ περίεργο που δεν έχεις βάλει ακόμη δράκους στην ιστορία».

Ο Άλεντ έφερε το χέρι στην καρδιά του. «Ουάου. Τι αγένεια».

«Οι δράκοι είναι πολύ καλύτεροι από τα ζόμπι, αφού το ξέρεις».

«Οι δράκοι όμως δεν είναι θλιβεροί όπως τα ζόμπι. Ο Atlas θα μπορούσε να ζήσει χαρούμενος ως δράκος».

«Και ίσως *πρέπει* να ζήσει χαρούμενος ως δράκος!»

«Τι; Δηλαδή *δεν* πεθαίνει;»

«Όχι, γίνεται δράκος και πετάει μακριά. Συνεχίζει να είναι

λυπηρό, αλλά διατηρείται η ελπίδα. Σε όλους αρέσει ένα λυπηρό αλλά ελπιδοφόρο φινάλε».

Ο Άλεντ συνοφρυώθηκε. «Δηλαδή... το να γίνει δράκος είναι... ελπιδοφόρο».

«Ναι. Θα πάει να φυλάει καμιά πριγκίπισσα. Και να καίει ιππότες».

«Αφού το *Universe City* διαδραματίζεται το 2.500. Εδώ μπαίνουμε σε άλλα χωράφια».

Μπήκαμε σε ένα βοσκοτόπι δίχως να προσέξουμε πως ο ουρανός είχε σκοτεινιάσει και, όταν άρχισε να βρέχει, σήκωσα το χέρι μου για να βεβαιωθώ πως όντως συνέβαινε – ήταν καλοκαίρι, η θερμοκρασία ήταν είκοσι δύο βαθμοί και μέχρι πριν πέντε λεπτά είχε λιακάδα.

«Όοοοοχιιιι». Στράφηκα στον Άλεντ.

Ο Άλεντ κοιτούσε με μισόκλειστα μάτια τον ουρανό. «Ουάου».

Κοίταξα γύρω μας. Καμιά εκατοστή μέτρα μπροστά μας είδα ένα δάσος – θα μας προστάτευε από τη βροχή.

Το έδειξα και κοίταξα τον Άλεντ. «Τι λες για μια τρεχάλα;»

«Χαχα, τι;»

Αλλά είχα ήδη αρχίσει να τρέχω – να τρέχω μανιωδώς προς τα δέντρα, διασχίζοντας το λιβάδι. Η βροχή είχε δυναμώσει αρκετά, με αποτέλεσμα να τη νιώθω και στα μάτια μου ακόμα. Ο Μπράιαν έτρεχε κι εκείνος δίπλα μου. Έπειτα από λίγο άκουγα και τον Άλεντ να τρέχει. Κοίταξα πίσω μου, τέντωσα το χέρι μου προς το μέρος του και φώναξα «*έλα!*» και ήρθε. Πήρε το χέρι μου και τρέξαμε στη βροχή. Γέλασε και το γέλιο του θύμιζε μικρού παιδιού. Μακάρι όλοι να έτρεχαν και να γελούσαν έτσι.

RADIO

ΤΟ ΠΡΩΤΟ ΜΟΥ ΕΠΕΙΣΟΔΙΟ του *Universe City* ανέβηκε το Σάββατο 10 Αυγούστου.

Συμφωνήσαμε να φτιάχνω ένα μικρό animation για κάθε επεισόδιο, όχι πολύ μεγάλο, κάτι που θα μπορεί να επαναλαμβάνεται για ένα εικοσάλεπτο. Ένα gif τεσσάρων δευτερολέπτων, το οποίο θα επαναλαμβανόταν ξανά και ξανά. Για το συγκεκριμένο επεισόδιο έφτιαξα ένα με την πόλη –τη Universe City– να φυτρώνει από το έδαφος και τα άστρα να λάμπουν. Τώρα που το ξαναβλέπω μάλλον ήταν χάλια, αλλά τότε άρεσε και στους δύο και νομίζω πως αυτό έχει σημασία.

Άκουσα τον Άλεντ να ηχογραφεί το επεισόδιο το προηγούμενο βράδυ. Απόρησα που μου το επέτρεψε. Ήξερα πως ο Άλεντ ήταν ένα άτομο πιο κλειστό και χαμηλών τόνων από εμένα, αν και, εκείνη την εβδομάδα, είχαμε παίξει *High School Musical Just Dance* και, παρότι δεν θα πίστευα πως θα ένιωθε άνετα με τον τρόπο που τραγουδούσε (αν μπορεί να θεωρηθεί ότι «τραγούδησε»), τελικά ήταν οκέι. Ο τρόπος όμως που ερμήνευε υποκριτικά το σενάριο ενός επεισοδίου του *Universe City* μου φαινόταν κάτι πιο προσωπικό από ό,τι άλλο τον είχα ακούσει ή δει να κάνει. Και σε αυτό βάζω και εκείνη τη συζήτηση που είχαμε κάνει στις δύο τα ξημερώματα περί αφόδευσης.

Αλλά δεν τον πείραζε.

Έσβησε τα φώτα του δωματίου του. Τα φωτάκια στο ταβάνι έμοιαζαν με αστέρια και οι άκρες των μαλλιών του έλαμπαν σε διάφορες αποχρώσεις. Κάθισε καμπουριαστός στην καρέκλα του γραφείου του και έπαιξε για μερικά λεπτά με το μικρόφωνό του, το οποίο πρέπει να του κόστισε μια μικρή περιουσία. Εγώ καθόμουν σε ένα πουφ τυλιγμένη με την κουβέρτα του επειδή έκανε πάντα ψοφόκρυο σπίτι του, ήμουν τρελά κουρασμένη και, καθώς το δωμάτιο ήταν σκοτεινό και σκούρο μπλε, θα μπορούσα να είχα κοιμηθ...

«Γεια σας. Ελπίζω κάποιος να με ακούει...»

Είχε γράψει το σενάριο στο λάπτοπ του. Επαναλάμβανε τις ατάκες αν τις έλεγε λάθος. Καθώς ηχογραφούσε, τα ηχοκύματα ανεβοκατέβαιναν στην οθόνη του υπολογιστή του. Ήταν λες και άκουγα ένα εντελώς διαφορετικό άτομο – βασικά, όχι διαφορετικό, απλώς ήταν *περισσότερο* ο Άλεντ. Ο Άλεντ στο εκατό τοις εκατό. Ήταν ο εαυτός του. Άκουγα το μυαλό του Άλεντ.

Αφαιρέθηκα όπως κάθε φορά. Χάθηκα στην ιστορία, ξέχασα όλα τα υπόλοιπα.

Κάθε επεισόδιο του *Universe City* έκλεινε με ένα τραγούδι. Ήταν το ίδιο κάθε φορά –ένα ροκ τραγούδι τριάντα δευτερολέπτων το οποίο είχε γράψει ο Άλεντ και λεγόταν *Nothing Left For Us*– αλλά το τραγουδούσε, το *ερμήνευε*, με διαφορετικό τρόπο κάθε φορά.

Δεν είχα καταλάβει πως ο Άλεντ θα το τραγουδούσε εκείνη τη στιγμή, μέχρι που πήρε την ηλεκτρική του κιθάρα και τη συνέδεσε στον ενισχυτή. Από τα ηχεία άρχισαν να παίζουν προηχογραφημένα ντραμς και μπάσο και, όταν έπαιξε την κιθάρα του, ο ήχος ήταν τόσο δυνατός που κάλυψα τα αφτιά με τα χέρια μου. Ήταν όπως πάντα, αλλά πολύ καλύτερο τώρα που τον έβλεπα από κοντά, σαν να έπαιζαν χίλιες κιθάρες μαζί και να έπεφταν χίλιοι κεραυνοί μαζί. Το μπάσο έκανε τον τοίχο πίσω από το κεφάλι μου να δονείται και όταν άρχισε να τραγουδάει φωνάζοντας, όπως θα έκανα και εγώ, ήθελα τόσο πολύ να τραγουδήσω μαζί του, αλλά δεν το έκανα επειδή δεν ήθελα να του το χαλάσω. Ήξερα και τη μελωδία και τους στίχους.

There's nothing left for us any more
Why aren't you listening?
Why aren't you listening to me?
There's nothing left.

Αφού τελείωσε, γύρισε στην καρέκλα του γραφείου του έχοντας αποκτήσει την παλιά του φωνή, σαν να είχε ξυπνήσει μόλις από κάποιο όνειρο. «Λοιπόν; Ποια φωνή να χρησιμοποιήσω; Ψηλή, χαμηλή ή μεσαία;»

Ήταν δέκα το βράδυ. Το ταβάνι του δωματίου του έμοιαζε με γαλαξία. Μου είχε πει πως το είχε ζωγραφίσει όταν ήταν δεκατεσσάρων.

«Εσύ διαλέγεις», είπα.

Κάλυψε τα χέρια του με τα μανίκια. Είχα αρχίσει να καταλαβαίνω τη σημασία αυτής της κίνησης.

«Ήταν η καλύτερη μέρα της ζωής μου», του είπα.

Χαμογέλασε. «Έλα τώρα». Στράφηκε ξανά στο λάπτοπ του. Το περίγραμμα του σώματός του διαγραφόταν από το φως της οθόνης. «Νομίζω θα διαλέξω τη μεσαία φωνή», είπε. «Το ανδρόγυνο Radio μου αρέσει περισσότερο».

FEBRUARY FRIDAY

ΤΟ TUMBLR ΜΟΥ απέκτησε χίλιους νέους followers μέσα σε μία μέρα. Με γέμισαν με σχόλια για το πόσο τους άρεσαν τα σκίτσα μου και με συγχαρητήρια που θα είχα την ευκαιρία να δουλέψω στη σειρά με την οποία ήμουν εθισμένη. Προφανώς υπήρξαν και εκείνοι που μου έλεγαν πόσο σιχαίνονταν και τα σκίτσα μου και εμένα.

Εμφανιζόμουν παντού στο hashtag του *Universe City* – τα σκίτσα μου, το blog μου, το Twitter μου, *εγώ*. Δεν ήξεραν τίποτα για εμένα και ένιωθα ανακούφιση για αυτό. Η ανωνυμία στο Ίντερνετ μερικές φορές είναι πολύ καλό πράγμα. Δεν είχα κανένα πρόβλημα που ήξερε ο Άλεντ πως ήμουν η Τουλούζ, η καλλιτέχνιδα του *Universe City*, αλλά η σκέψη και μόνο πως κάποιος άλλος θα το μάθαινε με τρομοκρατούσε.

Και φυσικά, μόλις αποκαλύφθηκε η συμμετοχή μου στο *Universe City*, βομβαρδίστηκα με tweets και ερωτήσεις στο Tumblr για να τους αποκαλύψω ποιος ήταν ο Creator του podcast. Το περίμενα, αλλά αυτό δεν σήμαινε πως δεν με άγχωνε όλο αυτό κιόλας. Δεν μπορούσα να ανεβάσω τίποτα για κάμποσες μέρες αφότου βγήκε το νέο επεισόδιο δίχως να έχω ένα καινούριο κύμα ερωτήσεων που μου ζητούσαν να αποκαλύψω την ταυτότητα του Creator.

Και μόλις έδειξα στον Άλεντ τα μηνύματα πανικοβλήθηκε.

Καθόμασταν στον καναπέ του σαλονιού μου και βλέπαμε *Spirited Away*. Διάβασε τα μηνύματά μου στο Tumblr. Καθώς διάβαζε, έφερε το χέρι του στο μέτωπο. Και άρχισε να επαναλαμβάνει «οχ, όχι, όχι, όχι», μέσα από τα δόντια του.

«Μην ανησυχείς, δεν θα τους πω τίποτα...»

«Δεν πρέπει να τους αφήσουμε να το μάθουν».

Δεν ήξερα γιατί ο Άλεντ ήθελε να μείνει κρυφή η ταυτότητά του. Φανταζόμουν επειδή ήταν κλειστός χαρακτήρας και δεν ήθελε να κυκλοφορεί το πρόσωπό του στο Ίντερνετ. Μάλλον θα ξεπερνούσα κάποιο όριο αν τον ρωτούσα πιο συγκεκριμένα τι τον ενοχλούσε σε αυτή την πιθανότητα.

«Εντάξει», είπα.

«Έχω μια ιδέα», είπε ο Άλεντ.

Άνοιξε το Twitter στο λάπτοπ του και πληκτρολόγησε.

Radio @UniverseCity

February Friday – πιστεύω ακόμη, ακούω ακόμη

«Η February Friday», είπα. «Ναι. Καλή ιδέα».

Η February Friday, ή αλλιώς τα «Letters to February», είναι η πηγή των μεγαλύτερων θεωριών συνωμοσίας στο σύμπαν των θαυμαστών του *Universe City*.

Η wiki τα εξηγεί πολύ καλύτερα.

Η February Friday και οι Θεωρίες των Φαν

Πολλοί από τους φαν του Universe City πιστεύουν ότι η σειρά είναι ένα δώρο του Ανώνυμου Creator στο άτομο με το οποίο είναι ερωτευμένος.

Η πλειοψηφία των πρώτων επεισοδίων (2011) και μισά των επόμενων (2012-σήμερα) περιέχουν ένα απόσπασμα, κυρίως προς το τέλος του κάθε επεισοδίου, το οποίο απευθύνεται σε έναν χαρακτήρα ο οποίος δεν έχει κάνει ποτέ την εμφάνισή του, ούτε έχει κάποια ενεργή συμμετοχή στην ιστορία, τη February Friday. Σε αυτά τα αποσπάσματα, το Radio Silence θρηνεί μέσω αόριστων εικόνων και ανεξήγητων μεταφορών επειδή δεν μπορεί να επικοινωνήσει με τη February Friday.

Συνήθως το απόσπασμα είναι ακατανόητο, με αποτέλεσμα οι φαν να πιστεύουν πως ουσιαστικά είναι inside jokes τα οποία μοιράζεται ο Ανώνυμος Creator με το πραγματικό άτομο το οποίο συμβολίζει η February Friday. Καθώς τα αποσπάσματα αυτά δεν συμβάλλουν στην πλοκή του Universe City και δεν ακολουθούν τη δική τους ανεξάρτητη πλοκή, οι φαν πιστεύουν ότι συνδέονται άμεσα με τον Creator.

Πολλές προσπάθειες έχουν γίνει ώστε να ανακαλυφθεί η σημασία των λεγόμενων Letters to February, αλλά όλες οι προσπάθειες παραμένουν στη σφαίρα των υποθέσεων.

Οπότε, το tweet του Radio για τη February Friday προκάλεσε πανζουρλισμό στους φαν. Μπορεί να ήταν σύντομος και να μην κατέληξε σε κάποιο συμπέρασμα, αλλά εξακολουθούσε να είναι ένας *πανζουρλισμός*.

Και κανείς πια δεν είχε το μυαλό να μου στείλει μηνύματα προκειμένου να αποκαλύψω την ταυτότητα του Radio.

Από τότε που γνώρισα τον Άλεντ, οι θεωρίες για τη February Friday τριγύριζαν στο μυαλό μου – αναρωτιόμουν ποια θα μπορούσε να είναι και αν συμβόλιζε κάποιο πρόσωπο που ήξερε ο Άλεντ. Η πρώτη μου σκέψη ήταν η Κάρις, αλλά απέρριψα την ιδέα, μια και τα Letters to February ήταν ρομαντικά/ερωτικά. Μέχρι κι εγώ σκέφτηκα ότι θα μπορούσα να είμαι, προτού συνειδητοποιήσω ότι ο Άλεντ δεν με γνώριζε όταν ξεκίνησε το *Universe City*.

Φυσικά, τώρα που ήμασταν φίλοι με τον Άλεντ, είχα την ευκαιρία να τον ρωτήσω για τη February Friday.

Και το έκανα.

«Λοιπόν... μια και το έφερε η κουβέντα...» Πήγα στον καναπέ για να τον βλέπω καλύτερα. «Μπορώ να μάθω το μυστικό της February Friday;»

Ο Άλεντ δάγκωσε το χείλος του και το σκέφτηκε με προσοχή.

«Χμμμ...» Γύρισε για να με βλέπει και εκείνος καλύτερα. «Σόρι, χωρίς παρεξήγηση, θέλω να το κρατήσω μυστικό».

Ήταν λογικό αυτό που ζητούσε.

UNIVERSE CITY: Επ. 32 – κοσμικός ήχος

UniverseCity 110.897 views

Ακούτε ακόμη;

Δείτε παρακάτω για την απομαγνητοφώνηση >>>

[...]

Νομίζω πως πλέον, February, όπως λένε, έχουμε «χάσει την επικοινωνία μας». Όχι ότι είχαμε κάποια ουσιαστική επικοινωνία. Στο τέλος, κοιτάζω μονάχα εκεί όπου κοιτάς, περπατάω μονάχα εκεί όπου έχεις περπατήσει και εσύ, βρίσκομαι στη μπλε σκιά σου και εσύ ποτέ δεν γυρνάς να με δεις.

Αναρωτιέμαι μερικές φορές αν έχεις ήδη εκραγεί σαν αστέρι και αυτό που βλέπω τώρα είναι μια εικόνα από το παρελθόν, τρία εκατομμύρια χρόνια πριν, και εσύ δεν υπάρχεις πια. Πώς γίνεται να είμαστε μαζί εδώ, τώρα, ενώ εσύ είσαι τόσο μακριά, όταν είσαι στο παρελθόν; Φωνάζω δυνατά, αλλά δεν γυρίζεις ποτέ να με δεις. Ίσως επειδή έχεις ήδη εκραγεί.

Όπως και να 'χει, θα φτιάξουμε όμορφα πράγματα σε αυτό το σύμπαν.

[...]

ΑΝ ΤΟ ΔΟΥΜΕ ΣΦΑΙΡΙΚΑ

ΤΗΝ ΠΕΜΠΤΗ 15 ΑΥΓΟΥΣΤΟΥ έβγαιναν τα αποτελέσματα. Επίσης, ήταν και τα δέκατα όγδοα γενέθλια του Άλεντ.

Η φιλία μας είχε εξελιχθεί σε αυτό:

(00:00) **Φράνσις Ζανβιέρ**
ΧΡΟΝΙΑ ΠΟΛΛΑ ΕΛΠΙΖΩ ΝΑ ΝΙΩΘΕΙΣ ΓΑΜΑΤΑ
ΣΤΕΛΝΩ ΤΗΝ ΑΓΑΠΗ ΜΟΥ ΟΜΟΡΦΑΝΤΡΑ ΜΟΥ
ΔΕΝ ΤΟ ΠΙΣΤΕΥΩ ΠΩΣ Ο ΜΙΚΡΟΣ ΜΟΥ ΦΙΛΟΣ ΕΓΙΝΕ
ΟΛΟΚΛΗΡΟΣ ΑΝΤΡΑΣ ΚΛΑΙΩ ΑΠΟ ΤΗ ΣΥΓΚΙΝΗΣΗ

(00:02) **Άλεντ Λαστ**
γιατί με βασανίζεις με τέτοια μηνύματα

(00:03) **Φράνσις Ζανβιέρ**
┐_(ツ)_┌

(00:03) **Άλεντ Λαστ**
Ουάου
ευχαριστώ σ αγαπώ (✿♥‿♥)

(00:04) **Φράνσις Ζανβιέρ**
ΑΥΤΟ ήταν βασανιστικό μήνυμα

(00:04) **Άλεντ Λαστ**
αυτό ήταν η εκδίκησή μου

Είχα αγχωθεί πολύ για τα αποτελέσματα, που είναι αυτό που ξέρω να κάνω, γενικά. Επίσης, ήμουν αγχωμένη επειδή ούτε είχα δει ούτε είχα μιλήσει στις φίλες μου εδώ και σχεδόν τρεις εβδομάδες. Με λίγη τύχη, θα εμφανιζόμουν, θα έπαιρνα τα αποτελέσματα και θα το έβαζα στα πόδια πριν προφτάσει κανείς να μου κάνει την ερώτηση που φοβόμουν: «Πώς τα πήγες;»

«Είμαι σίγουρη πως τα έχεις πάει μια χαρά, Φρανς», είπε η μαμά και έκλεισε την πόρτα του αυτοκινήτου. Είχαμε μόλις φτάσει στο σχολείο και έβραζα μέσα στη στολή μου. «Οχ, χίλια συγγνώμη, δεν βοηθάω έτσι».

«Ναι, ακριβώς», είπα.

Διασχίσαμε το πάρκινγκ, περάσαμε στο κτίριο και ανεβήκαμε τις σκάλες που οδηγούσαν στο ΚΕΜ. Η μαμά μού έριχνε λοξές ματιές. Πιστεύω πως ήθελε να πει κάτι αλλά, για να πω την αλήθεια, δεν υπήρχε κάτι που μπορούσε κανείς να πει όταν ετοιμάζεσαι να διαβάσεις τα τέσσερα γράμματα που θα καθορίσουν το υπόλοιπο της ζωής σου.

Η αίθουσα ήταν γεμάτη, η μαμά και εγώ είχαμε καθυστερήσει. Καθηγητές κάθονταν σε έδρες και μοίραζαν τους καφέ φακέλους. Σε ένα τραπέζι στο βάθος υπήρχαν ποτήρια με κρασί για τους γονείς. Μια κοπέλα από το μάθημα της ιστορίας έκλαιγε πέντε μέτρα παραπέρα και προσπάθησα να μην την κοιτάξω.

«Θα σου φέρω λίγο κρασί», είπε η μαμά. Στράφηκα προς το μέρος της. Με κοίταξε και είπε «ένας βαθμός είναι, έτσι δεν είναι;»

«*Ένας βαθμός είναι*». Αναστέναξα βαριά. «Δεν είναι ποτέ *ένας βαθμός*».

Η μαμά ένευσε συμφωνώντας. «Δεν έχει σημασία όμως, αν το δούμε σφαιρικά».

«Για να το λες», είπα και γύρισα ανάποδα τα μάτια μου.

Πήρα τέσσερα Α. Είναι ο μεγαλύτερος βαθμός που μπορεί κανείς να πάρει στο επίπεδο AS.

Περίμενα πως θα χαιρόμουν. Περίμενα πως θα χοροπηδούσα και θα έκλαιγα από χαρά.

Αλλά δεν ένιωθα έτσι. Απλώς ένιωθα ότι δεν είχα απογοητευτεί.

Τα αποτελέσματα του δέκατου έτους βγήκαν τη μέρα πριν η Κάρις το σκάσει. Ήταν η μέρα που έβγαιναν τα αποτελέσματα του ενδέκατου έτους, μέρα σημαντική επειδή τότε βγαίνουν τα αποτελέσματα για το GCSE. Ήξερα ότι δεν έπαιρνε καλούς βαθμούς, αλλά εκείνη τη μέρα ήταν η μοναδική φορά που την είδα τόσο χαλασμένη.

Είχαν βγει τα αποτελέσματα για το GSCE της φυσικής που είχα δώσει έναν χρόνο νωρίτερα και είχα πάρει Α* και έβγαινα από την ίδια αίθουσα, το ΚΕΜ, με τη μαμά, κοιτάζοντας το πρώτο από τα πολλά μικροσκοπικά «α*» σε γραμματοσειρά Times New Roman που θα ακολουθούσαν. Κατεβήκαμε τις σκάλες και προχωρούσαμε προς την έξοδο όταν η Κάρις με την Κάρολ Λαστ έβγαιναν από την ανοιχτή πόρτα και κατευθύνονταν στο πάρκινγκ. Άκουσα τη λέξη «αξιολύπητη» και φαντάζομαι πως την είπε η Κάρολ, αλλά δεν είμαι τόσο σίγουρη πλέον. Η Κάρις έκλαιγε και η μαμά της την κρατούσε από το μπράτσο τόσο σφιχτά που σίγουρα πονούσε.

Ήπια σχεδόν μονορούφι το κρασί που η μαμά μού έδωσε μουλωχτά, στραμμένη προς τον τοίχο, ώστε να μη με δουν οι καθηγητές. Έπειτα περάσαμε μπροστά από την Αφολαγιάν, η οποία προσπάθησε χωρίς αποτέλεσμα να μου τραβήξει την προσοχή, και βγήκαμε από την αίθουσα, κατεβήκαμε τις σκάλες, βγήκαμε από το κτίριο και περάσαμε έξω στη λιακάδα. Έσφιγγα τον φάκελο τόσο που τον είχα τσαλακώσει και το όνομά μου είχε μουτζουρωθεί.

«Είσαι καλά;» είπε η μαμά. «Δεν φαίνεσαι χαρούμενη».

Είχε δίκιο, αλλά δεν ήξερα γιατί.

«Φράνσις!»

Έκανα μεταβολή και προσευχήθηκα να μη με φώναζε κάποια φίλη μου, αλλά φυσικά και ήταν. Ήταν η Ρέιν Σενγκούπτα. Άραζε σε ένα κάγκελο έξω από το κτίριο και μιλούσε σε κάποιον που δεν ήξερα. Ήρθε προς το μέρος μου. Είχε ξυρίσει πρόσφατα τη δεξιά πλευρά του κεφαλιού της.

«Όλα καλά;» είπε και έδειξε τον φάκελό μου.

Της χαμογέλασα. «Ναι! Τέσσερα Α πήρα».

«Έλα ρε συ, μπράβο!»

«Να 'σαι καλά. Είμαι πολύ ικανοποιημένη».

«Άρα πέρασες στο Κέιμπριτζ, σωστά;»

«Ναι, μάλλον».

«Τέλεια».

Σιωπή.

«Εσύ;» τη ρώτησα.

Η Ρέιν σήκωσε τους ώμους. «Πήρα δύο Γ, ένα Δ και ένα Ε. Δεν το λες και συγκλονιστικό, αλλά πιστεύω πως η Αφολαγιάν δεν θα με διώξει. Αν δώσω ξανά».

«Μάλιστα...» Δεν ήξερα τι να πω και προφανώς η Ρέιν το κατάλαβε.

Γέλασε. «Δεν πειράζει, δεν διάβασα καθόλου και το υλικό που παρέδωσα για το ελεύθερο σχέδιο ήταν *σκατά*».

Αποχαιρετιστήκαμε όπως όπως και η μαμά και εγώ φύγαμε.

«Ποια ήταν αυτή;» είπε η μαμά με το που φτάσαμε στο αμάξι.

«Η Ρέιν Σενγκούπτα».

«Δεν θυμάμαι να την έχεις αναφέρει».

«Είναι μια από τις φίλες μου. Δεν είμαστε τόσο κοντά».

Το κινητό μου δονήθηκε. Ήταν ένα μήνυμα από τον Άλεντ που έγραφε:

Άλεντ Λαστ
4 Α* πήρα! πέρασα.

Η μαμά κατέβασε το σκίαστρο μπροστά της. «Έτοιμη; Πάμε σπίτι;» ρώτησε και της είπα «ναι».

Ο ΚΥΚΛΟΣ ΤΩΝ ΜΑΤΙΩΝ

ΤΟ ΒΡΑΔΥ ΤΗΣ ΙΔΙΑΣ ΗΜΕΡΑΣ, όπως με ειδοποιούσε η εκδήλωση που είχε δημοσιευτεί στο Facebook, θα γινόταν ένα μεγάλο πάρτι για την ολοκλήρωση της χρονιάς στου Johhny R. και όλο το έτος μου ήταν προσκεκλημένο, αλλά δεν ψηνόμουν ιδιαίτερα να πάω. Πρώτα απ' όλα, όλοι θα γίνονταν τύφλα στο μεθύσι, κάτι που μπορούσα να κάνω και μόνη μου στο σαλόνι παρακολουθώντας βίντεο στο YouTube αντί να ανησυχώ αν θα προλάβω το τελευταίο τρένο ή αν θα γλιτώσω τον ενδεχόμενο βιασμό. Δεύτερον, δεν είχα μιλήσει με κάποια από τις φίλες μου πρόσφατα, πέρα από τη Ρέιν και νομίζω πως αν ήμασταν χαρακτήρες στους *Sims* η μπάρα της φιλίας μας θα είχε σχεδόν εξαφανιστεί.

Ήξερα πως ο Άλεντ θα γιόρταζε τα γενέθλιά του με τον Ντάνιελ, γεγονός παράξενο μια και δεν νομίζω πως έκαναν παρέα τώρα τελευταία, αλλά ο Ντάνιελ ήταν κολλητός του εδώ και χρόνια, οπότε πάω πάσο. Η μαμά είχε αγοράσει σαμπάνια και είπε ότι θα μπορούσαμε να παραγγείλουμε πίτσα και να παίξουμε *Trivial Pursuit*. Και αύριο θα έδινα το δώρο γενεθλίων στον Άλεντ.

Αλλά δεν περίμενα πως ο Ντάνιελ Τζουν θα μου χτυπούσε την πόρτα στις 21:43.

Ήμουν λιγάκι μεθυσμένη, αλλά ακόμα και να μην ήμουν, θα γελούσα. Φορούσε την παλιά του σχολική ποδιά – εκείνη που φορούσε μέχρι που πήρε μεταγραφή για την Ακαδημία. Θεωρητικά, ήταν συνηθισμένη –μαύρο μπλέιζερ, παντελόνι, μπλε γραβάτα και ένα έμβλημα με ένα χρυσό «Τ» πάνω του– αλλά μια και ο Ντάνιελ είχε πάρει ύψος κατά τη διάρκεια του δωδέκατου έτους, το παντελόνι σταματούσε λίγο πάνω από τους αστραγάλους του και το σακάκι ήταν τόσο στενό στην πλάτη και τόσο κοντό στα μανίκια που έμοιαζε τελείως γελοίος.

Στεκόταν ακίνητος, με τα φρύδια σηκωμένα, ενώ εγώ είχα λυθεί στα γέλια.

«Σαν τον Μπρούνο Μαρς είσαι!» Δάκρυα είχαν αρχίσει να σχηματίζονται στις γωνίες των ματιών μου.

Ο Ντάνιελ συνοφρυώθηκε. «Ο Μπρούνο Μαρς είναι μισός Πορτορικανός και μισός Φιλιππινέζος, όχι Κορεάτης, οπότε, να ξέρεις, με προσβάλλεις».

«Αναφερόμουν στο μήκος του παντελονιού σου. Πας σε οντισιόν για το *Jersey Boys*;»

Ανοιγόκλεισε τα βλέφαρα. «Ναι. Ναι, αυτό είναι το μεγάλο μου όνειρο. Το έγραψα, άλλωστε, και στον επαγγελματικό μου προσανατολισμό».

«Είναι εντυπωσιακό το πόσα γνωρίζεις για τον Μπρούνο Μαρς πάντως». Έγειρα στην κάσα της πόρτας. «Ψήνεσαι για έναν γύρο *Trivial Pursuit*; Τώρα παίζουμε».

«Ε, για τι άλλο θα ερχόμουν εδώ, Φράνσις;»

Κοιταχτήκαμε.

Σιωπή.

«Και *γιατί* είσαι εδώ;» ρώτησα. «Δεν θα ήσουν με τον Άλεντ;»

Σήκωσε ξανά τα φρύδια του. «Βασικά, θα πηγαίναμε στου Johhny R. για το πάρτι, αλλά ο Άλεντ δεν θέλει. Προτιμάει να δει εσένα στα γενέθλιά του».

«Νόμιζα πως θα αράζατε μαζί».

«Αυτό κάνουμε».

«Χωρίς εμένα».

«Μέχρι στιγμής αυτό κάναμε».

«Άρα, εγώ θα κρατάω το φανάρι».

Γέλασε. «Ναι, αυτό είπα κι εγώ!»

Ψήθηκα να του κλείσω την πόρτα κατάμουτρα.

«Λοιπόν, θα έρθεις ή όχι;» μου είπε.

«Θα συνεχίσεις να μου συμπεριφέρεσαι σαν μαλάκας όλο το βράδυ αν έρθω;»

«Μάλλον».

Τουλάχιστον, ήταν ειλικρινής.

«Καλά, έρχομαι», είπα, «αλλά έχω δύο ερωτήσεις. Πρώτον, γιατί φοράς την παλιά σου σχολική στολή;»

«Γιατί αυτό ήταν το θέμα του πάρτι στου Johhny R.». Έχωσε τα χέρια του στις τσέπες. «Δεν διάβασες τι έλεγε η εκδήλωση στο Facebook;»

«Κάτι λίγα».

«Κατάλαβα».

«Δεύτερον, γιατί δεν ήρθε μαζί σου ο Άλεντ;»

«Του είπα ότι πήγαινα για κατούρημα».

«Δηλαδή νομίζει πως είσαι στο μπάνιο τώρα;»

«Ναι».

Έμεινα να κοιτάζω τον Ντάνιελ. Ήταν δική του ιδέα να έρθει. Έκανε κάτι *καλό* για κάποιον. Φυσικά, αν ποτέ θα έκανε κάτι καλό σε κάποιον, αυτός ο κάποιος μάλλον θα ήταν ο Άλεντ. Και όντως το έκανε.

«Εντάξει», είπα. «Ωραία. Θα είναι κάπως άβολα βέβαια μια και με σιχαίνεσαι».

«Δεν σε *σιχαίνομαι*», είπε. «Μη γίνεσαι τόσο δραματική».

Μιμήθηκα την επιτηδευμένη προφορά του. «Αχ, συγγνώμη, ήθελα να πω ότι *δεν τα πάμε ιδιαίτερα καλά*».

«Επειδή με κοιτάς με μισό μάτι».

«Να με συγχωρείς, αλλά *εσύ* με κοιτάς με μισό μάτι συνέχεια!»

Αλληλοκοιταχτήκαμε.

«Το παράδοξο των ματιών», συνέχισα. «Ο κύκλος των ματιών. Ματιοκατάσταση».

«Αυτά θα βάλεις;» ρώτησε.

Κοίταξα τα ρούχα μου. Φορούσα τις πιτζάμες μου με τον Μπάτμαν.

«Ναι», είπα. «Υπάρχει κάποιο πρόβλημα;»

«Πολλά», είπε και έκανε μεταβολή. «Ο κόσμος έχει πολλά προβλήματα».

Πήγα, λοιπόν, μέσα και είπα στη μαμά μου πως θα πήγαινα στου Άλεντ και εκείνη μου απάντησε πως δεν είχε θέμα επειδή ήθελε να δει το *The Great British Bake Off* και με παρακάλεσε να μην κάνω πολλή φασαρία όταν γύριζα. Πήρα τα κλειδιά μου από το μπολ δίπλα στην πόρτα και την κάρτα με το δώρο γενεθλίων του Άλεντ από το τραπέζι της κουζίνας, έβαλα παπούτσια και έριξα μια τελευταία ματιά στον καθρέφτη του διαδρόμου. Το μέικ απ μου είχε χαλάσει και τα μαλλιά μου δεν έλεγαν να μείνουν πιασμένα στον κότσο που είχα φτιάξει στην κορυφή του κεφαλιού μου, αλλά δεν με πείραζε καθόλου. Τι θα κάναμε, λοιπόν; Θα μεθούσαμε περισσότερο στο σαλόνι του Άλεντ; Μάλλον αυτό θα κάναμε. Δεν ξέρω. Πάμε να πιούμε, λοιπόν.

ΣΤΑΘΜΟΣ ΗΛΕΚΤΡΟΠΑΡΑΓΩΓΗΣ

«ΔΕΝ ΞΕΡΩ ΑΝ ΤΟ ΞΕΡΕΙΣ», είπα όπως περπατούσαμε στον δρόμο ακολουθώντας την αντίθετη κατεύθυνση από το σπίτι του Άλεντ, «αλλά δεν πάμε από εκεί στου Άλεντ».

«Είσαι τόσο έξυπνη», είπε ο Ντάνιελ. «Πήρες τα τέσσερα Α σου;»

«Ναι. Εσύ;»

«Ναι».

«Τέλεια». Τον συγχάρηκα με μια μικρή κίνηση του κεφαλιού. «Πού πάμε, λοιπόν; Δεν έχω ντυθεί κατάλληλα για έξοδο».

Ο Ντάνιελ περπατούσε μερικά βήματα μπροστά μου. Έκανε μεταβολή και άρχισε να περπατάει ανάποδα, κοιτώντας με. Το πρόσωπό του φωτιζόταν από τους φανοστάτες.

«Σκεφτήκαμε να κάνουμε κάμπινγκ», είπε.

«Και είναι νόμιμο αυτό;»

«Μάλλον όχι».

«Αχ, καλέ, παρανομείς! Είμαι τόσο περήφανη για σένα».

Μου γύρισε την πλάτη. Πολύ αστείο.

«Δεν πολυ-κάνετε παρέα με τον Άλεντ φέτος το καλοκαίρι», του είπα.

Δεν με κοίταξε. «Και λοιπόν;»

«Έτσι, το επισημαίνω. Διακοπές ήσουν;»

Γέλασε. «Μακάρι να ήμουν».

«Είπες πως δεν τον βλέπεις πολύ».

«Πότε το είπα αυτό;»

«Εμ». Είχα την αίσθηση ότι η συζήτηση γινόταν ολοένα και πιο αμήχανη. «Ξέρεις μωρέ, πριν δώσω Ιστορία, όταν ήρθες και μου μίλησες...»

«Α. Όχι, απλώς δεν είχαμε χρόνο. Ξέρεις, δουλεύω πέντε μέρες την εβδομάδα στου Frankie & Benny's. Και ξέρεις πως ο Άλεντ απαντάει στα μηνύματα όποτε θυμάται».

Εμένα πάντα μου απαντούσε αμέσως, αλλά μάλλον δεν χρειαζόταν να το ξέρει αυτό ο Ντάνιελ.

«Πώς και αρχίσατε να κάνετε παρέα εσείς οι δύο;» με ρώτησε συνοφρυωμένος.

«Τον έσωσα από ένα κλαμπ», είπα και ο Ντάνιελ δεν προσέθεσε κάτι. Κοίταξε αλλού και έχωσε τα χέρια του στις τσέπες.

Ο ουρανός δεν είχε σκοτεινιάσει ακόμη, είχε πάρει ένα σκούρο μπλε χρώμα, αλλά μπορούσες να δεις το φεγγάρι και μερικά αστέρια, μια όμορφη εικόνα θα έλεγα. Σκαρφαλώσαμε τον φράχτη και περάσαμε στο χωράφι δίπλα στο χωριό. Μου έκανε εντύπωση πόσο ήσυχα ήταν. Δεν φυσούσε, ούτε ακούγονταν αυτοκίνητα, δεν ακουγόταν *τίποτα.* Ένιωθα σαν να μην είχα βρεθεί σε κάποιο τόσο ήσυχο μέρος, παρόλο που ζούσα στην ύπαιθρο από τότε που γεννήθηκα.

Σε ένα σημείο στο μέσο του χωραφιού είδα μια μικρή φωτιά και δίπλα της μια μεγάλη σκηνή και δίπλα στη σκηνή καθόταν ο Άλεντ Λαστ. Το σώμα του είχε πάρει μια χρυσαφιά απόχρωση από τη φωτιά. Φορούσε τη σχολική του στολή, η οποία του πήγαινε γάντι επειδή τη φορούσε το τελευταίο δίμηνο, αλλά έμοιαζε κάπως παράξενη πάνω του, πιθανότατα επειδή είχα συνηθίσει να τον βλέπω να φοράει παρδαλά σορτσάκια και φαρδιά μάλλινα.

Πώς γίνεται να ήταν δεκαοκτώ; Πώς ήταν δυνατόν να ήξερα έναν δεκαοκτάχρονο;

Πέρασα δίπλα από τον Ντάνιελ, έτρεξα και έπεσα πάνω στον Άλεντ.

Μία ώρα αργότερα είχαμε κατεβάσει σχεδόν ένα ολόκληρο μπουκάλι βότκα. Κακή ιδέα, το αλκοόλ μου φέρνει υπνηλία.

Ο Άλεντ άνοιξε το δώρο του – ένα ραδιόφωνο σε σχήμα ουρανοξύστη. Τα παράθυρα αναβόσβηναν στον ρυθμό του τραγουδιού που έπαιζε. Μου είπε ότι ήταν ό,τι καλύτερο είχε δει ποτέ του, μάλλον έλεγε ψέματα, αλλά χάρηκα που του άρεσε. Λειτουργούσε με μπαταρίες, έτσι βάλαμε το Ράδιο 1 να παίζει. Είχε μια εκπομπή με ηλεκτρονική μουσική και χαλαρές μελωδίες. Συνθεσάιζερ και μπάσο. Τα φώτα της πόλης και του σταθμού ηλεκτροπαραγωγής έλαμπαν στον ορίζοντα.

Ο Ντάνιελ κοίταξε προς τα εκεί. «Σκατά» είπε. «Ξέρεις για το *Universe City*, έτσι δεν είναι;»

Ο μεθυσμένος Ντάνιελ ήταν πολύ πιο σαρκαστικός, συγκαταβατικός και έβριζε περισσότερο από τον νηφάλιο Ντάνιελ, αλλά έτσι μου ήταν πιο εύκολο να γελάσω μαζί του αντί να του χώσω μπουνιά στη μάπα.

«Εμ», είπα.

«Εμ», είπε ο Άλεντ.

«Μη μου αρχίζετε τα "εμ", σας έχω καταλάβει». Ο Ντάνιελ έγειρε πίσω το κεφάλι του και γέλασε. «Ήταν θέμα χρόνου μέχρι να το καταλάβει κάποιος». Έσκυψε προς το μέρος μου. «Πόσο καιρό το ακούς; Ήξερες ότι έπαιζα μπάσο για το μουσικό θέμα της εκπομπής;»

Γέλασα. «Παίζεις μπάσο;»

«Όχι πια».

Ο Άλεντ με διέκοψε προτού προλάβω να πω κάτι. Εδώ και ένα μισάωρο έβαζε φωτιά σε ένα κλαδάκι και έφτιαχνε στον αέρα σχήματα με τη φωτιά. «Κάνει τα σκίτσα του podcast».

Ο Ντάνιελ συνοφρυώθηκε. «Τα σκίτσα;»

«Ναι, έκανε ένα gif για το επεισόδιο της περασμένης εβδομάδας».

«Α». Ο τόνος της φωνής του Ντάνιελ χαμήλωσε αισθητά. «Δεν το έχω ακούσει ακόμη».

Ο Άλεντ χαμογέλασε. «Είσαι τόσο fake φαν».

«Σκάσε, φυσικά και είμαι φαν σου».

«Fake όμως».

«Ήμουν ο πρώτος που έκανε subscribe!»

«Faaaaaaaaake».

Ο Ντάνιελ πέταξε μια χούφτα χώμα στον Άλεντ και ο Άλεντ γέλασε καθώς την απέφευγε. Η βραδιά ήταν τόσο παράξενη. Δεν είχα καταλάβει γιατί κάναμε παρέα. Ο Άλεντ δεν ήταν συνομήλικός μου, ούτε πήγαινε στο σχολείο μου. Ο Ντάνιελ δεν με συμπαθούσε. Και τι είδους φιλία θα μπορούσαν να έχουν δύο αγόρια και ένα κορίτσι;

Ο Ντάνιελ με τον Άλεντ έπιασαν συζήτηση για τα αποτελέσματά τους.

«Νιώθω... τρομερή ανακούφιση», έλεγε ο Ντάνιελ. «Να μπω σε ένα καλό πανεπιστήμιο για να σπουδάσω βιολογία... το ήθελα εδώ και έξι χρόνια. Θα χτυπούσα το κεφάλι μου στον τοίχο αν αποτύγχανα τώρα».

«Χαίρομαι για σένα», είπε ο Άλεντ που είχε ξαπλώσει στο πλάι και σκάλιζε τη φωτιά με ένα κλαδί.

«Για *σένα* θα έπρεπε να χαίρεσαι».

«Χαχα, βασικά, δεν ξέρω», είπε ο Άλεντ και δεν τον καταλάβαινα. Γιατί να μη χαιρόταν με τα αποτελέσματά του; «Δεν ξέρω αν νοιάζομαι *αρκετά* για κάτι, ό,τι κι αν είναι αυτό».

«Σε νοιάζει το *Universe City*», είπα.

Ο Άλεντ με λοξοκοίταξε. «Α, ναι. Εντάξει. Αυτό είναι αλήθεια».

Ένιωθα κουρασμένη και τα μάτια μου έκλειναν. Η Κάρις πέρασε από τη σκέψη μου – είχαμε μεθύσει έτσι την ίδια μέρα πριν από δύο χρόνια, το βράδυ των αποτελεσμάτων σε ένα πάρτι. Τι άσχημη βραδιά και εκείνη;

Πότε θα έλεγα στον Άλεντ για την Κάρις;

«Πάντως είδα *πολύ* κόσμο να κλαίει για τους βαθμούς του το πρωί, οπότε πιστεύω ότι κανονικά θα έπρεπε να γιορτάζεις», είπε ο Ντάνιελ. Έδωσε τη βότκα και τις κόκα κόλες στον Άλεντ. «Άντε, να πίνει ο εορτάζοντας».

Ήξερα πως σύντομα θα γινόμουν τύφλα και θα έλεγα πράγματα για τα οποία θα μετάνιωνα αργότερα. Ίσως κοιμόμουν νωρίτερα, ίσως και όχι. Ξερίζωσα μια χούφτα γρασίδι από το έδαφος και άρχισα να το πετάω στη φωτιά.

ΔΕΝ ΘΑ ΑΡΕΣΕ ΣΤΟΝ KANYE WEST

ΗΜΑΣΤΑΝ ΣΤΟ ΧΩΡΑΦΙ, μετά δεν ήμασταν στο χωράφι και έπειτα ήμασταν ξανά στο χωράφι – με κάποιο τρόπο πήρα μια κουβέρτα και αρχίσαμε να τραγουδάμε με τον Άλεντ τραγούδια του Kanye West. Ο Άλεντ ήξερε όλους τους στίχους, εγώ όχι, έτσι μου χάρισε μια δραματική ερμηνεία κάτω από τα αστέρια. Ο καιρός ήταν ζεστός και ο ουρανός πανέμορφος. Δεν θα άρεσε στον Kanye.

Είχαμε μπει στη σκηνή και ο Ντάνιελ είχε αποκοιμηθεί, αφού πρώτα είχε ξεράσει στα πουρνάρια, και έπειτα είχε επιστρέψει με μια γρατζουνιά στο χέρι του. «Από τη μία σκέφτομαι πως, ναι, το διάβασμα είναι σημαντικό...» έλεγε ο Άλεντ. «Είναι σημαντικό να πάρω καλούς βαθμούς και να μπω στη σχολή, αλλά από την άλλη το μυαλό μου λέει "δεν ξέρω, δεν με νοιάζει, όλα θα πάνε καλά στο τέλος" κι έτσι καταλήγω να μη διαβάζω καθόλου αν δεν πρέπει, να κάνω μόνο ό,τι πρέπει να κάνω, αλλά δεν με νοιάζει τίποτα. Δεν ξέρω, δεν βγάζουν νόημα όσα λέω...» Για κάποιο λόγο συνέχισα να γνέφω, να χαμογελώ και να λέω «ναι».

«Ποια είναι η February Friday;» ρωτάω τον Άλεντ.

«Δεν μπορώ να σου πω!» μου λέει εκείνος.

«Μα είμαστε φίλοι!» του λέω εγώ.

«Άσχετο αυτό!» μου λέει εκείνος.

«Είσαι ερωτευμένος με αυτό το άτομο; Όπως λένε οι φαν σου;»

Γελάει και δεν απαντάει. Στεκόμαστε στο μέσο του χωραφιού και κάνουμε διαγωνισμό ποιος θα ουρλιάξει πιο δυνατά. Βγάζουμε θολές νυχτερινές φωτογραφίες και τις τουιτάρουμε ο ένας στον άλλον και αναρωτιέμαι αν είναι καλή ιδέα, παρόλο που ξέρω ότι κανείς δεν θα καταφέρει να μας αναγνωρίσει, αλλά για κάποιο λόγο δεν του λέω κάτι.

Radio @UniverseCity
@touloser αποκλειστική φωτογραφία της τουλούζ [θολή φωτογραφία της με διπλοσάγονο]

***τουλούζ* @touloser**
@UniverseCity δείτε εδώ το Radio [θολή φωτογραφία των παπουτσιών του Άλεντ]

Ξαπλώνουμε στο γρασίδι.

«Νομίζω πως ακούω μια αλεπού», του λέω.

«Η φωνή μέσα στο κεφάλι μου είναι η φωνή του Radio», λέει ο Άλεντ.

«Πώς και δεν κρυώνεις;» λέω.

«Έπαψα να νιώθω κρύο εδώ και χρόνια», λέει ο Άλεντ.

Ξαπλώνουμε μέσα στη σκηνή.

«Έβλεπα κάτι πολύ ζωντανούς εφιάλτες, από εκείνους που ξυπνάς και νομίζεις πως εξακολουθείς να ζεις τον εφιάλτη», του λέω.

«Κάθε βράδυ με πονάει το στήθος μου και είμαι σίγουρος ότι θα πεθάνω», λέει ο Άλεντ.

«Υποτίθεται πως δεν το παθαίνεις πια αυτό όταν γίνεις έφηβος», του λέω.

«Ποιο; Τους πόνους στο στήθος ή τους εφιάλτες;» ρωτάει ο Άλεντ.

Εδώ και δέκα λεπτά προσπαθούμε να ηχογραφήσουμε ένα επεισόδιο του *Universe City*, αλλά ο Άλεντ κι εγώ καταλήξαμε να παίζουμε αγώνες ταχύτητας κάνοντας κουτσό, με αποτέλεσμα να πέσω πάνω του ξανά (αυτή τη φορά κατά λάθος). Πέρασα κάμποσα λεπτά παριστάνοντας πως είμαι ένας χαρακτήρας που έβγαλα απ' το μυαλό μου εκείνη τη στιγμή, η «Τουλούζ», όπως ο άλλος διαδικτυακός εαυτός μου, και παίξαμε *Εγώ ποτέ δεν*.

«Εγώ ποτέ δεν...» ο Άλεντ παίζει με το πηγούνι του. «Εγώ ποτέ δεν έχω κλάσει και ρίξει το φταίξιμο σε άλλον».

Ο Ντάνιελ βογκάει, εγώ γελάω και πίνουμε και οι δύο μια γουλιά από τα ποτά μας.

«Αλήθεια δεν το έχεις κάνει ποτέ;» ρωτάω τον Άλεντ.

«Όχι, δεν είμαι ξεδιάντροπος. Αναλαμβάνω την ευθύνη των πράξεών μου».

«Καλά λοιπόν. Εγώ ποτέ δεν...» Τους κοιτάζω. «...μείνει έξω πέρα από την ώρα που μου επιτρέπουν οι γονείς μου».

Ο Ντάνιελ γελάει και λέει «είσαι *φλωράκι*» και πίνει μια γουλιά, αλλά ο Άλεντ τον αγριοκοιτάζει και λέει «τότε είμαι κι εγώ φλωράκι» και ο Ντάνιελ αμέσως νιώθει άσχημα.

«Εγώ ποτέ δεν...» Ο Ντάνιελ χτυπάει με τα δάχτυλα το μπουκάλι. «...έχω πει "σ' αγαπώ" χωρίς να το εννοώ».

Κάνω ένα μακρόσυρτο «ουυυυυ». Ο Άλεντ σηκώνει το κυπελλάκι του για να πιει, αλλά ξαφνικά αλλάζει γνώμη και τρίβει το μάτι του. Ή μπορεί και να ήθελε να τρίψει από την αρχή το μάτι του. Κανείς μας δεν πίνει.

«Μάλιστα, εγώ ποτέ δεν...» Ο Άλεντ σταματάει και τα μάτια του γλαρώνουν. «Εγώ ποτέ δεν έχω θελήσει να πάω στο πανεπιστήμιο».

Ο Ντάνιελ και εγώ μένουμε αμίλητοι για μια στιγμή, έπειτα ο Ντάνιελ γελάει, σαν να πιστεύει πως ο Άλεντ αστειεύεται, έπειτα και ο Άλεντ γελάει, σαν να αστειευόταν πράγματι, αλλά δεν ξέρω τι να κάνω, επειδή δεν μου φαίνεται πως ο Άλεντ αστειεύεται.

Με παίρνει ο ύπνος σχεδόν αμέσως στη σκηνή και όταν ξυπνάω βλέπω τον Ντάνιελ να κοιμάται και αυτός δίπλα μου, αλλά ο Άλεντ έχει εξαφανιστεί. Βγαίνω από τη σκηνή και τον βλέπω να κάνει κύκλους στο γρασίδι, με το κινητό δίπλα στο στόμα του, να μουρμουρίζει λέξεις που δεν μπορώ να ακούσω. Τον πλησιάζω. «Τι λες;» ρωτάω και εκείνος με κοιτάζει, τινάζεται τρομαγμένος. «Jesus, δεν σε άκουσα», μου λέει. Κανείς μας δεν θυμάται τι θέλαμε να πούμε.

Ο Ντάνιελ ξυπνάει για να τραγουδήσει μαζί μας το *Nothing Left For Us*. Τα γραφικά είναι μερικές θολές φιγούρες – εμείς που τρέχουμε στο σκοτάδι, μάτια ίσα που φαίνονται, λίγο δέρμα. Ανεβάζουμε το επεισόδιο στο YouTube προτού αλλάξουμε γνώμη.

Ο Ντάνιελ κι εγώ ξαπλώνουμε δίπλα δίπλα. «Μια μέρα, όταν ήμουν πέντε, ένα κορίτσι κορόιδευε το πραγματικό μου όνομα *όλη μέρα*», λέει. «Έτρεχε στο προαύλιο συνέχεια και φώναζε

"Ο ΝΤΕ-ΣΟΥΝΓΚ, Ο ΝΤΕ-ΣΟΥΝΓΚ, Ο ΝΤΕ-ΣΟΥΝΓΚ, Ο ΝΤΕ-ΣΟΥΝΓΚ ΕΧΕΙ ΧΑΖΟ ΟΝΟΜΑ" με τη χαζοφωνάρα της και νευρίασα *τόσο* πολύ που έκλαψα και η δασκάλα μου φώναξε τη μαμά μου. Και έκλαιγα ακόμη όταν η μαμά μου ήρθε να με πάρει. Η μαμά μου είναι το καλύτερο άτομο στον κόσμο, με πήρε σπίτι και μου είπε "τι λες να σου δώσουμε ένα *αγγλικό* όνομα; Αφού ζούμε στην Αγγλία και είσαι Άγγλος;" Και τότε αυτό με έκανε τόσο χαρούμενο. Είπε στο σχολείο να μου αλλάξουν το όνομα σε Ντάνιελ και εκεί τελειώνει η ιστορία».

Του γνέφω. «Θα ήθελες να σε λένε Ντε-Σουνγκ;»

«Ναι. Ξέρω πως η μαμά μου είχε καλές προθέσεις, αλλά το "Ντάνιελ" μου φαίνεται τόσο ψεύτικο. Ίσως το αλλάξω πάλι τώρα που θα πάω στο πανεπιστήμιο...»

«Μερικές φορές εύχομαι να είχα αιθιοπικό όνομα», λέω με τη σειρά μου. «Ή ένα ανατολικο-αφρικανικό... Μακάρι να ήμουν πιο κοντά στις ρίζες μου, βασικά».

Ο Ντάνιελ γυρίζει το κεφάλι του προς το μέρος μου. «Και οι γονείς σου; Δεν είναι;...»

«Η μαμά μου είναι λευκή. Ο μπαμπάς μου είναι Αιθίοπας, αλλά χώρισαν όταν ήμουν τεσσάρων και εκείνος ζει στη Σκοτία με την οικογένειά του. Μιλάμε συχνά στο τηλέφωνο, αλλά τον βλέπω ελάχιστα, όπως και τους παππούδες μου, τους θείους, τις θείες και τα ξαδέλφια από εκείνη την πλευρά της οικογένειας. Μακάρι να ήμασταν πιο κοντά... μερικές φορές αισθάνομαι πως είμαι η μοναδική μαύρη που γνωρίζω. Τον μπαμπά μου στο επώνυμο τον λένε Μενγκέσα. Μακάρι να με έλεγαν Φράνσις Μενγκέσα».

«Φράνσις Μενγκέσα. Ωραίο ακούγεται».

«Το ξέρω».

«Τα αρχικά σου θα ήταν ΦΜ. Σαν τη συχνότητα του ραδιοφώνου, τα FM».

Η αλεπού συνεχίζει να ακούγεται. Είναι λες και κάποιος δολοφονείται βίαια.

Ο Άλεντ έχει ξαπλώσει δίπλα στη φωτιά. Κλείνει τα μάτια και ο Ντάνιελ τον πλησιάζει, σηκώνεται στα τέσσερα, φυτεύει τα χέρια του δεξιά και αριστερά από τον Άλεντ και σκύβει πάνω του. Ο Άλεντ ανοίγει τα μάτια, αλλά δεν μπορεί να εστιάσει. Τα μάτια του μισοκλείνουν καθώς γελάει, γυρίζει στο πλάι και σπρώχνει τον Ντάνιελ από πάνω του.

Πάω να δω τι γίνεται με αυτή την αλεπού. Ακολουθώ τον ήχο που με οδηγεί μέσω ενός μονοπατιού στο δάσος και θα έλεγε κανείς πως θα φοβόμουν στα σκοτεινά μέσα στη μαύρη νύχτα, αλλά δεν φοβάμαι.

Και σχεδόν φτάνω στην αλεπού, αλλά κάποιος εμφανίζεται και τότε τρομάζω, παγώνω από τον φόβο και παραλίγο είτε να σωριαστώ κάτω είτε να το βάλω στα πόδια, αλλά τελικά στρέφω τον φακό του κινητού μου πάνω στη μορφή. Είναι η Κάρις Λαστ, τριγυρίζει στο σκοτάδι μέσα στη νύχτα και λέω:

«Παναγία μου...»

Όχι, μισό. Δεν είναι αυτή. Είναι απλώς ένα όνειρο.

Κάτσε, δηλαδή κοιμάμαι τώρα;

«Όχι και η Παναγία», λέει η Κάρις. «Εγώ είμαι». Αλλά δεν θα με εξέπληττε αν ήταν πράγματι η Παναγία, είναι λες και κατέβηκε από τον ουρανό. Ή ίσως απλώς το κινητό μου κάνει το δέρμα και τα πλατινέ μαλλιά της να λάμπουν.

Δεν ονειρευόμουν. Αυτό έγινε πριν από δύο χρόνια, το βράδυ που βγήκαν τα αποτελέσματα.

Ήμασταν σε ένα πάρτι και είχε φύγει, είχε πάει στο δάσος.

Γιατί τα θυμάμαι τώρα όλα αυτά;

«Είσαι... είσαι αλεπού μεταμορφωμένη;» τη ρώτησα.

«Όχι, αλλά μου αρέσει η φύση», είπε. «Το βράδυ».

«Δεν πρέπει να περπατάς μέσα στα σκοτάδια το βράδυ».

«Ούτε εσύ».

«Ναι, ξέρεις, εσύ με έφερες εδώ».

Ίσως να μη συνέβαινε τίποτα.

Είχαμε πιει. Ειδικά εγώ. Και είχαμε πάει σε πολλά πάρτι. Είχα αρχίσει να συνηθίζω να βλέπω τους άλλους να λιποθυμούν ή να ξερνούν σε γλάστρες. Είχα αρχίσει να συνηθίζω τις παρέες των αγοριών που μαζεύονταν στον κήπο και κάπνιζαν χόρτο επειδή... βασικά, δεν ήξερα γιατί το έκαναν. Είχα αρχίσει να συνηθίζω το πώς φασώνονταν όλοι δίχως δεύτερη σκέψη, παρόλο που κρίντζαρα και μόνο που το έβλεπα.

Γυρίσαμε μαζί στο πάρτι. Ήταν δύο, άντε τρεις τα ξημερώματα.

Περάσαμε μέσα από την πύλη του κήπου και προσπεράσαμε διάφορους λιπόθυμους στο γρασίδι.

Εκείνη τη μέρα ήταν ασυνήθιστα ήσυχη. Ήσυχη και θλιμμένη.

Καθίσαμε σε έναν καναπέ στο σαλόνι. Ήταν σκοτεινά μέσα και ίσα που βλεπόμασταν.

«Τι τρέχει;» τη ρώτησα.

«Τίποτα», είπε.

Δεν την πίεσα περισσότερο, αλλά λίγο αργότερα συνέχισε.

«Σε ζηλεύω», είπε η Κάρις.

«Τι; Γιατί;»

«Πώς γίνεται να... να σου έρχονται όλα τόσο *εύκολα* στη ζωή; Με τους φίλους, με το σχολείο, με τους δικούς σου...» Το βλέμμα της πλανήθηκε στο κενό. «Πώς γίνεται να σου έρχονται όλα τόσο εύκολα και να μην τα καταστρέφεις όλα;»

Άνοιξα το στόμα μου για να πω κάτι, αλλά δεν βγήκε άχνα.

«Έχεις περισσότερη δύναμη από όση νομίζεις», είπε. «Και τη χαραμίζεις. Κάνεις ό,τι σου λένε οι άλλοι».

Δεν ήξερα τι εννοούσε. «Είσαι αρκετά παράξενη για δεκαπεντάχρονη», της είπα.

«Χα. Ακούγεσαι τελείως ενήλικη».

Συνοφρυώθηκα. «Κι εσύ μια *συγκαταβατική μαλάκω*».

«Βρίζεις όταν μεθάς».

«Πάντα βρίζω από μέσα μου».

«Όλοι είμαστε τόσο διαφορετικοί από μέσα μας».

«Είσαι τόσο...»

Ξαφνικά, βρισκόμαστε μπροστά στη φωτιά, ο Άλεντ κοιμάται δίπλα στον Ντάνιελ στη σκηνή και ο χρόνος κυλάει πάλι κανονικά. Πώς βρεθήκαμε εδώ; Είναι η Κάρις όντως μαζί μας; Στη χρυσωπή φωτιά μοιάζει δαιμονική. «Γιατί είσαι έτσι;» τη ρωτάω.

«Θέλω...» Κρατάει ένα ποτό στο χέρι της. Από πού ήρθε αυτό; Δεν τα ζω όλα αυτά. Δεν συμβαίνουν. «Θέλω κάποιον να με ακούσει».

Δεν θυμάμαι πότε έφυγε ή τι άλλο είπε. Μόνο ότι δύο λεπτά αργότερα, όταν σηκώθηκε, είπε κάτι τελευταίο: «Κανείς δεν με ακούει».

ΚΑΤΩ ΑΠΟ ΤΗΝ ΙΔΙΑ ΚΟΥΒΕΡΤΑ

ΕΙΧΑΜΕ ΞΑΠΛΩΣΕΙ ΣΤΗ ΜΟΚΕΤΑ στο καθιστικό του Άλεντ. Η σκηνή στο ύπαιθρο ήταν κακή ιδέα –έκανε κρύο, είχαμε ξεμείνει από νερό και κανείς μας δεν ήθελε να κατουρήσει έξω– έτσι μπήκαμε στο σπίτι. Κάποια στιγμή, δηλαδή. Δεν το θυμάμαι να γίνεται. Θυμάμαι μόνο τον Άλεντ να μουρμουρίζει κάτι για τη μαμά του που είχε πάει κάπου με συγγενείς για μερικές μέρες. Παράξενο, γιατί να μην είσαι με τον γιο σου στα γενέθλιά του;

Ο Ντάνιελ κοιμήθηκε ξανά στον καναπέ και ο Άλεντ ξάπλωσε μαζί μου στο πάτωμα. Είχαμε ρίξει κουβέρτες από πάνω, τα φώτα ήταν σβηστά και το μόνο που μπορούσα να δω ήταν τα μάτια του Άλεντ. Το μόνο που μπορούσα να ακούσω ήταν η μουσική από το ραδιόφωνο-ουρανοξύστη. Δεν μπορούσα να το πιστέψω πόσο εξωφρενικά πολύ αγαπούσα τον Άλεντ Λαστ, παρόλο που δεν ήταν με τον κοινωνικά αποδεκτό τρόπο που θα μας επέτρεπε να ζήσουμε μαζί μέχρι να πεθάνουμε.

Ο Άλεντ γύρισε και με κοίταξε.

«Κάνατε πολλή παρέα με την Κάρις;» με ρώτησε. Η φωνή του ίσα που ακουγόταν. «Εκτός τρένου, εννοώ».

Ήταν η πρώτη φορά που μιλούσαμε για την Κάρις.

«Για να πω την αλήθεια, δεν ήμασταν φίλες», είπα ψέματα. «Κάναμε παρέα όταν πήγαινα στο δέκατο έτος, αλλά δεν θα έλεγα ότι ήμασταν φίλες-φίλες».

Ο Άλεντ εξακολουθούσε να με κοιτάζει. Τα φρύδια του είχαν ανασηκωθεί κάπως.

Ήθελα να τον ρωτήσω γιατί δεν καθόταν ποτέ με την αδελφή του στο τρένο όταν πηγαίναμε σχολείο. Ήθελα να τον ρωτήσω αν η Κάρις με είχε αναφέρει εκείνο το καλοκαίρι, όταν ήμασταν δεκαπέντε. Ήθελα να ρωτήσω τι του είχε πει όταν γύρισε σπίτι το βράδυ που τη φίλησα, αν ήταν ακόμη θυμωμένη, αν του είχε πει ότι μου είχε φωνάξει, αν του είχε πει ότι με σιχαινόταν, αν με σιχαινόταν από πάντα.

Ήθελα να ρωτήσω αν είχε ποτέ νέα της, αλλά δεν ένιωθα ότι μπορούσα, έτσι δεν το έκανα. Ήθελα να του πω ότι εγώ έφταιγα που έφυγε. Ήθελα να του πω ότι κάποτε ψιλο-γούσταρα την αδελφή του και μια μέρα τη φίλησα όταν ήταν θλιμμένη επειδή πίστευα ότι αυτό έπρεπε να κάνω, αλλά έκανα λάθος.

«Ξέρεις...» Η φωνή του Άλεντ σίγησε και δεν μίλησε για μισό λεπτό. «Η μαμά μου δεν λέει πού είναι. Ή τι κάνει».

«Τι; Γιατί όχι;»

«Γιατί δεν θέλει να τη δω. Η μαμά τη *μισεί*. Και τη *μισεί* όσο δεν φαντάζεσαι. Όχι σαν ένας γονιός που απλώς αποδοκιμάζει τις επιλογές του παιδιού του, ή κάτι τέτοιο. Η μαμά *δεν θέλει* να την ξαναδεί».

«Αυτό είναι... τελείως άρρωστο».

«Μμ».

Μερικές φορές με χτυπούσαν κατακέφαλα τα πράγματα που δεν ήξερα, όχι μόνο για την Κάρις, γενικά μιλάω. Πώς είναι να έχεις έναν γονιό που δεν συμπαθείς ή που δεν σε συμπαθεί; Πώς είναι να το σκας από το σπίτι; Δεν ξέρω και ποτέ δεν θα μάθω. Θα νιώθω πάντα άσχημα που δεν ξέρω.

«Νομίζω πως εγώ φταίω», είπα.

«Για ποιο πράγμα;»

«Που η Κάρις το 'σκασε».

Ο Άλεντ συνοφρυώθηκε. «Τι; Γιατί το λες αυτό;»

Έπρεπε να του το πω.

Είπα «τη φίλησα. Διέλυσα τη φιλία μας».

Ο Άλεντ βλεφάρισε έκπληκτος. «Τι... όντως;»

Κατένευσα, έβγαλα την ανάσα από μέσα μου και ένιωσα λες και είχα μόλις βουτήξει στη θάλασσα.

«Δεν... δεν φταις εσύ», είπε. «Δεν ήταν...» Ξερόβηξε. «Δεν φταις εσύ».

Μισούσα τον εαυτό μου. Τον μισούσα τόσο πολύ που ήθελα να βουλιάξω στο έδαφος και να πέσω μέσα στον πυρήνα της Γης.

«Φοβόμουν πως δεν θα μπορούσαμε να είμαστε φίλοι εξαιτίας της», είπα.

«Φοβόμουν πως δεν θα ήθελες να είμαστε φίλοι».

Και με αγκάλιασε. Κι όπως ήμασταν ξαπλωμένοι κάτω από τις κουβέρτες μας, κουκουλωθήκαμε κάτω από την ίδια κουβέρτα.

Δεν ξέρω πόση ώρα μείναμε έτσι. Είχα ώρα να τσεκάρω το κινητό μου.

«Πιστεύεις πως μια μέρα θα γίνουμε διάσημοι;» με ρώτησε.

«Δεν ξέρω. Δεν νομίζω πως θέλω να γίνω διάσημη», απάντησα.

«Είναι τόσο αγχωτικό που ο κόσμος προσπαθεί συνεχώς να μάθει ποιοι είμαστε. Οι φαν... είναι εντελώς παλαβοί. Καλοί, χρυσοί, παθιασμένοι, αλλά... παλαβοί».

Του χαμογέλασα. «Έχει πλάκα όμως. Νιώθω λες και είμαστε μέρος ενός μεγάλου μυστηρίου».

Μου χαμογέλασε και εκείνος. «*Είμαστε* μέρος ενός μεγάλου μυστηρίου».

«Θες να γίνεις διάσημος;»

«Θέλω να... να είμαι ξεχωριστός».

«Είσαι ξεχωριστός».

Γέλασε. «Άντε μωρέ», είπε.

ΜΠΛΕ ΑΠΟΧΡΩΣΗ

ΤΟ ΑΜΕΣΩΣ ΕΠΟΜΕΝΟ που θυμάμαι είναι να ξυπνάω παγωμένη στο χαλί μέσα στα σκοτάδια –θα ήταν τέσσερις τα ξημερώματα– με το στόμα μου να έχει τη γεύση κάποιου χημικού. Τα πάντα γύρω μου ήταν ακίνητα, η σκόνη χόρευε στον αέρα, ο Άλεντ και ο Ντάνιελ είχαν εξαφανιστεί.

Ήθελα να κατουρήσω, έτσι ξεσκεπάστηκα και έφυγα από το σαλόνι για να πάω στο μπάνιο, αλλά σταμάτησα με το που άκουσα φωνές από την κουζίνα.

Δεν με είδαν να στέκομαι στην πόρτα, ήταν πίσσα σκοτάδι. Ούτε εγώ μπορούσα να τους δω –έβλεπα ό,τι φώτιζε το φεγγαρόφως– αλλά δεν ήταν ανάγκη κιόλας. Κάθονταν στο τραπέζι της κουζίνας, ο Άλεντ με το κεφάλι να ακουμπάει το μπράτσο του, ο Ντάνιελ με το πηγούνι στο χέρι, ο ένας απέναντι από τον άλλο. Ο Ντάνιελ ήπιε μια γουλιά από ένα μπουκάλι, μάλλον κρασί, δεν ήμουν σίγουρη.

Ακολούθησε μια αργόσυρτη σιωπή πριν μιλήσει κάποιος.

«Ναι, αλλά δεν είναι αν θα το μάθει ο κόσμος», είπε ο Άλεντ. «Δεν με νοιάζουν οι άλλοι, πραγματικά δεν με νοιάζει τι θα σκεφτούν».

«Είναι ξεκάθαρο πως με αποφεύγεις», είπε ο Ντάνιελ. «Ένα καλοκαίρι τώρα δεν έχουμε βρεθεί».

«Ήσουν... είχες δουλειές. Δούλευες...»

«Ναι. Για σένα όμως θα βρίσκω πάντα χρόνο, αρκεί να το θες κι εσύ. Αλλά δεν μου φαίνεται πως το θέλεις».

«Θέλω!»

«Τότε γιατί δεν μου λες ποιο είναι το πρόβλημα;» Ο Ντάνιελ ακουγόταν ενοχλημένος.

Η φωνή του Άλεντ χαμήλωσε. «Σου λέω, δεν υπάρχει κανένα πρόβλημα».

«Αν δεν σ' αρέσω, τότε πες το. Δεν έχει νόημα να λες ψέματα».

«Προφανώς και μ' αρέσεις».

«Εννοώ να σου αρέσω *έτσι*».

Ο Άλεντ σήκωσε το ελεύθερο χέρι του και τσίμπησε τον Ντάνιελ στο μπράτσο, αλλά η απάντησή του μου φάνηκε πως απευθυνόταν κυρίως στον εαυτό του.

«Γιατί να το κάνουμε αυτό αν δεν μ' αρέσεις *έτσι;*»

Ο Ντάνιελ καθόταν ακίνητος. «Ακριβώς».

«Ακριβώς».

Τότε μόνο κατάλαβα τι συνέβαινε. Δευτερόλεπτα πριν συμβεί. Και δεν θυμάμαι να ένιωσα έκπληκτη. Δεν ξέρω τι ακριβώς ένιωσα. Ίσως μόνη.

Ο Άλεντ σήκωσε το κεφάλι του και τα χέρια του. Ο Ντάνιελ έγειρε πάνω του και ακούμπησε το κεφάλι του στο στήθος του Άλεντ. Ο Άλεντ τον αγκάλιασε και έτριψε αργά το χέρι του στην πλάτη του Ντάνιελ. Όταν απομακρύνθηκαν, ο Άλεντ έμεινε ακίνητος και περίμενε κάτι να συμβεί. Ο Ντάνιελ σήκωσε το χέρι του, το πέρασε μέσα από τα μαλλιά του Άλεντ και είπε «θες κούρεμα». Έπειτα έσκυψε και τον φίλησε. Έκανα μεταβολή. Δεν ήθελα να βλέπω άλλο.

Ξύπνησα στη μοκέτα αργότερα. Κρύωνα στο σκοτάδι. Ο Άλεντ ανάσαινε σαν αστροναύτης που του τελείωνε το οξυγόνο, καθιστός δίπλα μου, με το κεφάλι του σκυμμένο και το πρόσωπό του κρυμμένο μες στα χέρια του. Ο Ντάνιελ είχε φύγει. Ο Άλεντ εξακολουθούσε να ανασαίνει και να κρατάει το κεφάλι του. Σηκώθηκα και τον άγγιξα στον ώμο. «Άλεντ», του είπα αλλά δεν με κοίταξε. Συνέχισε να τρέμει και ξαφνικά κατάλαβα πως *έκλαιγε.*

Προσπάθησα να έρθω μπροστά του για να με δει. «Άλεντ», επανέλαβα αλλά τίποτα δεν έγινε και τότε βγήκε από μέσα του ένας απαίσιος ήχος. Δεν ήταν ένας απλός λυγμός, ήταν κάτι χειρότερο, έκλαιγε όπως κλαίει κάποιος που θέλει να βγάλει τα μάτια του και να πέσει πάνω σε έναν τοίχο και δεν άντεχα άλλο, δεν μπορώ να βλέπω άλλους να κλαίνε, ειδικά με τέτοιο τρόπο. Τον αγκάλιασα και τον έσφιξα και έτρεμε σύγκορμος. Δεν ήξερα τι άλλο να κάνω, οπότε μείναμε έτσι. «Τι έχεις;» τον ρώτησα. Πιθανότατα πολλά, αλλά συνέχισε να κουνάει το κεφάλι του και δεν ήξερα τι εννοούσε με αυτό. Όταν κατάφερα να τον βάλω να ξαπλώσει τον ξαναρώτησα. «Συγγνώμη... συγγνώμη...» είπε, και λίγο αργότερα, «δεν θέλω να πάω στο πανεπιστήμιο», και πιστεύω πως έκλαιγε ακόμη όταν αποκοιμήθηκα.

Την επόμενη φορά που ξύπνησα, ο Ντάνιελ ήταν ξαπλωμένος στον καναπέ σε έναν υπνόσακο λες και έκανε κάμπινγκ.

Ξάφνου συνειδητοποίησα ότι ο Ντάνιελ ήταν η February Friday.

Φυσικά. Ένα μυστικό ρομάντζο, ο παιδικός του φίλος – τι πιο ρομαντικό; Όχι πως ήξερα από ρομαντικά πράγματα. Νόμιζα πως θα ένιωθα χαρούμενη που το έμαθα επιτέλους, αλλά τελικά δεν αισθανόμουν κάτι. Κοίταξα το ταβάνι περιμένοντας να δω αστέρια, αλλά τελικά δεν είδα τίποτα.

Ήθελα πάλι να κατουρήσω. Έτσι, σηκώθηκα και κοίταξα τον Άλεντ που κοιμόταν πάλι δίπλα μου στο πάτωμα, με το κεφάλι του γυρισμένο προς το μέρος του, το ένα χέρι κάτω από το μάγουλο, και μισόκλεισα τα μάτια. Σκέφτηκα πως το δέρμα κάτω από τα μάτια του ήταν μπλαβί. Παράξενο, αλλά υποθέτω πως ίσως και να ήταν το φως, το οποίο έμοιαζε να έχει πάρει μια μόνιμη μπλε απόχρωση.

2. ΚΑΛΟΚΑΙΡΙΝΕΣ ΔΙΑΚΟΠΕΣ

β)

ΤΟ ΧΕΙΡΟΤΕΡΟ ΕΠΕΙΣΟΔΙΟ

ΕΙΧΑ ΞΥΠΝΗΣΕΙ ΣΕ ΣΠΙΤΙΑ ΦΙΛΩΝ πολλές φορές, αλλά ποτέ με κάποιον να κοιμάται αγκαλιά με εμένα. Αυτό έκανε ο Άλεντ όταν ξύπνησα στις 11:34 το πρωί την επόμενη μέρα. Ένιωθα να σκάνε μέσα στο κρανίο μου πυροτεχνήματα.

Δεν θυμόμουν πολλά, αλλά θυμόμουν πως ο Άλεντ με τον Ντάνιελ ήταν ζευγάρι, ο Ντάνιελ ήταν η February Friday, ο Άλεντ είχε βάλει τα κλάματα για άγνωστο λόγο και είχαμε ηχογραφήσει και ανεβάσει μεθυσμένοι ένα επεισόδιο του *Universe City*.

Φοβόμουν πως κάτι κακό είχε συμβεί, παρόλο που τίποτα δεν είχε γίνει.

Όταν γύρισα στο σαλόνι με ένα μπολ δημητριακά, ο Άλεντ με τον Ντάνιελ κάθονταν στο πάτωμα δίπλα δίπλα. Αναρωτιόμουν αν είχαν τσακωθεί χθες βράδυ, κάτι που θα εξηγούσε το ξέσπασμα του Άλεντ, αλλά τώρα κάθονταν σχεδόν αγκαλιά και έβλεπαν ένα βίντεο στο κινητό του Άλεντ. Μου πήρε δύο δευτερόλεπτα να καταλάβω τι ήταν.

Κάθισα δίπλα τους και το παρακολούθησα σιωπηλή.

Αφού τελείωσε, ο Ντάνιελ είπε «ναι, είναι ντροπιαστικό».

«Είναι το χειρότερο επεισόδιο που έχουμε φτιάξει ποτέ», είπε ο Άλεντ.

«Δείτε πόσοι το είδαν», είπα.

Αυτοί που είχαν δει το επεισόδιο, ενώ κανονικά θα έπρεπε να ήταν πέντε με έξι χιλιάδες, τώρα ήταν 30.327.

5 ΠΕΡΙΕΡΓΑ ΠΡΑΓΜΑΤΑ ΜΕ ΤΑ ΟΠΟΙΑ ΕΧΩ ΠΩΡΩΘΕΙ

ΕΝΑΣ ΔΙΑΣΗΜΟΣ YOUTUBER είχε προτείνει το *Universe City* στο κανάλι του. Το βίντεο λεγόταν *5 ΠΕΡΙΕΡΓΑ ΠΡΑΓΜΑΤΑ ΜΕ ΤΑ ΟΠΟΙΑ ΕΧΩ ΠΩΡΩΘΕΙ* και μαζί με έναν κουμπαρά σε σχήμα γουρουνάκι που φοράει φουστάνι, μια εφαρμογή, ένα παιχνίδι που λέγεται *Μπορεί το ζωάκι σου;* και ένα σταθερό τηλέφωνο σε σχήμα μπέργκερ, ο YouTuber είπε πόσο λατρεύει αυτό το παράξενο podcast, που δεν έχει το κοινό που του αξίζει, το *Universe City.*

Ο YouTuber είχε πάνω από τρία εκατομμύρια subscribers. Το βίντεό του είχε 300.000 views τέσσερις ώρες αφού το είχε ανεβάσει και κάτω από το βίντεο είχε προσθέσει και το link του επεισοδίου.

«Τέλος, θα ήθελα να σας μιλήσω για ένα *πολύ παράξενο* κανάλι με το οποίο έχω πάθει πραγματική πώρωση...» ο YouTuber σήκωσε το χέρι του και το σήμα του *Universe City* εμφανίστηκε στην οθόνη, «...το *Universe City.* Πρόκειται για ένα podcast στο οποίο ένας φοιτητής στέλνει σήμα κινδύνου μέσα από ένα δυστοπικό πανεπιστήμιο του μέλλοντος, στο οποίο έχει παγιδευτεί.

Αυτό που γουστάρω πραγματικά σε αυτή την εκπομπή είναι πως κανείς δεν ξέρει ποιος την έχει δημιουργήσει και υπάρχουν ένα σωρό παλαβές θεωρίες συνωμοσίας, όπως για παράδειγμα το ότι οι χαρακτήρες της είναι εμπνευσμένοι από πραγματικά πρόσωπα. Και προσθέτω το podcast στη λίστα επειδή ο creator του ανέβασε ένα νέο επεισόδιο πριν από μισή ώρα –μερικές ώρες πριν, για όσους παρακολουθείτε αυτό το βίντεο– το οποίο φτάνει σε νέα επίπεδα τρέλας. Δεν καταλαβαίνετε τι ακριβώς συμβαίνει, τη μια ακούτε θροΐσματα και φωνές, την άλλη μια παρέα παίζει το *Εγώ ποτέ δεν*, μετά ο πρωταγωνιστής (ή η πρωταγωνίστρια, κανείς δεν ξέρει), το Radio, βγάζει έναν παρανοϊκό μονόλογο... είναι *τόσο* παράξενο και γουστάρω που δεν ξέρεις τι γίνεται. Έμεινα ξύπνιος μέχρι τις έξι το πρωί μια φορά, διαβάζοντας σχετικά με τα μυστήρια και τις θεωρίες συνωμοσίας για το podcast. Αν σας αρέσουν οι περίεργες ιστορίες μου σε αυτό το κανάλι, τότε σας προτείνω *με κλειστά τα μάτια* να το δείτε – θα βρείτε το link στην περιγραφή».

«Απίστευτο», είπε ο Άλεντ.

«Ναι», είπα. Έβλεπα τα βίντεο αυτού του YouTuber από τα δεκατέσσερά μου.

«Μακάρι να είχε προτείνει το πρώτο επεισόδιο», είπε ο Άλεντ. «Ήθελα να το κατεβάσω το τελευταίο».

Συνοφρυώθηκα. «Ήθελες να το κατεβάσεις;»

«Ναι», είπε. «Είναι γελοίο. Τελείως χάλια». Κόμπιασε. «Άσε που δεν το ανέβασα καν Παρασκευή. Πάντα ανεβάζω νέο επεισόδιο τις Παρασκευές».

«Πάντως... έφερε περισσότερο κόσμο στο podcast. Και αυτό είναι καλό!»

«Μμμ», είπε. Έπειτα βόγκηξε και στήριξε το κεφάλι του στο χέρι του. «Γιατί το ανέβασα;»

Ο Ντάνιελ κι εγώ μείναμε σιωπηλοί. Δεν πιστεύω πως ξέραμε τι να του πούμε. Πίστευα ότι έπρεπε να χαρούμε για την εξέλιξη αυτή, αλλά ίσως έκανα λάθος. Ο Άλεντ δεν φάνηκε να χαίρεται. Σηκώθηκε και είπε ότι θα φρυγανίσει λίγο ψωμί. Ο Ντάνιελ κι εγώ κοιταχτήκαμε, έπειτα ο Ντάνιελ σηκώθηκε και τον ακολούθησε, ενώ εγώ έμεινα στη θέση μου και έβαλα να δω το νέο επεισόδιο άλλη μια φορά.

UNIVERSE CITY: Επ. 126 – σχολείο φάντασμα

UniverseCity 598.230 views

;;; τι

Δείτε παρακάτω για την απομαγνητοφώνηση >>>

[...]

Θυμάσαι πώς μας αγριοκοιτούσαν τα κουνέλια όπως περνούσαμε από μπροστά τους; Με ζήλια, ίσως φοβισμένα. Εγώ ήμουν πίσω της και περίμενα να κατέβει το παράθυρο. Το λατινικό όνομα της αλεπούς είναι *Vulpes vulpes.* Σου άρεσε πώς ακουγόταν. Νευριάζω με τα προβλήματα του σχολείου-φάντασμα. Ίσως είναι υπερβολή να τα αποκαλώ «προβλήματα». Θα καπνίσεις το τσιγαράκι σου ενώ σκύβεις έξω από το παράθυρο, κάτω από τα αστέρια; Ήσουν τόσο θαρραλέα που κάηκες στη Φωτιά. Αναρωτιέμαι αν μετάνιωσες την εμμονή σου για τον Μπουκόφσκι. Εγώ τη μετανιώνω, κι ας μην την είχα. Τουλάχιστον εσύ ήσουν αρκετά απερίσκεπτη για να παραδεχτείς πως είχες πάθει εμμονή με κάτι. Και λέω απαίσια πράγματα επειδή νιώθω τύψεις. Δεν θέλω άλλο, σιχαίνομαι να μου λένε τι να κάνω. Γιατί να πάω; Επειδή μου το λένε; Επειδή μου το λέει η μ...μαμά μου; Κανείς δεν πρέπει να παίρνει αποφάσεις για μένα. Είμαι εδώ και περιμένω κάτι να συμβεί. Είχα επιλογή; Σου φαίνεται πως με νοιάζει το σχολείο; Δεν θυμάμαι να συμβαίνει κάτι. Δεν θυμάμαι τι έκανα ή γιατί. Είμαι μπερδεμένος. Όλα είναι καλύτερα κάτω από τα αστέρια, φαντάζομαι. Αν υπάρχει ζωή μετά τον θάνατο, θα βρεθούμε τότε, φιλαράκι...

[...]

ΚΟΙΜΗΣΟΥ ΤΩΡΑ

Παρασκευή 16 Αυγούστου

(21:39) **Άλεντ Λαστ**
φράνσις φτάσαμε τους 50.270
βοήθεια

(23:40) **Φράνσις Ζανβιέρ**
Ναι... αυτός ο youtuber είναι τρομερός influencer
Καταπληκτικό, αλήθεια

(23:46) **Άλεντ Λαστ**
αυτό το επεισόδιο βρήκε να γίνει viral...
ήταν γραφτό του μάλλον
lol υπέροχα

(23:50) **Φράνσις Ζανβιέρ**
Ω ρε συ... λυπάμαι
Μπορείς να το κατεβάσεις, όχι; Δικό σου είναι το podcast, εσύ αποφασίζεις

(23:52) **Άλεντ Λαστ**
όχι δεν γίνεται
μου έχει δώσει ήδη πάνω από τρεις χιλιάδες νέους subscribers

(23:53) **Φράνσις Ζανβιέρ**
Αλήθεια!;;;;

(23:54) **Άλεντ Λαστ**
ναι και πολλά σχόλια στο youtube λένε πόσο τους αρέσει η Τουλούζ

(23:55) **Φράνσις Ζανβιέρ**
Αλήθεια;;; Μα ήμουν χάλια omg

(23:55) **Άλεντ Λαστ**
αλήθεια πρώτη φορά εδώ και πολύ καιρό υποδέχτηκαν με τόση θέρμη νέα βοηθό του Radio
θες να γίνεις η επόμενη;

(23:56) **Φράνσις Ζανβιέρ**
ΝΑΙ είσαι σίγουρος;;;

(23:57) **Άλεντ Λαστ**
δεν θα σε ρωτούσα αν δεν ήμουν χαχα

(23:58) **Φράνσις Ζανβιέρ**
<3 <3 <3 <3 <3 <3 <3 <3 <3 <3 <3 <3 <3

Τρίτη 20 Αυγούστου

(11:20) **Άλεντ Λαστ**
ΠΕΝΗΝΤΑ ΧΙΛΙΑΔΕΣ SUBSCRIBERS πρέπει να το γιορτάσουμε με πίτσα. Έχεις λεφτά;

(11:34) **Φράνσις Ζανβιέρ**
ΣΥΓΧΑΡΗΤΗΡΙΑ ΡΕ ναι τα λέμε σε πέντε

Τετάρτη 21 Αυγούστου

(02:17) **Άλεντ Λαστ**
θες να τραγουδήσεις το nothing left for us αύριο όταν ηχογραφήσουμε; μόνη σου

(02:32) **Φράνσις Ζανβιέρ**
Μόνη μου!;;;!;;;;
Το ξέρεις πως δεν μπορώ να τραγουδήσω, έτσι...
Είμαι τελείως φάλτσα

(02:34) **Άλεντ Λαστ**
ωραία, θα γίνει και πιο ενδιαφέρον

Παρασκευή 30 Αυγούστου

(04:33) **Άλεντ Λαστ**
ΕΒΔΟΜΗΝΤΑ ΠΕΝΤΕ ΧΙΛΙΑΔΕΣ SUBSCRIBERS
ΠΩΣ

ΓΙΑΤΙ

ΑΦΟΥ ΜΕΘΥΣΑΜΕ ΚΑΙ ΑΡΧΙΣΑΜΕ ΝΑ ΠΑΡΑΛΗΡΟΥΜΕ

ΣΤΟ ΚΙΝΗΤΟ

(10:45) **Φράνσις Ζανβιέρ**

ΕΡΧΟΜΑΙ ΣΠΙΤΙ ΣΟΥ

Κοιμάσαι, ε;

Ξύπνα, αλλιώς θα σου χτυπάω το κουδούνι συνέχεια

(11:03) **Άλεντ Λαστ**

σταμάτα να χτυπάς το κουδούνι pls

Κυριακή 1 Σεπτεμβρίου

(00:34) **Φράνσις Ζανβιέρ**

Δεν θέλω να πάω σχολείο αύριο

Μπορώ να έρθω μαζί σου στο πανεπιστήμιο

(00:35) **Άλεντ Λαστ**

όχι

τράβα για ύπνο

(00:36) **Φράνσις Ζανβιέρ**

Πόσο λίγο με ξέρεις

(00:37) **Άλεντ Λαστ**

δεν γίνεται να κοιμάσαι στις τέσσερις πια, τέλος το καλοκαίρι

(00:37) **Φράνσις Ζανβιέρ**
☹

(00:38) **Άλεντ Λαστ**
θες να σ τραγουδήσω ένα νανούρισμα;

(00:38) **Φράνσις Ζανβιέρ**
Ναι αμέ

(00:39) **Άλεντ Λαστ**
κοιμήηηηηηηηησουυυυ
κοιμήηηηηηηησουυυυυυυυυυυ
κοιμήηηηηησουυυυ μικρούλα μου Φράνσις
δεν ξέρω τι λέει μετά

(00:41) **Φράνσις Ζανβιέρ**
Τι όμορφο νανούρισμα, θα θυμάμαι για πάντα αυτή τη στιγμή

(00:42) **Άλεντ Λαστ**
σκασμός και κοιμήσου τώρα

3. ΦΘΙΝΟΠΩΡΙΝΟ ΤΡΙΜΗΝΟ

α)

ΜΠΕΡΔΕΜΕΝΑ ΠΑΙΔΙΑ ΜΕ ΕΠΙΣΗΜΑ ΡΟΥΧΑ

«ΔΕΝ ΤΟ ΠΙΣΤΕΥΩ πως έχω να σε δω *δύο ολόκληρους μήνες*!» είπε μια από τις φίλες μου την πρώτη μέρα του φθινοπωρινού τριμήνου. Καθόμασταν στο τραπέζι μας, όλες στο δέκατο τρίτο έτος και νιώθαμε λιγότερο σαν μπερδεμένα παιδιά με επίσημα ρούχα και περισσότερο σαν γέροι του σχολικού συστήματος. «Πώς τα πέρασες, τι έκανες;»

Ούτε εγώ μπορούσα να το πιστέψω. Κατάλαβα πως είχε περάσει τόσος καιρός μόνο όταν έφτασα στο σχολείο εκείνη την πρώτη μέρα και τρεις από τις φίλες μου είχαν αλλάξει χρώμα μαλλιών, ενώ η μία είχε αποκτήσει τόσο έντονο μαύρισμα που το δέρμα της είχε πάρει ίδια απόχρωση με το δικό μου.

«Εμ... τίποτα το ιδιαίτερο!» είπα χωρίς να το εννοώ. Τίποτα το ιδιαίτερο. Το ψέμα της χιλιετίας.

Περίμενε να προσθέσω κάτι ακόμα, αλλά δεν ήξερα τι να πω. Για τι πράγματα μιλούσα πέρσι όταν συναντούσα τις φίλες μου; Διάφορα; Ή τίποτα;

«Ε, Φράνσις», είπε άλλη μια φίλη. «Δεν έκανες παρέα με τον Άλεντ Λαστ το καλοκαίρι;»

«Ποιος είναι ο Άλεντ Λαστ;» είπε η πρώτη φίλη.

«Νομίζω πως είναι φίλος του Ντάνιελ Τζουν – πάει στο σχολείο αρρένων».

«Και η Φράνσις βγαίνει μαζί του;»

Οι φίλες μου με παρακολουθούσαν γεμάτες αναμονή.

«Εμ, όχι», είπα και γέλασα νευρικά. «Είμαστε φίλοι μόνο».

Καμιά τους δεν με πίστεψε. Έψαξα να βρω τη Ρέιν, αλλά δεν ήταν εκεί.

«Και τι κάνεις μαζί του, τότε;» είπε κάποια χαμογελώντας.

Ο Άλεντ μου είχε πει μερικές εβδομάδες πριν ότι κανείς δεν έπρεπε να μάθει ότι ήταν ο creator του *Universe City*. Το είπε μάλιστα σε έντονο ύφος, με βλέμμα πανικόβλητο – το διαμετρικά αντίθετο από το συνηθισμένο ντροπαλό ύφος του. Αν κάποιος μάθει γι' αυτό, είπε, όλη η ιδέα πίσω από την εκπομπή, η ίντριγκα και το μυστήριο θα χάνονταν. Μετά, βέβαια, χαχάνισε και είπε αστειευόμενος πως επίσης δεν ήθελε να το μάθει η μαμά του. Θα ντρεπόταν και θα ένιωθε περίεργα εάν ήξερε ότι εκείνη τον άκουγε.

Σήκωσα τους ώμους. «Απλώς κάνουμε παρέα! Μένουμε απέναντι, οπότε... ναι».

Κατάλαβα ότι δεν ειχαν πεισθεί και κατάλαβαν κι εκείνες ότι δεν προσπαθούσα να τις πείσω πράγματι. Άρχισαν να μιλούν για τα δικά τους κι εγώ βυθίστηκα στη σιωπή γιατί δεν είχα τίποτα να τους πω, πράγμα συνηθισμένο βέβαια όταν ήμουν μαζί τους – με τις φίλες μου. Ένιωσα περίεργα. Είχα ξεχάσει πια ότι κάποτε έτσι ήταν η συμπεριφορά μου, έτσι ήταν οι φιλίες μου, έτσι ήταν ίσως η ζωή μου.

TOULOSER

«…ΗΜΟΥΝ ΤΟΣΟ ΜΠΕΡΔΕΜΕΝΟ σχετικά με το πώς λειτουργούν οι φιλίες, που αποδέχτηκα πως δεν είχα καμία πραγματική φιλία, φιλαράκι», είπε ο Άλεντ στο μικρόφωνο με τη φωνή του Radio, έπειτα με κοίταξε όταν δεν διάβασα την ατάκα μου και με άγγιξε στο χέρι. «Σειρά σου».

Ηχογραφούσαμε ένα από τα επεισόδια του Σεπτεμβρίου, κάποια Πέμπτη βράδυ, δύο εβδομάδες αφού είχαν αρχίσει τα μαθήματα. Πέρα από τη λάμψη της οθόνης και τα φωτάκια γύρω από το κρεβάτι του, το δωμάτιο του Άλεντ ήταν σκοτεινό. Δεν τον πρόσεχα, κοιτούσα το κινητό μου. Και κοιτούσα το κινητό μου επειδή είχα μόλις λάβει ένα e-mail που με ειδοποιούσε ότι κάποιος μου είχε στείλει ένα ανώνυμο μήνυμα στο Tumblr. Το ανώνυμο μήνυμα στο Tumblr έλεγε:

Ανώνυμος είπε:
το πραγματικό σου όνομα είναι φράνσις ζανβιέρ;

Έμεινα να το κοιτάζω. Το ίδιο έκανε και ο Άλεντ. Εκείνη τη στιγμή το κινητό μου δονήθηκε. Ένα δεύτερο e-mail κατέφτασε.

Ανώνυμος είπε:
Δεν ξέρω αν το έχεις δει, αλλά πολλοί στο hashtag του Universe City στο tumblr λένε πως είσαι μια Φράνσις. Δεν θέλω να σε πιέσω να πεις κάτι, αλλά σκέφτηκα ότι μάλλον θα ήθελες να το ξέρεις.

«Σκατά», είπε ο Άλεντ. Ο Άλεντ σπάνια έβριζε.

«Ναι...» συμφώνησα.

Δίχως να πει κάτι, ο Άλεντ μπήκε στο Tumblr. Είχε account, ωστόσο δεν ανέβαζε κάτι – απλώς το χρησιμοποιούσε για να παρακολουθεί τους φαν του.

Το κορυφαίο post στο hashtag του *Universe City*, με πάνω από πέντε χιλιάδες σχόλια, ήταν μια μακροσκελής ανάρτηση η οποία με ταυτοποιούσε με τη φωνή της Τουλούζ, της καλλιτέχνιδας του podcast και διαχειρίστριας του blog **touloser**, γνωστή στο Ίντερνετ ως «Τουλούζ».

Κάποιος –μάλλον από το σχολείο ή το χωριό, δεν είμαι σίγουρη– είχε ανεβάσει στο Tumblr ένα post στο οποίο συνέκρινε ένα βίντεο στο οποίο έβγαζα λόγο μπροστά σε γονείς παλιότερα σε μια εκδήλωση του σχολείου (το βίντεο υπήρχε στην ιστοσελίδα του σχολείου) με τη φωνή μου στα προηγούμενα επεισόδια και σε θολά στιγμιότυπα στα οποία φαινόταν το πρόσωπό μου στο επεισόδιο με το σχολείο φάντασμα.

Κάτω από τα στοιχεία, το άτομο αυτό είχε γράψει:

OMFG! Λέτε η Τουλούζ να είναι αυτή η Φράνσις Ζανβιέρ!!; Μοιάζουν στην εμφάνιση και τη φωνή lol!!! XD @touloser @ touloser @touloser

Το «XD» με έκανε να σφίξω τα δόντια.

«Είναι κυριολεκτικά ένα βήμα πριν με ανακαλύψουν», είπε ο Άλεντ. Τον λοξοκοίταξα και είδα πως έπαιζε με τα μανίκια του πουλόβερ του.

«Τι θες να κάνω;» ρώτησα. Ήθελα πράγματι να μάθω. «Τι να κάνουμε; Μάλλον θα σεβαστούν την επιθυμία μου αν τους πω να μη σε αναζητήσουν».

«Σιγά που θα σταματήσουν», είπε και έτριψε το μέτωπό του.

«Θα μπορούσα να αρνηθώ πως είμαι εγώ...»

«Δεν θα σε πιστέψουν». Βόγκηξε. «Και αυτό εξαιτίας αυτού του κωλο-επεισοδίου... Είμαι τέρμα ηλίθιος...»

Κουνήθηκα στην καρέκλα μου.

«Βασικά... δεν φταις εσύ, αλλά αν μάθουν πως είσαι εσύ... δεν ήρθε και η *καταστροφή του κόσμου*, σωστά; Βασικά, κάποια στιγμή θα μαθευόταν, ειδικά αν συνεχίσουν να αυξάνονται οι subscribers σου...»

«*Όχι*, πρέπει να παραμείνει για πάντα μυστήριο! Γι' αυτό το podcast είναι τόσο καλό!» Ο Άλεντ κούνησε το κεφάλι του. Αλληθώρισε όπως κοίταζε την οθόνη του υπολογιστή μπροστά του. «Αυτό το κάνει ξεχωριστό... είναι... είναι ένα μυστήριο, είναι κάτι... αιθέριο, μια ξεχωριστή μαγική μπάλα χαράς που κρέμεται πάνω από όλους και κανείς δεν μπορεί να την αγγίξει. Και είναι μόνο δική μου, κανείς δεν μπορεί να την αγγίξει, ούτε οι *φαν*, ούτε η *μαμά μου, κανείς*».

Ένιωσα πως κάπου τον έχανα, έτσι δεν απάντησα. Κοίταξα τα e-mail μου και βρήκα άλλα δέκα μηνύματα.

Έκανα μια ανάρτηση.

touloser

ναι, μαντέψατε σωστά lol

τα τελευταία δύο χρόνια στο tumblr με γνωρίζετε ως τουλούζ ή touloser και φαντάζομαι πως μαντέψατε ότι το όνομα ήταν ψεύτικο. ήθελα να διατηρήσω την ανωνυμία μου επειδή δεν ήθελα κανένας γνωστός μου να μάθει πως έφτιαχνα αυτά τα σκίτσα ή ότι είχα κολλήσει με αυτό το απίστευτο κανάλι στο YouTube.

φαντάζομαι πως υποτίμησα την ικανότητα των ανθρώπων να συνδυάζουν πρόσωπα και φωνές και τις τελευταίες εβδομάδες άρχισαν να κυκλοφορούν διάφορες φήμες για μένα.

οπότε, ναι, το πραγματικό μου όνομα είναι Φράνσις Ζανβιέρ και φτιάχνω τα σκίτσα για το universe city. επίσης είμαι η φωνή της τουλούζ. ενώ ήμουν μια απλή φαν του podcast, ξαφνικά έγινα κομμάτι του. είναι πολύ παράξενο, αλλά συνέβη.

όχι, δεν θα σας πω ποιος είναι το radio. σας παρακαλώ, σταματήστε να ρωτάτε. και θα προτιμούσα να μη γίνετε stalkers μου.

λοιπόν, τα λέμε.

#universe city #radio silence #universe citizens #lol μπορείτε πια να μη μου στέλνετε τις ίδιες ερωτήσεις; #ευχαριστώ #συνεχίζω τα σκίτσα

Τότε είχα περίπου τέσσερις χιλιάδες followers στο Tumblr.

Το Σαββατοκύριακο ανέβηκαν στους είκοσι πέντε χιλιάδες.

Την επόμενη Δευτέρα πέντε μαθητές ήρθαν και με ρώτησαν αν ήμουν η φωνή της Τουλούζ από το *Universe City* και αναγκάστηκα να πω ναι.

Μία εβδομάδα αργότερα, όλοι οι μαθητές του σχολείου μου ήξεραν πως εγώ, η Φράνσις Ζανβιέρ, η μελετηρή και βαρετή πρόεδρος, έκανα στα κρυφά ένα podcast στο YouTube. Ή όχι και τόσο κρυφά πια, υποθέτω...

Η ΤΕΧΝΗ ΗΤΑΝ ΘΛΙΒΕΡΗ;

«ΜΑΛΛΟΝ ΞΕΡΕΙΣ ΤΟΝ ΛΟΓΟ για τον οποίο θέλω να μιλήσουμε, Φράνσις».

Ήμουν στο γραφείο της δόκτορος Αφολαγιάν, την τρίτη εβδομάδα του Σεπτεμβρίου και καθόμουν σε μια καρέκλα τοποθετημένη σε άβολο σημείο στην άκρη του δωματίου, κάτι που με ανάγκαζε να κρατάω το κεφάλι μου γυρισμένο για να την κοιτάζω. Δεν ήξερα γιατί ήθελε να μου μιλήσει, γι' αυτό και σοκαρίστηκα όταν βρήκα ένα σημείωμα στη γραμματεία το οποίο μου ζητούσε να περάσω από το γραφείο της στο διάλειμμα.

Η Αφολαγιάν ήταν καλή διευθύντρια, δεν θα πω ψέματα. Ήταν γνωστή για τον ετήσιο λόγο της, στον οποίο έλεγε πώς από ένα μικρό χωριό της Νιγηρίας κατάφερε να πάρει διδακτορικό από το Πανεπιστήμιο της Οξφόρδης. Το διδακτορικό της ήταν κορνιζαρισμένο στον τοίχο, ώστε να υπενθυμίζει σε όσους έρχονταν στο γραφείο της ότι δεν επιτρεπόταν η αποτυχία.

Για να πω την αλήθεια, δεν τη συμπαθούσα.

Είχε σταυρώσει τα πόδια και είχε πλέξει τα δάχτυλά της πάνω στο γραφείο της. Μου χάρισε ένα χαμόγελο, το οποίο σήμαινε «με απογοητεύεις».

«Εμ, όχι», είπα και γέλασα, λες και αυτό θα έκανε τα πράγματα καλύτερα.

Σήκωσε τα φρύδια της. «Μάλιστα».

Ακολούθησε μια σύντομη παύση, στη διάρκεια της οποίας έγειρε στην καρέκλα της και ένωσε τα χέρια της πάνω από το σταυροπόδι.

«Έχεις αναμιχθεί σε ένα viral βίντεο στο Ίντερνετ, το οποίο δυσφημεί ό,τι πρεσβεύουμε στην Ακαδημία».

Α.

«Α», είπα.

«Ναι, το βίντεο είναι διασκεδαστικό», είπε ανέκφραστα. «Και περιέχει αρκετή... "προπαγάνδα"».

Δεν ξέρω τι έκφραση είχα πάρει εγώ.

«Και τράβηξε αρκετή προσοχή, σωστά;» συνέχισε. «Το έχουν δει σχεδόν διακόσιες χιλιάδες άτομα. Και μερικοί γονείς έχουν απορίες».

«Α», είπα πάλι. «Ποιος... ποιος σας το είπε;»

«Το άκουσα από έναν μαθητή».

«Α», επανέλαβα.

«Και αναρωτιόμουν, λοιπόν, γιατί να ανεβάσεις ένα τέτοιο βίντεο; Πιστεύεις τα ίδια πράγματα με...» έριξε μια ματιά σε ένα σημείωμα «...με το *Universe City*; Πιστεύεις ότι πρέπει να διαλύσουμε το εκπαιδευτικό σύστημα, να πάμε να ζήσουμε στα δάση και να μάθουμε πώς να ανάβουμε φωτιές; Να αγοράζουμε φαγητό μέσω ανταλλακτικής οικονομίας και να καλλιεργούμε μόνοι μας λαχανικά; Να διαλύσουμε τον καπιταλισμό;»

Υπήρχαν πολλοί λόγοι για τους οποίους αντιπαθούσα την Αφολαγιάν. Ήταν αδικαιολόγητα αγενής με τους μαθητές και πίστευε ότι ήμασταν «σκεπτόμενα εργαλεία». Αλλά δεν θυμόμουν πότε ήταν η τελευταία φορά που είχα αντιπαθήσει κάποιον περισσότερο από όσο τώρα. Και αν υπάρχει κάτι που με εξοργίζει, είναι όταν οι άλλοι μου φέρονται συγκαταβατικά.

«Όχι», είπα επειδή, αν προσπαθούσα να πω κάτι άλλο, είτε θα άρχιζα να φωνάζω είτε θα έβαζα τα κλάματα.

«Τότε, γιατί το ανέβασες;»

Ήμουν μεθυσμένη.

«Επειδή το θεώρησα τέχνη», είπα.

«*Μάλιστα*». Χαμογέλασε. «Τότε... τότε οφείλω να πω ότι το βρίσκω ιδιαίτερα θλιβερό. Απογοητεύτηκα. Περίμενα περισσότερα από εσένα».

Η τέχνη ήταν θλιβερή; Απομακρυνόμουν νοητά από τη συζήτηση. Προσπαθούσα πολύ να μην κλάψω.

«Ναι», είπα.

Με κοίταξε.

«Θα σε καθαιρέσω από τη θέση της προέδρου, Φράνσις», είπε.

«Α». Το είχα προβλέψει από την αρχή.

«Η εικόνα που παρουσιάζεις δεν είναι η κατάλληλη για το σχολείο μας. Θέλουμε δύο προέδρους που *πιστεύουν* στο εκπαιδευτικό σύστημα και *νοιάζονται* για την επιτυχία του, κάτι που προφανώς δεν ισχύει στην περίπτωσή σου».

Με είχε βγάλει από τα ρούχα μου.

«Νομίζω πως είστε άδικη», είπα. «Το βίντεο προφανώς και ήταν λάθος και λυπάμαι γι' αυτό αλλά, για να πούμε την αλήθεια, ο μοναδικός λόγος που το γνωρίζετε είναι επειδή κάποιος σας το είπε. Αφήστε που το account από το οποίο δημοσιεύτηκε δεν ήταν δικό μου και υποθέτετε πως έχω τις ίδιες απόψεις. Επίσης, τι κάνω εκτός σχολείου δεν μπορεί να επηρεάζει τη θέση μου ως προέδρου».

Η έκφραση της Αφολαγιάν άλλαξε με το που άρχισα να μιλάω. Πλέον ήταν *θυμωμένη*.

«Αν αυτά που κάνεις εκτός σχολείου επηρεάζουν το σχολείο, τότε επηρεάζουν και τη θέση σου ως προέδρου», είπε. «Το βίντεο έχει γίνει viral στους μαθητές μας».

«Α, δηλαδή το γεγονός πως είμαι πρόεδρος του σχολείου και ο φόβος μήπως με δει κάποιος να κάτι κάτι... ανάρμοστο, θα πρέπει να καθορίζουν τη ζωή μου κι οτιδήποτε κάνω. Κι αυτό σας ακούγεται λογικό;»

«Γίνεσαι ανώριμη κι αγενής».

Σταμάτησα να μιλάω. Δεν υπήρχε νόημα. Δεν είχε την πρόθεση να με ακούσει, ούτε καν να προσπαθήσει.

Αυτό δεν κάνουν; Ούτε καν *προσπαθούν* να σε ακούσουν.

«Καλά», είπα.

«Δεν άρχισε καλά το δέκατο τρίτο έτος, ε;» Σήκωσε τα φρύδια της ξανά και μου χαμογέλασε πικρά, σαν να έλεγε «φύγε τώρα πριν αναγκαστώ να σε διώξω».

«Ευχαριστώ», είπα, αλλά δεν ξέρω γιατί, μια και δεν είχα λόγο να την ευχαριστήσω. Σηκώθηκα από την καρέκλα μου και πήγα προς την πόρτα.

«Και θα πρέπει να μου επιστρέψεις την καρφίτσα της προέδρου», είπε η Αφολαγιάν. Γύρισα και την είδα να μου απλώνει το χέρι.

«Φράνσις, τι έγινε; Είσαι καλά;»

Μόνο μία από τις φίλες μου –η Μάγια– καθόταν στο τραπέζι

μας στο ΚΕΜ όταν πέρασα στην αίθουσα. Έκλαιγα, πόσο ντροπιαστικό – όχι γοερά, αλλά τα μάτια μου είχαν βουρκώσει και αναγκαζόμουν να τα σκουπίζω για να μην τρέξει η μάσκαρα.

Της είπα τι έγινε. Η Μάγια φαινόταν να νιώθει αμήχανα που έκλαιγα. Καμιά τους δεν με είχε ξαναδεί να κλαίω.

«Δεν πειράζει – δεν θα σε επηρεάσει, σωστά;» Η Μάγια γέλασε αμήχανα. «Τουλάχιστον δεν θα αναγκάζεσαι πια να βγάζεις λόγους!»

«Θα χαλάσει την αίτησή μου στο πανεπιστήμιο... Είχα αφιερώσει μια ολόκληρη παράγραφο της συνοδευτικής επιστολής στο γεγονός πως είμαι πρόεδρος, ήταν ο μοναδικός λόγος που ήθελα να γίνω πρόεδρος, ώστε να μπορώ να λέω πως κάτι έκανα... δεν έχω άλλα χόμπι ή... και το Κέιμπριτζ θέλει να δει πως έχεις εμπειρία από ηγετικούς ρόλους...»

Η Μάγια με άκουγε συμπονετικά, με χάιδευε στην πλάτη και προσπαθούσε να με βοηθήσει, αλλά ήξερα πως δεν το καταλάβαινε. Έτσι, είπα πως θα πάω στις τουαλέτες για να φτιάξω το μέικ απ μου, αλλά τελικά κάθισα σε μια από τις τουαλέτες και προσπάθησα να ηρεμήσω. Μισούσα τον εαυτό μου που έκλαψα μπροστά σε άλλους και που επέτρεψα σε κάποιον να με κάνει να κλάψω.

ΡΕΪΝ

«ΓΙΑ ΠΕΣ, ΦΡΑΝΣΙΣ», είπε μια κοπέλα από το μάθημα της ιστορίας, η Τζες, σκύβοντας στην καρέκλα της για να μου μιλήσει από το διπλανό τραπέζι, «αν είσαι η Τουλούζ από το *Universe City*, ποιος κάνει το Radio; Ο φίλος σου ο Άλεντ;»

Ήταν η τέταρτη εβδομάδα του Σεπτεμβρίου. Ημέρα Τετάρτη. Ο Άλεντ θα έφευγε για το πανεπιστήμιο σε τρεις μέρες.

Όλοι στο έτος μου είχαμε συγκεντρωθεί στο ΚΕΜ την πρώτη ώρα για να φτιάξουμε τις αιτήσεις μας για το πανεπιστήμιο, όχι δηλαδή πως ασχολούμασταν ιδιαίτερα. Η συνοδευτική μου επιστολή ήταν αρκετά καλή και λέγοντας αρκετά καλή εννοώ πως ήταν οι πιο καλογραμμένες σάλτσες που είχα γράψει ποτέ, ωστόσο προσπαθούσα να βρω κάτι να βάλω ως «εξωσχολική δραστηριότητα» τώρα που δεν ήμουν πρόεδρος.

«Γι' αυτό κάνατε παρέα όλο το καλοκαίρι;»

Φαίνεται ότι πολλοί είχαν ακούσει πως ο Άλεντ κι εγώ κάναμε παρέα το καλοκαίρι. Ο μοναδικός λόγος που το έβρισκαν ενδιαφέρον ήταν εξαιτίας της φήμης μου ως ερημίτισσας, μανιακής με το διάβασμα. Κάτι που ήταν αλήθεια, οπότε τους το δίνω.

Μου πέρασε από το μυαλό να πω ψέματα στην Τζες. Το πρόβλημα είναι ότι, όταν νιώθω πως πιέζομαι, με πιάνει πανικός, αντιδρώ σπασμοδικά. Έτσι, το μόνο που κατάφερα να πω ήταν:

«Εμ, δεν... δεν μπορώ να πω».

«Δεν μένετε στο ίδιο χωριό;» είπε ένα δεύτερο κορίτσι που καθόταν δίπλα στην Τζες.

«Ε, ναι», είπα.

Ξαφνικά, όλοι σε μια ακτίνα πέντε μέτρων με κοιτούσαν.

«Αφού είσαι κι εσύ στο podcast, πρέπει να ξέρεις τον creator».

«Εμ...» Ένιωθα τις παλάμες μου να ιδρώνουν. «Ξέρεις, αυτό δεν είναι απαραίτητα και αλήθεια».

«Αυτό λένε όλοι στο Tumblr πάντως».

Δεν είπα κάτι. Είχε δίκιο. Όλοι στο Tumblr πίστευαν πως ήμουν κολλητή με τον Creator. Δεν απείχαν πολύ από την αλήθεια.

«Και γιατί απαγορεύεται να μας πεις;» είπε η Τζες χαμογελώντας, λες και αυτή η αμήχανη συζήτηση ήταν ό,τι καλύτερο έχει ζήσει ποτέ της. Δεν έκανα ιδιαίτερη παρέα μαζί της και ήταν γνωστή για το ψεύτικο μαύρισμά της. Το δέκατο έτος ένας δάσκαλος τιμωρήθηκε επειδή της είπε στο μάθημα ότι «έχει πόδια σαν μπέικον».

«Επειδή...» σταμάτησα πριν πω το όνομά του, «...το άτομο αυτό δεν θέλει να μάθει κανείς ποιο είναι». Γέλασα μήπως και χαλαρώσω κάπως την ατμόσφαιρα. «Είναι μέρος του μυστηρίου».

«Είναι το αγόρι σου;»

«Ποιος; Το Radio;»

«Ο Άλεντ».

«Εμ, όχι».

Η Τζες συνέχιζε να χαμογελάει. Και όσοι άκουγαν, πλέον κουτσομπόλευαν μεταξύ τους.

«Μισό, λέτε για τον Άλεντ Λαστ;» είπε κάποιος από την άλλη πλευρά του τραπεζιού μου. Ήταν η Ρέιν Σενγκούπτα. Είχε γείρει την πλάτη της καρέκλας της στον τοίχο και χτυπούσε έναν χάρακα στο τραπέζι. «Δεν νομίζω πως είναι αυτός. Είναι ο πιο ντροπαλός άνθρωπος του κόσμου».

Με κοίταξε, σήκωσε τα φρύδια της και μου χαμογέλασε πονηρά. Αμέσως κατάλαβα πως έλεγε ψέματα.

«Επιπλέον, δεν αρέσουν στον Ντάνιελ Τζουν», συνέχισε, «όλα αυτά τα καλλιτεχνικά. Δεν νομίζω πως θα ήταν κολλητός με έναν YouTuber».

«Μμ, σωστά», είπε η Τζες.

Η Ρέιν κάθισε σταυροπόδι, εξακολουθώντας να γέρνει επικίνδυνα στην καρέκλα της. «Μάλλον είναι κάποιος που δεν τον ξέρουμε».

«Μα *θέλω να μάθω*», είπε η Τζες δυνατά και ο καθηγητής μας κατάλαβε πως δεν γράφαμε τις αιτήσεις μας, οπότε σηκώθηκε και μας κατσάδιασε.

Η Ρέιν μου έκανε νόημα *γρήγορα* μόλις η Τζες κοίταξε αλλού και δεν ήξερα αν ήταν ό,τι πιο χαζό ή κουλ είχα δει. Κοίταξα το φύλλο που είχε μπροστά της το οποίο κανονικά θα έπρεπε να είναι η συνοδευτική της επιστολή, αλλά στην πραγματικότητα ήταν μια άδεια κόλλα. Και όταν πήγα να της μιλήσω στο τέλος του μαθήματος, εκείνη είχε εξαφανιστεί.

Δεν την πέτυχα μέχρι το σχόλασμα, όταν την είδα να περπατάει κυριολεκτικά τρία βήματα μπροστά μου. Κι εγώ πήγαινα προς την ίδια κατεύθυνση, προς τον σταθμό του τρένου. Κανονικά, θα απέφευγα να συναντήσω άτομα που γνώριζα, αλλά... δεν ξέρω. Ίσως και να φαντάστηκα πως με είχε κοιτάξει πονηρά στο μάθημα.

«Ρέιν!»

Γύρισε να με δει. Νομίζω θα σκότωνα για να είχα τα μαλλιά της. Τα δικά μου είναι σπαστά και θα ήμουν χάλια αν ξύριζα τα πλαϊνά, παρόλο που τα πιάνω ψηλά κάθε μέρα.

«Επ, γεια!» είπε. «Όλα καλά;»

«Ναι, καλά, ευχαριστώ», της είπα. «Εσύ;»

«Σκατά, για να πω την αλήθεια».

Και φαινόταν σκατά. Όπως όλοι μας.

«Σε έψαχνα νωρίτερα, όταν τρώγαμε...»

Γέλασε. Το χαμόγελό της έλεγε πως ήξερε κάτι που δεν έπρεπε. «Ναι, σόρι, αλλά μπαίνω τιμωρία κάθε φορά που τρώμε».

«Τι; Γιατί;»

«Θυμάσαι που οι βαθμοί μου ήταν χάλια;»

«Ναι».

«Για να τους διορθώσω με βάζουν να διαβάζω στο φαγητό και στα διαλείμματα».

«Τι εννοείς; Ακόμα και όταν *τρώμε*;»

«Ναι, μου δίνουν δέκα λεπτά για να φάω και μετά κάθομαι σαράντα λεπτά έξω από το γραφείο της δόκτορος Αφολαγιάν για να κάνω τις εργασίες μου και να διαβάσω».

«Μα αυτό είναι... καθόλου σωστό».

«Το ξέρω! Το φαγητό είναι βασικό ανθρώπινο δικαίωμα».

Στρίψαμε στη γωνία και έπιασε βροχή. Το γκρίζο του ουρανού

αιμορραγούσε στο γκρίζο του πεζοδρομίου. Άνοιξα την ομπρέλα μου και μας κάλυψα.

«Ξέρεις τον Άλεντ Λαστ; Γιατί μου φαινόταν πως είπες ψέματα κατάμουτρα στην Τζες και, να ξέρεις, είχε πολλή πλάκα».

Γέλασε και ένευσε. «Αχ, δεν την αντέχω, ρε συ. Μισό...» γύρισε ξαφνικά το κεφάλι της προς το μέρος μου, «δεν είσαι φίλη μαζί της, έτσι;»

«Δεν της μιλάω και πολύ. Την ξέρω μόνο από εκείνο το περιστατικό με το μπέικον».

«Ναι ρε συ... το *μπέικον*. Το έχω ακούσει. Έτσι θα τη λέω από δω και μπρος». Κούνησε λίγο το κεφάλι της χαμογελώντας. «Ναι, δεν μ' αρέσει καθόλου που θέλει να ξέρει όλα τα κουτσομπολιά και δεν της καίγεται καρφί για το πώς νιώθουν οι άλλοι. Έτσι κάνουν τα μπέικον».

Σώπασε για λίγο. Ξαφνικά, κατάλαβα πως η Ρέιν κοιτούσε επίμονα την απέναντι πλευρά του δρόμου. Ακολούθησα το βλέμμα της και την είδα να κοιτάζει ένα Golden Retriever που είχε βγει βόλτα με το αφεντικό του.

Την κοίταξα με απορία, τα μάτια της καρφώθηκαν στα δικά μου. «Οχ, σόρι, απλώς, ρε συ, μου αρέσουν τέρμα τα σκυλιά. Μακάρι να είχα ένα σκυλάκι. *Anyway*...»

Μου ξέφυγε ένα γελάκι. Η Ρέιν απλώς έλεγε τι σκεφτόταν τη στιγμή που το σκεφτόταν. Απίστευτο.

«Μια και λέγαμε για τον Άλεντ Λαστ...»

«Ναι;»

«Ο Ντάνιελ Τζουν μου είπε για το podcast που κάνει».

Την κοίταξα με το στόμα ανοιχτό. «Αλήθεια τώρα;»

«Ω ναι». Η Ρέιν γέλασε. «Ήταν κόκαλο από το μεθύσι. Και

πέφτει σε μένα ο κλήρος να φροντίσω όσους έχουν γίνει *λιώμα*, ξέρεις, για να μην πνιγεί κανείς στον εμετό του. Ήμασταν σε ένα πάρτι και άρχισε να μου λέει γι' αυτό».

«Omg... ξέρεις αν ο Άλεντ το ξέρει;»

Η Ρέιν σήκωσε τους ώμους. «Όχι, δεν μιλάμε. Δεν βλέπω καν τα βίντεό του, οπότε... δεν με νοιάζει κιόλας. Ξέρω πως δεν θέλει να το μάθει κανείς, οπότε δεν είναι ότι θα το διαδώσω κιόλας».

«Και στο είπε... πρόσφατα;»

«Ναι, πριν κάνα δίμηνο». Η Ρέιν κοντοστάθηκε. «Ο Ντάνιελ μού φαινόταν κάπως νευριασμένος με τον Άλεντ. Και μου έδωσε την εντύπωση πως πιστεύει ότι στον Άλεντ αρέσει το κανάλι στο YouTube περισσότερο από όσο ο Ντάνιελ».

Θυμήθηκα αυτό που είχα δει το βράδυ που βγήκαν τα αποτελέσματα. Τον Άλεντ και τον Ντάνιελ μαζί, έπειτα τον Άλεντ να κλαίει τόσο γοερά που φοβήθηκα πως θα έλιωνε.

«Αν ισχύει, τότε είναι πολύ θλιβερό», είπα. «Αφού είναι κολλητοί».

Η Ρέιν με παρατήρησε. «Ναι, *κολλητοί*».

Σιωπή.

Την κοίταξα. «Ξέρεις... ξέρεις κάτι;»

Μου χαμογέλασε φαρδιά. «Αν ξέρω πως ο Άλεντ με τον Ντάνιελ πηδιούνται διακριτικά; Ναι, το ξέρω».

Το είπε με τέτοιο μπλαζέ τρόπο που μου βγήκε ένα νευρικό κακάρισμα. Ούτε καν που μου είχε περάσει από το μυαλό ότι έκαναν σεξ. Και μόνο στην ιδέα φρίκαρα, επειδή υπέθετα ότι ο Άλεντ και εγώ είχαμε την ίδια σεξουαλική απειρία.

«Αχά. Δεν ήξερα πως το ήξεραν και άλλοι».

«Μόνο εγώ, νομίζω. Χάρη στον μεθυσμένο Ντάνιελ».

«Μάλιστα...»

Φτάσαμε στον κεντρικό δρόμο. Εγώ θα πήγαινα αριστερά στον σταθμό, εκείνη θα συνέχιζε ευθεία. Δεν ήξερα πού πήγαινε.

«Τέλος πάντων, ευχαριστώ», είπα. «Με έσωσες. Όταν πιέζομαι τα ξερνάω όλα».

«Δεν κάνει τίποτα». Μου χαμογέλασε. «Μου αρκεί που έβαλα εμπόδια στην Μπέικον. Και τον τελευταίο καιρό δεν μου φαίνεσαι τόσο ομιλητική. Σαν να είσαι συνεχώς αφηρημένη».

Ένιωσα έκπληκτη που το είχε παρατηρήσει. Η Ρέιν, η Μάγια και οι υπόλοιπες φίλες μου σπάνια με πρόσεχαν.

«Α», είπα. «Εμ, ξέρεις, έχω διάφορα στο μυαλό μου».

«Σχετικά με το *Universe City*;»

«Ναι. Είναι... συμβαίνουν διάφορα. Στο Ίντερνετ. Και τώρα το έμαθαν και γνωστοί μου, οπότε είναι... αγχωτικό».

«Οχ, ρε συ». Με κοίταξε συμπονετικά. «Μη φοβάσαι. Κάποια στιγμή θα σταματήσουν να μιλάνε γι' αυτό».

Χαχάνισα. «Ναι, *κάποια στιγμή*».

Με αποχαιρέτησε με ένα «τα λέμε αργότερα» και άλλη μια κουλ χειρονομία πριν μου δώσει την ευκαιρία να απαντήσω. Ένιωθα δύο πράγματα. Πρώτον, έκπληξη που η Ρέιν ήξερε τόσα πράγματα παρόλο που μου φαινόταν να είναι το πιο ρηχό άτομο που ήξερα. Δεύτερον, θλίψη επειδή την είχα περάσει για ρηχή.

ΕΤΣΙ

ΤΟ ΒΡΑΔΥ ΤΗΣ ΠΕΜΠΤΗΣ έμεινα στου Άλεντ πιο αργά από τη συνηθισμένη ώρα. Η μητέρα του είχε φύγει για μερικές μέρες προκειμένου να επισκεφτεί συγγενείς. Ήταν μόνο εννιάμιση και ξέρω πως ο Άλεντ ήταν δεκαοκτώ, αλλά, για να είμαι ειλικρινής, νιώθαμε και οι δύο λες και ήμασταν μωρά. Εδώ και ώρα κανείς μας δεν μπορούσε να καταλάβει πώς δουλεύει το πλυντήριο.

Καθόμασταν στο τραπέζι της κουζίνας περιμένοντας δύο έτοιμες πίτσες να γίνουν και μιλούσα προφανώς για κάτι εντελώς άσχετο, ενώ ο Άλεντ καθόταν και με άκουγε ήσυχα, σχολιάζοντας κάθε τόσο. Όλα ήταν φυσιολογικά.

Έλα όμως που δεν ήταν.

«Όλα καλά;» ρώτησε ο Άλεντ όταν κάναμε ένα διάλειμμα από τη συζήτηση. «Εννοώ με το σχολείο».

Με εξέπληξε, επειδή ο Άλεντ σπανίως έκανε τέτοιες γενικόλογες ερωτήσεις.

«Ναι. Ναι». Γέλασα. «Απλώς είμαι πτώμα. Δυσκολεύομαι να με πάρει ο ύπνος».

Το ρολόι του φούρνου κουδούνισε ξαφνικά, ο Άλεντ χτύπησε

παλαμάκια και πήγε να βγάλει τις πίτσες από τον φούρνο τραγουδώντας ξανά και ξανά τη λέξη «πίτσα».

Θα έφευγε για το πανεπιστήμιο σε δύο μέρες.

«Πρέπει να σου πω κάτι σημαντικό», του είπα αφού αρχίσαμε να τρώμε.

Ο Άλεντ σταμάτησε να μασουλάει.

«Πες».

«Ξέρεις τη Ρέιν Σενγκούπτα;»

«Φατσικά μόνο».

«Χθες μου είπε ότι ξέρει για το *Universe City,* πως εσύ είσαι ο Creator».

Ο Άλεντ σταμάτησε αμέσως να τρώει και με κοίταξε στα μάτια. Ουπς. Μάλλον είχα πει κάτι που δεν έπρεπε. Ξανά. Γιατί συνέχιζα να το κάνω; Γιατί μάθαινα πράγματα που δεν ήθελα να μάθω;

«Οχ». Ο Άλεντ πέρασε το χέρι του μέσα από τα μαλλιά μου. «Γαμώτο...»

«Μου είπε ότι δεν θα το πει πουθενά».

«Ναι, αφού *στο είπε*».

«Μου είπε επίσης ότι...»

Σταμάτησα. Ετοιμαζόμουν να πω ότι ήξερε για τον Άλεντ και τον Ντάνιελ, αλλά έπειτα θυμήθηκα πως υποτίθεται ότι *ούτε εγώ* το ήξερα.

Ο Άλεντ με παρατήρησε φοβισμένος. «Οχ, τι άλλο ξέρει;»

«Εμ, λοιπόν, ξέρει για... χμ... για εσένα και τον Ντάνιελ».

Ακολούθησε μια απαίσια σιωπή. Ο Άλεντ πάγωσε.

«Τι ξέρει για εμάς;» είπε ο Άλεντ αργά.

«Ξέρεις...» Αλλά δεν μπορούσα να ολοκληρώσω.

«Α», είπε ο Άλεντ.

Κουνήθηκα στη θέση μου.

Ο Άλεντ ξεφύσηξε και κοίταξε το πιάτο του. «Το ήξερες;»

Δεν ξέρω γιατί δεν του το είχα πει. Μάλλον φταίει που δεν μου αρέσει να συζητάω για πράγματα που προκαλούν ντροπή και πόνο στους άλλους.

«Σας είδα να φιλιέστε στα γενέθλιά σου», είπα και μετά προσέθεσα βιαστικά «τίποτα άλλο! Αυτό μόνο. Και μετά αργότερα ξύπνησα και σε βρήκα να... να κλαις».

Ο Άλεντ πέρασε το χέρι του μέσα από τα μαλλιά του. «Α, ναι. Ήλπιζα πως ήσουν τόσο μεθυσμένη που δεν θα το θυμόσουν».

Περίμενα μήπως έλεγε τίποτα άλλο, αλλά δεν είπε κάτι. «Γιατί δεν μου το είπες;» συνέχισα.

Με κοίταξε κατάματα και πρόσεξα πόσο θλιμμένα ήταν τα μάτια του. Και χαχάνισε. «Αλήθεια, για τον ίδιο λόγο που δεν σε άφηνα να γνωρίσεις τη μαμά μου. Είσαι... δεν ξέρω. Θέλω να ξεφεύγω από τα δύσκολα πράγματα... στη ζωή μου... και εσύ είσαι το μέσο να τα καταφέρνω...» Γέλασε. «Jesus, τι *μαλακία* είπα. Συγγνώμη».

Γέλασα κι εγώ επειδή πράγματι ήταν μαλακία, αλλά καταλάβαινα τι ήθελε να μου πει.

Τα πράγματα δεν ήταν τόσο απλά, δεν είχαν μια κανονική σχέση με τον Ντάνιελ.

Αλλά τίποτα δεν είναι απλό στη ζωή, σωστά;

«Γιατί έκλαιγες;» τον ρώτησα.

Ο Άλεντ με κοίταξε για λίγο, έπειτα στράφηκε ξανά στο φαγητό του, σηκώνοντας με το χέρι το στεφάνι της πίτσας.

«Δεν θυμάμαι. Φαντάζομαι ήμουν λιώμα». Γέλασε, αλλά καταλάβαινα πως υποκρινόταν. «Όταν μεθάω γίνομαι πολύ συναισθηματικός».

«Μάλιστα».

Δεν τον πίστευα, αλλά ήταν προφανές πως δεν ήθελε να μου πει περισσότερα.

«Άρα, ο Ντάνιελ είναι γκέι;» ρώτησα, επειδή δεν μπορούσα να μη ρωτήσω.

«Ναι», είπε.

«Χμ». Είχα σοκαριστεί που δεν το είχα μαντέψει. «Ξέρεις... είμαι μπάι».

Τα μάτια του Άλεντ άνοιξαν διάπλατα. «Τι; Όντως;»

«Χαχα, ναι. Δεν σου είπα ότι φίλησα την Κάρις;»

«Ναι, αλλά...» Ο Άλεντ κούνησε το κεφάλι του. «Τι να σου πω, δεν το πολυσκέφτηκα κιόλας». Κοντοστάθηκε. «Γιατί δεν μου το είχες πει;»

«Δεν ξέρω», απάντησα αλλά ήταν ψέμα. «Δεν το έχω πει σε άλλον».

Ο Άλεντ ξάφνου έμοιαζε τόσο λυπημένος. «Όντως;»

«Ναι...»

Κόψαμε και οι δύο μια δαγκωνιά από την πίτσα μας.

«Πότε το κατάλαβες;» είπε ο Άλεντ τόσο χαμηλόφωνα που παραλίγο να μην τον ακούσω έτσι όπως μασούσα.

Δεν την περίμενα αυτή την ερώτηση. Και σχεδόν δεν ήθελα να του απαντήσω.

Αλλά τότε κατάλαβα γιατί με ρωτούσε.

«Δεν ήταν μια συγκεκριμένη στιγμή που το κατάλαβα. Ας πούμε ότι... ότι διάβασα για αυτό στο Ίντερνετ και ξαφνικά όλα έβγαζαν νόημα». Δεν είχα προσπαθήσει άλλη φορά να το εξηγήσω. Ούτε καν στον ίδιο μου τον εαυτό. «Μπορεί... μπορεί να ακούγεται τελείως χαζό, αλλά από πάντα φανταζόμουν πως θα ήθελα να κάνω σχέσεις και με αγόρια και με κορίτσια. Προφανώς υπάρχουν κάποιες μικρές διαφορές μεταξύ των δύο, αλλά τα συναισθήματα είναι τα ίδια... καταλαβαίνεις τι λέω; Γιατί δεν βγάζει νόημα...»

«Όχι, βγάζει», είπε. «Γιατί δεν το είπες στις φίλες σου;»

Τον κοίταξα. «Γιατί δεν άξιζε να το πω σε καμιά τους».

Τα μάτια του γούρλωσαν. Ίσως τότε κατάλαβε πως ήταν ο μοναδικός μου φίλος. Και ήλπιζα μέχρι εκείνη τη στιγμή να μην το καταλάβαινε ποτέ. Με έκανε να νιώθω αξιολύπητη.

Συνέχισα. «Γι' αυτό και μου άρεσε το *Universe City.* Επειδή το Radio ερωτεύεται διάφορους και διαφορετικούς ανθρώπους, αγόρια και κορίτσια και άλλα φύλλα και άλλα πλάσματα... εξωγήινους, ας πούμε». Γέλασα και χαμογέλασε.

«Πιστεύω ότι ο κόσμος έχει βαρεθεί τα ρομάντζα ανάμεσα σε αγόρια και κορίτσια. Πιστεύω έχουμε μπουχτίσει από τέτοιες ιστορίες».

Ήθελα τόσο πολύ να τον ρωτήσω για όσα βίωνε ο ίδιος.

Αλλά δεν τα ρωτάς αυτά.

Περιμένεις, μέχρι να στα πουν οι ίδιοι.

Όταν η πόρτα άνοιξε, τρομάξαμε τόσο που παραλίγο να ρίξω στο πάτωμα το μπουκάλι με τη λεμονάδα.

Η μαμά του Άλεντ μπήκε στην κουζίνα με μια πάνινη τσάντα για τα ψώνια περασμένη στον ώμο της και τα κλειδιά του αυτοκινήτου στο χέρι. Με κοίταξε.

«Α, γεια σου, Φράνσις μου», είπε με σηκωμένα τα φρύδια. «Δεν περίμενα να σε δω εδώ τόσο αργά».

Κοίταξα το ρολόι της κουζίνας. Ήταν σχεδόν δέκα το βράδυ.

Πετάχτηκα από την καρέκλα μου. «Αχ, ναι, συγγνώμη, καλύτερα να πηγαίνω...»

Με αγνόησε παντελώς αλλά, αφού παράτησε την τσάντα της στον πάγκο της κουζίνας, με διέκοψε. «Μη λες ανοησίες, αφού τρώτε!»

Δεν ήξερα τι να πω, οπότε κάθισα πάλι.

«Νόμιζα πως ήσουν στου παππού, μαμά», είπε ο Άλεντ με φωνή που μου ακούστηκε παράξενη. Σαν να έβγαινε... *με το ζόρι.*

«Στου παππού ήμουν, καρδιά μου, αλλά έχουν δουλειές το Σαββατοκύριακο...» Άρχισε να μας λέει για τα σχέδια των παππούδων του Άλεντ, χωρίς να της το έχει ζητήσει κάποιος. Προσπάθησα να τραβήξω την προσοχή του Άλεντ, αλλά εκείνος κοιτούσε την Κάρολ σαν να ήθελε να γίνει –και να παραμείνει– αόρατος.

Η Κάρολ άρχισε να πλένει τα πιάτα και, για πρώτη φορά από τότε που εμφανίστηκε, κοίταξε τον γιο της.

«Τα μαλλιά σου έχουν μακρύνει πολύ, Άλι μου, δεν νομίζεις; Να σου κλείσω ραντεβού για κούρεμα;»

Ακολούθησε μια αβάσταχτη σιωπή.

«Εμ... μου αρέσουν τόσο μακριά», είπε ο Άλεντ.

Εκείνη συνοφρυώθηκε και έκλεισε το νερό. Άρχισε να τρίβει τα τηγάνια σαν να ήθελε να τα καταστρέψει. «Τι; Δεν νομίζεις πως μοιάζεις σαν λέτσος, καρδιά μου; Μοιάζεις σαν εκείνους τους ναρκομανείς που βλέπω μαζεμένους έξω από την υπηρεσία ανέργων».

«Μου αρέσουν έτσι», είπε ο Άλεντ.

Η Κάρολ στέγνωσε τα χέρια της στην πετσέτα. «Αν θες, στα κόβω εγώ». Στράφηκε σε μένα. «Εγώ του έκοβα τα μαλλιά όταν ήταν μικρός».

Ο Άλεντ έμεινε σιωπηλός και τότε είδα έντρομη την Κάρολ

Λαστ να αρπάζει ένα ψαλίδι από τον πάγκο της κουζίνας και να πλησιάζει τον Άλεντ.

«Όχι, μαμά, δεν χρειάζεται...»

«Άκου», του είπε, «θα στα πάρω λίγο στις άκρες, σε δυο λεπτά θα έχουμε τελειώσει...»

«Αλήθεια, μαμά μου, δεν χρειάζεται».

«Μα θα δείχνεις πιο έξυπνος, Άλι μου».

Δεν πίστευα πως θα το έκανε. Το έβλεπα σαν πιθανότητα, αλλά δεν πίστευα πως όντως θα το έκανε. Ζούσαμε στην πραγματική ζωή, όχι σε κάποια σειρά της τηλεόρασης.

«Όχι, όχι, όχι, όχι μαμά, *μη*...»

Άρπαξε μια τούφα του Άλεντ και έκοψε δέκα εκατοστά μαλλί.

Ο Άλεντ έκανε πίσω και πετάχτηκε όρθιος τόσο γρήγορα που κατάλαβα ότι ούτε εκείνος το περίμενε. Ξαφνικά συνειδητοποίησα ότι κι εγώ όρθια ήμουν – πότε σηκώθηκα;

Μόλις του είχε κόψει τα μαλλιά.

Τι στον πούτσο συνέβαινε;

«Μαμά...» Ο Άλεντ πήγε να πει κάτι, η Κάρολ τον διέκοψε.

«Έλα τώρα, βρε καρδιά μου, αφού σου μάκρυναν υπερβολικά, δεν νομίζεις; Θα σε έχουν του πεταματού στη σχολή αν εμφανιστείς έτσι!» Γύρισε πάλι προς το μέρος μου. Στο ένα χέρι κρατούσε την τούφα και στο άλλο το ψαλίδι. «Έτσι δεν είναι, Φράνσις;»

Αλλά μου είχε κοπεί η λαλιά.

Ο Άλεντ έφερε το χέρι του στο σημείο όπου κάποτε φύτρωνε η τούφα. Αργά, σαν ζόμπι, είπε «η Φράνσις... πρέπει να πάει σπίτι...»

Η Κάρολ χαμογέλασε με τον τρόπο που χαμογελούν όσοι δεν καταλαβαίνουν τι τους γίνεται ή όσοι είναι εντελώς κακόψυχοι. «Ναι, είναι ώρα να κοιμηθείς!»

«Ναι...» είπα και η φωνή μου έβγαινε πνιχτή, σαν να με στραγγάλιζαν. Ο Άλεντ με πήρε από το μπράτσο και με πήγε μέχρι την πόρτα, πριν δώσω εντολή στα πόδια μου να κινηθούν. Άνοιξε την πόρτα δίχως να με κοιτάζει και με έσπρωξε έξω.

Ο ουρανός ήταν πεντακάθαρος. Μπορούσα να δω αμέτρητα αστέρια.

Γύρισα προς το μέρος του. «Τι... τι ακριβώς έγινε;»

Ο Άλεντ πήρε το χέρι από τα μαλλιά του και, το κερασάκι στην τούρτα, οι ξανθές του τρίχες είχαν κόκκινες κηλίδες. Άρπαξα το χέρι του και το γύρισα. Βρήκα ένα λεπτό κόψιμο στο μέσο της παλάμης του, στο σημείο με το οποίο είχε προσπαθήσει να απομακρύνει το ψαλίδι.

Τράβηξε απότομα το χέρι του. «Δεν έγινε κάτι. Έτσι κάνει πάντα».

«Πονάς;» τον ρώτησα. «Πες μου αν σου κάνει κακό. Αλήθεια. Σοβαρολογώ».

«*Όχι!* Στ' ορκίζομαι, δεν μου κάνει τίποτα». Έκανε μια χειρονομία με το τραυματισμένο του χέρι. «Ατύχημα ήταν».

«Δεν γίνονται αυτά. Δεν μπορεί να... Τι στον *πούτσο* έκανε;...»

«Δεν έγινε κάτι, τράβα σπίτι. Θα μιλήσουμε αργότερα».

«Ναι, αλλά γιατί...»

«Έτσι κάνει, παίζει το παιχνίδι της. Θα σου στείλω μήνυμα αργότερα».

«Όχι, Άλεντ, θέλω να μιλήσουμε...»

«Εγώ *δεν* θέλω, γαμώ το σπίτι μου».

Ο Άλεντ Λαστ δεν έβριζε ποτέ, εκτός κι αν ήταν αναγκαίο. Μου έκλεισε την πόρτα κατάμουτρα. Και δεν μπορούσα να κάνω τίποτα γι' αυτό. Τίποτα.

UNIVERSE CITY: Επ. 132 – τηλέφωνο

UniverseCity 98.763 views

Τα cyborgs επιτίθενται (ξανά)

Δείτε παρακάτω για την απομαγνητοφώνηση >>>

[...]

Κρύφτηκα για σαράντα επτά λεπτά ακριβώς –είχα μαζί μου το φεγγαρόμετρο– στον τηλεφωνικό θάλαμο δίπλα στον σταθμό ηλεκτροπαραγωγής στην οδό Τόμσμπι. Κανείς δεν ψάχνει εκεί. Όλοι ξέρουν πως ο θάλαμος είναι στοιχειωμένος. Δεν θέλω να μιλήσω για όσα είδα.

Ενώ κρυβόμουν και περίμενα, σκεφτόμουν και έπαιρνα αποφάσεις. Θα άφηνα, άραγε, τα cyborgs να με κυνηγούν για πάντα; Σκόπευα να κοιτάζω κάθε τόσο πίσω μου, μήπως δω τα ανέκφραστα μάτια τους και τα καλώδια που πέταγαν σπίθες;

Όχι. Δεν είναι ζωή αυτή. Ούτε καν εντός των τειχών της Universe City.

Και μπορώ να τις τρώω κάθε τόσο, φιλαράκο, πίστεψέ με. Μένω εδώ από τότε που θυμάμαι τον εαυτό μου. Πλέον ξέρω πως δεν στέλνω σήμα κινδύνου – αν κάποιος με άκουγε, θα είχε προσπαθήσει να επικοινωνήσει μαζί μου.

Μπορώ να τις τρώω κάθε τόσο. Είμαι σκληρό καρύδι. Είμαι αστέρι. Έχω στήθος από ατσάλι και μάτια από διαμάντια. Τα cyborgs τη μια ζουν και την άλλη χαλάνε, αλλά εγώ δεν θα χαλάσω ποτέ. Ακόμα και όταν η σκόνη των οστών μου θα αιωρείται πάνω από τα τείχη της πόλης, εγώ θα ζω, θα πετώ, θα τα χαιρετώ και θα γελώ.

[...]

ΣΤΟ ΣΚΟΤΑΔΙ

ΛΑΜΒΑΝΩ E-MAIL κάθε φορά που με ρωτούν κάτι στο Tumblr και απόρησα, το λιγότερο, όταν τσέκαρα τα e-mail μου την επόμενη μέρα στο σχολείο, στο διάλειμμα, και διαπίστωσα πως το Tumblr μού είχε στείλει εβδομήντα επτά μηνύματα με θέμα «κάποιος σου έκανε ερώτηση».

Άνοιξα την εφαρμογή του Tumblr για να τις διαβάσω.

Ανώνυμος είπε:
είσαι η February Friday;;;;

Συνοφρυώθηκα, αλλά συνέχισα να διαβάζω.

Ανώνυμος είπε:
Οι σκέψεις σου για τις φήμες πως είσαι η February Friday; Xx

Ανώνυμος είπε:
ΠΡΕΠΕΙ ΝΑ ΜΑΣ ΠΕΙΣ ΑΝ ΕΙΣΑΙ Η FEBRUARY FRIDAY ΕΙΝΑΙ ΚΑΘΗΚΟΝ ΣΟΥ ΩΣ Η ΘΕΑ ΜΑΣ

Ανώνυμος είπε:
αλήθεια τώρα είσαι η February Friday;;

Ανώνυμος είπε:
Το επώνυμό σου σημαίνει ιανουάριος στα γαλλικά, είσαι φίλη με τον creator και το σχολείο σου κάηκε μια February Friday... ΤΥΧΑΙΟ; εξήγησε πλιζ x

Υπήρχαν πάνω από εβδομήντα επτά μηνύματα. Το Tumblr μάλλον είχε σταματήσει να μου στέλνει ειδοποιήσεις από κάποια στιγμή και μετά. Όλα τα μηνύματα ήθελαν να μάθουν για τη February Friday.

Μου πήρε πέντε λεπτά ώσπου να βρω την πηγή των φημών.

univers3c1ties
Πιθανή February Friday;
Λοιπόν, παίδες, κάνω σκέψεις τώρα, αλλά μήπως η Φράνσις Ζανβιέρ (touloser) είναι η February Friday; Έκανα έρευνα (lol δεν είμαι κάνας παράξενος, αλήθεια) και πιστεύω ότι υπάρχουν λόγοι για να το υποπτεύομαι

- Η Φράνσις πήγαινε σε ένα σχολείο που κάηκε την Παρασκευή 4 Φεβρουαρίου του 2011 (πηγή)
- Είναι φαν του podcast από την αρχή – μήπως ήταν και η πρώτη που έμαθε πως θα υπάρξει;; Μήπως ο Creator της το είχε πει;
- Είναι ένα από τα πιο γνωστά ονόματα σε όλους τους φαν και ξαφνικά *δουλεύει* για το podcast;; Προφανώς έχει κάποια κρυφή σχέση με τον Creator

- *Το επώνυμό της σημαίνει Ιανουάριος στα Γαλλικά. Τυχαίο;;*
- Επίσης, αυτά τα tweets τα λένε όλα:

Τουλούζ @touloser
θα έλεγα πως τα letters to february είναι το αγαπημένο μου κομμάτι κάθε επεισοδίου, ο creator είναι σκέτη ιδιοφυΐα!!!
13 Απρ 11

Τουλούζ @ touloser
μακάρι να έβγαιναν περισσότερα letters to february, πλέον σπάνια ακούγονται ;_; μου λείπουν
14 Δεκ 11

Τουλούζ @touloser
Το Universe City μου έχει σώσει τη ζωή <3
29 Αυγ 11

Τι να πω. Πότε θα μας πει η κυβέρνηση την αλήθεια lol. Τα παραπάνω είναι απλές θεωρίες βέβαια...
#universe city #universe citizens #radio silence #toulouse #frances Janvier #touladio #February Friday #letters to February

Τίποτα πια δεν με εξέπληττε. Ο Άλεντ και εγώ είχαμε χάσει την ιδιωτικότητά μας, είχαμε ξεχάσει πώς ήταν να ηχογραφούμε τα επεισόδια με την ησυχία μας, εμείς και η κοινή μοναχικότητά μας, στο δωμάτιό του, στο σκοτάδι που προσέφερε η νύχτα.

Τέλος πάντων – κανένα επιχείρημα δεν ήταν ατράνταχτο. Το *Universe City* είχε αρχίσει πριν γνωρίσω την Κάρις, οπότε δεν ήξερα τον Άλεντ, άρα ήταν αδύνατον να είμαι η February Friday.

Και ήξερα ήδη πως η February Friday ήταν ο Ντάνιελ.

Είχε αρχίσει να με ενοχλεί όλη αυτή η κατάσταση.

Αποφάσισα να μη δείξω τα μηνύματα στον Άλεντ. Όχι δηλαδή πως μπορούσε να κάνει κάτι γι' αυτά.

Σκέφτηκα να απαντήσω τουλάχιστον σε ένα, για να σταματήσουν οι ερωτήσεις.

Ανώνυμος είπε:
Οι σκέψεις σου για τις φήμες πως είσαι η February Friday; Xx
Touloser απάντησε:
Δεν είμαι η February Friday. Η όλη σκέψη πίσω από τη February Friday είναι να μην ξέρει κανείς ποια είναι. Γιατί έχουν πάθει όλοι εμμονή και θέλουν να ανακαλύψουν ποιο είναι αυτό το άτομο; Μιλάμε για την προσωπική ζωή του Creator!! Πίστευα πως ένας από τους κανόνες ανάμεσά μας είναι ότι θα σεβόμαστε την προσωπική ζωή του Creator, όχι;; Προφανώς υπάρχει λόγος που θέλει να παραμείνει ανώνυμος. Και δεν ξέρω γιατί πιστεύετε πως είμαι φίλη με τον Creator.
Έχω πάνω από πενήντα μηνύματα που με ρωτάτε αν είμαι η February. Σταματήστε. Απολαύστε το podcast και σταματήστε να με ρωτάτε, δεν έχω τις απαντήσεις.

Ήμουν εξαντλημένη. Ένιωθα πάντα κουρασμένη τις Παρασκευές, αλλά εκείνη τη μέρα η αίσθηση ήταν χειρότερη. Και θυμάμαι πως ήταν χειρότερη επειδή κοιμήθηκα στο τρένο για το σχολείο και είδα όνειρο. Ένα όνειρο για δύο κολλητούς που ζούσαν σε μια σπηλιά από πάγο.

Ο Άλεντ δεν μου είχε στείλει κανένα μήνυμα και ανησυχούσα.

Δεν ήξερα για ποιο πράγμα ακριβώς ανησυχούσα. Δεν ήταν ένα πράγμα, βασικά. Ήταν ένα δισεκατομμύριο μικρά πραγματάκια που ενώνονταν και δημιουργούσαν ένα τσουνάμι ανησυχίας. Και ένιωθα ότι πνιγόμουν.

Τσέκαρα ξανά τις ερωτήσεις πριν χτυπήσει το κουδούνι. Και τότε είδα το μήνυμα:

Ανώνυμος είπε:
Λες ότι «δεν ξέρεις γιατί πιστεύουμε πως είσαι φίλη με τον creator» ενώ έχουμε αποδείξεις πως ο creator είναι ο φίλος σου, ο Άλεντ Λαστ.

ΔΙΑΣΗΜΟΤΗΤΑ ΣΤΟ YOUTUBE

«ΤΡΩΣ ΤΟ ΙΔΙΟ ΦΑΓΗΤΟ για μεσημεριανό κάθε μέρα;»

Σήκωσα το κεφάλι μου από το τοστ ζαμπόν-τυρί. Η Ρέιν Σεν-γκούπτα κάθισε δίπλα μου στο συνηθισμένο μας τραπέζι στην τραπεζαρία του σχολείου. Από τον ένα της ώμο κρεμόταν μια πορτοκαλί σάκα και στο άλλο της χέρι κρατούσε το κινητό. Οι υπόλοιπες φίλες μας δεν είχαν έρθει ακόμη.

«Δεν έχω φαντασία», είπα, «και δεν μου αρέσουν οι αλλαγές».

Κατένευσε σαν να έβρισκε λογική την εξήγησή μου.

«Πώς το ήξερες;» τη ρώτησα.

«Ξεχωρίζεις, ρε φιλενάδα. Κάθεσαι μόνη σου για δέκα λεπτά, πριν έρθουμε εμείς».

«Α». Υπέροχα. «Είναι το ακριβώς αντίθετο από αυτό που ήθελα».

«Δεν είναι έτσι το ιδανικό σου μεσημεριανό, δηλαδή;»

«Προτιμώ να είμαι το αόρατο κορίτσι που τρώει το τοστάκι της με την ηρεμία της».

Γέλασε. «Όλοι αυτό δεν θέλουμε;»

Γέλασα κι εγώ. Άφησε τη σάκα της στο απέναντι σκαμπό. Και από τον ήχο που έβγαλε κατάλαβα πως ζύγιζε όσο τα μισά μου κιλά.

Προσπαθούσα να μη σκέφτομαι το μήνυμα για τον Άλεντ. Από το διάλειμμα είχα να μπω στο Tumblr.

Η Ρέιν στηρίχτηκε με το ένα χέρι στο τραπέζι. «Σκέφτηκα να σου πω ότι έξω από την πύλη του σχολείου έγινε ένας μικρός πανικός με τον Άλεντ Λαστ».

«Τι έγινε, λέει;»

«Ναι... Νομίζω πως ήρθε για να βρεθεί με τον Ντάνιελ και να φάνε μαζί και... τον έχει περικυκλώσει πολύς κόσμος».

Άφησα κάτω το τοστ μου.

«Τι πράγμα;» είπα.

«Του κάνουν ερωτήσεις για το *Universe City*. Μάλλον θα ήταν καλό να πας προς τα εκεί να δεις τι τρέχει. Προτού τον φάνε».

Σηκώθηκα αμέσως. «Θεέ μου, ναι, εντάξει. Ναι».

«Δεν ήξερα πως είστε τόσο καλοί φίλοι», είπε και έβγαλε το τάπερ με το φαγητό της από τη σάκα. «Εκπλήσσομαι».

«Γιατί;» ρώτησα, αλλά εκείνη σήκωσε απλώς τους ώμους.

Η στολή για τα έτη 7 έως 11 είναι μαύρη και κίτρινη, με αποτέλεσμα ο Άλεντ να μοιάζει λες και δεχόταν επίθεση από μεγαλόσωμες μέλισσες.

Γύρω στους δεκαπέντε εφήβους τον είχαν στριμώξει έξω από την πύλη του σχολείου και του έκαναν ερωτήσεις λες και ήταν διάσημος. Ένα αγόρι τον έβγαζε φωτογραφίες με το κινητό. Μια παρέα κοριτσιών του έβδομου έτους χαχάνιζαν κάθε φορά που έλεγε κάτι. Ένα αγόρι του έβδομου έτους έκανε ασταμάτητες ερωτήσεις, όπως «πώς γίνεσαι διασημότητα στο YouTube;», «πώς θα αποκτήσω περισσότερους followers στο Instagram;» και «θα με ακολουθήσεις στο Twitter;»

Σταμάτησα μερικά βήματα μακριά από το πλήθος.

Πώς το έμαθαν;

Πώς ήξεραν ότι εκείνος ήταν το Radio Silence;

Δεν θέλαμε να συμβεί κάτι τέτοιο.

Δεν *ήθελε* να συμβεί κάτι τέτοιο.

Ο Άλεντ επιτέλους μας είδε.

Είχε κουρευτεί. Και έδειχνε κάπως νορμάλ.

Φορούσε πουλόβερ και τζιν παντελόνι.

Έμοιαζε δυστυχισμένος.

«Εσύ το έκανες;» με ρώτησε, παρόλο που δεν μπορούσα να τον ακούσω. Διάβασα τα χείλη του. Δεν μπορούσα να τον ακούσω και είχα νευριάσει τόσο πολύ που ήθελα να σπρώξω και να φωνάξω σε όσους είχαν μαζευτεί, να τους πω να τον αφήσουν ήσυχο.

«Εσύ τους το είπες;!»

Φαινόταν *νευριασμένος.*

Και απογοητευμένος.

Κι εγώ θα ήμουν απογοητευμένη μαζί μου, παρόλο που δεν το είχα κάνει. Δεν είχα προδώσει *εγώ* το μεγαλύτερο μυστικό του.

«ΛΟΙΠΟΝ, ΠΑΙΔΙΑ».

Φώναξα προτού προλάβω να συγκρατηθώ.

Οι έφηβοι γύρισαν, με είδαν και κάπως ηρέμησαν.

«Δεν ξέρω τι ακριβώς νομίζετε πως κάνετε, αλλά δεν επιτρέπεται να βρίσκεστε εκτός σχολείου, παρά μόνο αν είστε τελειόφοιτοι και, αφού δεν είστε, θα σας συμβούλευα να μπείτε ξανά μέσα στο σχολείο».

Όλοι έμειναν αποσβολωμένοι.

Προσπάθησα να τους κοιτάξω όλους αυστηρά. «*Τώρα.* Μπορεί να μην είμαι πρόεδρος πια, αλλά η Αφολαγιάν με ακούει».

Και έπιασε. Έπιασε, ευτυχώς.

Δεν ξέρω αν το ξέρετε, αλλά αν είσαι μαθητής δυσκολεύεσαι να αναγκάσεις τους υπόλοιπους μαθητές να σε ακούσουν.

Οι έφηβοι διαλύθηκαν και άφησαν τον Άλεντ και εμένα μόνους έξω από την πύλη. Ο Άλεντ με κοίταζε λες και δεν με αναγνώριζε.

Μάλλον δεν έμοιαζα με τον εαυτό μου. Φορούσα τη σχολική μου στολή και φώναζα στους μαθητές.

Άρχισε να κουνάει αμήχανα το κεφάλι. Έμοιαζε έκπληκτος.

«*Τι συμβαίνει;*» Η φωνή του Ντάνιελ έσπασε τη σιωπή μας. Γύρισα και τον είδα να προχωράει προς το μέρος μας.

«Έμαθαν...» Ένιωθα τη φωνή μου να σπάει. «Έμαθαν πως ο Άλεντ είναι ο Creator. Όλοι τους».

«Εσύ το έκανες;» με ρώτησε ο Άλεντ ξανά, σαν να μην ήταν μπροστά μας ο Ντάνιελ.

«*Όχι*, Άλεντ, στ' ορκίζ...»

«Δεν καταλαβαίνω», είπε ο Άλεντ έτοιμος να βάλει τα κλάματα. «Έπρεπε... έπρεπε να μείνει μυστικό. Είσαι σίγουρη πως δεν τους το είπες εσύ; Ίσως κατά λάθος...»

«*Όχι*, με ρώτησαν, αλλά δεν είπα τίποτα, *σ' το ορκίζομαι*».

Ο Άλεντ κούνησε πάλι το κεφάλι του, αλλά μάλλον όχι σε μένα.

«Αυτό ήταν», είπε.

«Τι;» ρώτησα.

«Το τέλος. Η μαμά μου θα το μάθει και θα με αναγκάσει να σταματήσω».

«*Για μισό*. Γιατί να σε σταματήσει;»

«Τελείωσαν όλα», είπε σαν να μη με είχε ακούσει και τα μάτια του θόλωσαν. «Πάω σπίτι». Έκανε μεταβολή και άρχισε να προχωράει με τον Ντάνιελ από πίσω του και δεν είχα ιδέα αν με πίστευε ή όχι.

ΕΙΝΑΙ ΠΙΟ ΕΥΚΟΛΟ ΝΑ ΛΕΣ ΨΕΜΑΤΑ ΣΤΟ ΙΝΤΕΡΝΕΤ

ΕΙΝΑΙ ΠΙΟ ΕΥΚΟΛΟ να λες ψέματα στο Ίντερνετ.

touloser

Ακούστε, παιδιά... ο Άλεντ Λαστ δεν είναι ο Creator. Ναι, ο Άλεντ Λαστ είναι φίλος μου, αλλά αυτό δεν σημαίνει κάτι. ο Creator είναι κάποιος που γνωρίζω από το Ίντερνετ μόνο. και για άλλη μια φορά, δεν είμαι η February Friday. σταματήστε να γίνεστε stalkers του Άλεντ, σταματήστε να ποστάρετε φωτογραφίες του. σταματήστε να στέλνετε ενοχλητικά μηνύματα στον Creator. ο Άλεντ είναι ένας καλός μου φίλος και του κάνετε κακό. τα λέμε
#στον διάολο οι φήμες #χαλαρώστε λιγάκι #μακάρι να μην μαθαίνατε ποια είμαι #universe city #universe citizens #radio silence #touloser

Δεν ξέρω γιατί δεν το είχα πει στην Τζες ή σε άλλους.

Αμέσως με γέμισαν με μηνύματα που ισχυρίζονταν πως έλεγα ψέματα.

Ανώνυμος είπε:
lol ξέρουμε πως λες ψέματα

Ανώνυμος είπε:
Τι ακριβώς ήθελες να μας πεις με το τελευταίο σου post lmao;;

Ανώνυμος είπε:
ΤΩΡΑ λες ψέματα.

Δεν ήξερα πώς καταλάβαιναν ότι έλεγα ψέματα μέχρι που έστειλα μήνυμα στον Άλεντ με το link της ανάρτησης.

Μου απάντησε σχεδόν αμέσως.

Άλεντ Λαστ
άσχημο αυτό, ξέρουν ότι είμαι ο creator

Φράνσις Ζανβιέρ
Πώς;;; Αφού δεν έχουν αποδείξεις

Και μου έστειλε ένα link σε μια άλλη ανάρτηση στο Tumblr.

universe-city-analysis-blog
Άλεντ Λαστ = Creator;
Πολλά λέγονται σήμερα στο hashtag του UC για το αν ένας έφηβος από το Κεντ της Αγγλίας ονόματι «Άλεντ Λαστ» είναι η φωνή του Creator του Universe City. Είπα να μαζέψω ό,τι στοιχεία έχουμε, τα περισσότερα μέσω της καλλιτέχνιδας

Φράνσις Ζανβιέρ (touloser) και πιστεύω πως μπορούμε να καταλήξουμε σε ένα ασφαλές συμπέρασμα.

- Γνωστοί της Φράνσις touloser (που φτιάχνει τα σκίτσα του UC και κάνει τη φωνή της Τουλούζ) έχουν επιβεβαιώσει πως ήρθε κοντά με τον Άλεντ το περασμένο καλοκαίρι – τους έχουν δει να κάνουν παρέα στο χωριό τους και έχουν ανεβάσει κοινές φωτογραφίες στο Facebook. Κάπου τότε άρχισαν οι θεωρίες σχετικά με τον Άλεντ Λαστ.
- Όταν κάποιος (στον έξω κόσμο) είπε στη Φράνσις ότι ο Άλεντ Λαστ είναι ο Creator, εκείνη απάντησε «δεν επιτρέπεται να πω» [πηγή – προφανώς θα πρέπει να βασιστούμε στον λόγο του συγκεκριμένου ατόμου]. Αν ο Άλεντ Λαστ δεν ήταν ο Creator, τότε γιατί απλώς να μην πει ότι δεν είναι;
- Ομοίως, η Φράνσις δεν έχει απαντήσει σε καμία ερώτηση σχετικά με τον Άλεντ Λαστ στο Tumblr και το Twitter της, παρόλο που πολλοί ισχυρίζονται ότι της έχουν στείλει μηνύματα σχετικά με αυτόν. Και πάλι – γιατί η Φράνσις δεν επιβεβαιώνει απλώς πως ο Άλεντ δεν είναι ο Creator;

Προφανώς τίποτα από τα παραπάνω δεν αποδεικνύει πως ο Άλεντ Λαστ είναι ο Creator. Το πειστικότερο στοιχείο όμως προέκυψε τον περασμένο μήνα:

- Το βράδυ του πλέον πασίγνωστου επεισοδίου με το «σχολείο-φάντασμα», δημοσιεύτηκε στο account της Φράνσις στο Twitter, @touloser, μια θολή φωτογραφία ενός ζευγαριού λαχανί παπουτσιών, με τη λεζάντα «δείτε εδώ το Radio» [σύνδεσμος]. Μπορείτε να δείτε τον Άλεντ Λαστ να φοράει τα συγκεκριμένα παπούτσια σε διάφορες φωτογραφίες του, στο προσωπικό του profile στο Facebook:

- [φωτογραφία]
- [φωτογραφία]
- [φωτογραφία]

- Τα παπούτσια αυτά είναι ένα παλιό μοντέλο των κλασικών Vans, τα οποία δεν κυκλοφορούν εδώ και χρόνια [πηγή]. Από το Facebook του Άλεντ μαθαίνουμε ότι τα έχει εδώ και τρία με τέσσερα χρόνια. Προφανώς και πρόκειται για σπάνια παπούτσια, μια και οι περισσότεροι λογικά τα έχουν πετάξει – ελάχιστοι φορούν τα ίδια παπούτσια για τόσα χρόνια.
- Επιπλέον, σε διάφορα στιγμιότυπα του εν λόγω επεισοδίου, διακρίνεται μια ξανθιά μορφή με μακριά μαλλιά, η οποία μοιάζει με ορισμένες φωτογραφίες του Άλεντ:

- [φωτογραφία]
- [στιγμιότυπο]
- [στιγμιότυπο]

Φυσικά, ο καθένας μπορεί να βγάλει τα δικά του συμπεράσματα. Αλλά για εμένα, είναι σχεδόν σίγουρο πως ο Άλεντ Λαστ είναι ο Creator του Universe City.

Η ανάρτηση είχε πάνω από δέκα χιλιάδες σχόλια.

Τι αηδιαστικό. Κόσμος που ήξερε τον Άλεντ είχε πάρει

φωτογραφίες από το *ιδιωτικό* προφίλ του στο Facebook. Είχαν ακούσει τη συνομιλία μου με την Τζες και την είχαν *μεταφέρει* με το νι και με το σίγμα. Γιατί; Τι νομίζουν πως είμαι; Διάσημη;

Το χειρότερο; Έλεγαν την αλήθεια.

Ο Άλεντ Λαστ ήταν ο Creator. Είχαν συγκεντρώσει τα στοιχεία και τον είχαν καταλάβει.

Και το φταίξιμο ήταν δικό μου.

Φράνσις Ζανβιέρ

Γαμώτο... λυπάμαι άλεντ, χίλια συγγνώμη

Άλεντ Λαστ

δεν πειράζει

ΧΡΟΝΟΔΙΝΗ

ΣΤΙΣ ΕΞΙ ΤΟ ΑΠΟΓΕΥΜΑ έλαβα ένα μήνυμα στο Facebook από τη Ρέιν:

(18:01) **Λορέιν Σενγκούπτα**
Γεια τι έγινε τελικά με τον Άλεντ;; Όλα καλά;;

(18:03) **Φράνσις Ζανβιέρ**
Όλοι ξέρουν πως είναι ο creator. Το έμαθαν στο tumblr :/

(18:04) **Λορέιν Σενγκούπτα**
Χαλάστηκε;;

(18:04) **Φράνσις Ζανβιέρ**
Πολύ

(18:05) **Λορέιν Σενγκούπτα**
Γιατί;;
Δεν σου φαίνεται σαν να παραπονιέται επειδή έχει

πολλούς followers στο Ίντερνετ lol
Θέλω να του πω «φιλαράκι, τσίλαρε λίγο»

(18:07) **Φράνσις Ζανβιέρ**
Νομίζω ότι ήθελε να διατηρήσει την ανωνυμία του
Θα καταλάβαινες αν άκουγες το podcast, είναι πολύ προσωπικό

(18:09) **Λορέιν Σενγκούπτα**
Ναι αλλά υπάρχουν και χειρότερα από το να γίνεις γνωστός στο Ίντερνετ
lmao

Ήθελα να της πω ότι δεν ήταν αυτό το θέμα.

Τι μου είχε πει ο Άλεντ; Πως η μαμά του θα τον ανάγκαζε να σταματήσει. Μήπως υπερέβαλλε; Ή όντως θα συνέβαινε;

Γιατί να του το κάνει αυτό;

(18:14) **Λορέιν Σενγκούπτα**
Anyway γιατί έχεις πάθει εμμονή με τον ασπρουλιάρη;;
lol

(18:15) **Φράνσις Ζανβιέρ**
Καλά δεν έχω πάθει και εμμονή χαχα
Απλώς μου αρέσει πολύ

(18:16) **Λορέιν Σενγκούπτα**
Θες να τον πηδήξεις δηλαδή;;

(18:16) **Φράνσις Ζανβιέρ**
Ε ΟΧΙ omg
Δεν μπορεί να μου αρέσει ένα αγόρι χωρίς να θέλω να το κάνουμε;

(18:17) **Λορέιν Σενγκούπτα**
Φυσικά lol!!! Απλώς ρωτάω :D
Γιατί σου αρέσει τόσο πολύ;;

(18:18) **Φράνσις Ζανβιέρ**
Μάλλον επειδή δεν νιώθω τόσο περίεργη όταν είμαι μαζί του

(18:18) **Λορέιν Σενγκούπτα**
Γιατί είναι και αυτός περίεργος τύπος;

(18:19) **Φράνσις Ζανβιέρ**
Ναι χαχα

(18:20) **Λορέιν Σενγκούπτα**
Γλυκούλικο
Πάντως είσαι καλή φίλη και μπράβο σου
Αλλά δεν πιστεύω ότι ο άλεντ έχει το δικαίωμα να χαλιέται τόσο...
χαλιέται επειδή είναι διάσημος
Άσε που είναι ένα από τα πιο έξυπνα άτομα στο σχολείο του!! Σε ποιο πανεπιστήμιο πάει; Σε εκείνο που είναι λίγο πιο κάτω από το Όξμπριτζ, σωστά; Να πάει να γαμηθεί!!!

Δεν έχει το δικαίωμα να παραπονιέται για τίποτα. Ζει την τέλεια ζωή. Καλό πανεπιστήμιο, επιτυχημένο κανάλι στο YouTube, γιατί παραπονιέται;; Επειδή του κάνουν ερωτήσεις; Δεν έχω ακούσει πιο ηλίθιο πράγμα. Θα σκότωνα για να είμαι στη θέση του, ζει την τέλεια ζωή

Και πάλι δεν ήξερα τι να πω και ήθελα να τελειώσει εκεί η συζήτηση. Ήθελα να πετάξω ψηλά, να πιαστώ από ένα αεροπλάνο και να εξαφανιστώ κάπου στον ορίζοντα.

(18:24) **Λορέιν Σενγκούπτα**
Ο αγαπημένος σου είναι προβληματικός lmao

(18:24) **Φράνσις Ζανβιέρ**
Χαχα ναι μάλλον

(18:27) **Λορέιν Σενγκούπτα**
ΥΓ Θα έρθεις απόψε στο spoons;;

(18:29) **Φράνσις Ζανβιέρ**
Απόψε;

(18:30) **Λορέιν Σενγκούπτα**
Ναι, θα είναι κυρίως έναν χρόνο μεγαλύτεροι. Το τελευταίο βράδυ πριν πάνε πανεπιστήμιο

(18:32) **Φράνσις Ζανβιέρ**

Δεν ξέρω κανέναν τους
Θα κάθομαι σε μια γωνιά και θα τρώω τα πατατάκια μου

(18:32) **Λορέιν Σενγκούπτα**
Ξέρεις εμένα!! Και ο άλεντ ίσως έρθει

(18:33) **Φράνσις Ζανβιέρ**
Λες;

(18:33) **Λορέιν Σενγκούπτα**
Ίσως... αλλά εγώ θα έρθω σίγουρα!!

Δεν ήθελα να πάω. Ήθελα να μείνω σπίτι, να παραγγείλω πίτσα, να δω επτά επεισόδια του *Parks and Recreation* και να στείλω εβδομήντα μηνύματα στον Άλεντ.

Αλλά θα αισθανόμουν άσχημα αν έλεγα όχι και ήθελα η Ρέιν να με συμπαθήσει, επειδή γενικά δεν με συμπαθεί πολύς κόσμος. Είμαι περίεργη, μόνη μου και χαζή.

«Φράνσις, τι *γαμάτο* μπουφάν».

Η Ρέιν ήταν στο αυτοκίνητό της –ένα μοβ Ford Ka που έμοιαζε έτοιμο να εκραγεί– έξω από το σπίτι μου στις εννιά το βράδυ και με έβλεπε να πλησιάζω. Το μπουφάν μου ήταν μαύρο τζιν και οι στάμπες στα μανίκια έγραφαν «αγοροκόριτσο». Η εμφάνισή μου ήταν απίστευτη (προς το γελοία). Συνήθως όταν έβγαινα με φίλες προσπαθούσα να ντύνομαι πιο φυσιολογικά, αλλά η διάθεσή μου είχε χαλάσει και προσπαθούσα να σκέφτομαι οτιδήποτε άλλο εκτός από το κακό που είχα προκαλέσει στον Άλεντ. Τα ρούχα είναι το παράθυρο στην ψυχή.

«Μήπως εννοείς "τι μαλακία είναι το μπουφάν σου";» της είπα και κάθισα στη θέση του συνοδηγού. «Θα καταλάβαινα την αντίδρασή σου».

«Όχι, δεν ήξερα πως ήσουν τόσο... pop punk. Πίστευα ότι θα έπρεπε να διαφθείρω το νέρντουλο, αλλά... δεν είσαι νέρντουλο, έτσι;»

Μου φαινόταν ειλικρινής.

«Αυτό που βλέπεις είμαι εγώ», απάντησα.

Βλεφάρισε. «Είπες μόλις ατάκα από το *Camp Rock*; Ξέρεις πως δεν είναι τόσο pop punk».

«Πρέπει να ακολουθήσω τον δικό μου δρόμο».

«Λοιπόν, τώρα περνάς σε *High School Musical...*»

Φύγαμε από το χωριό. Η Ρέιν φορούσε λευκά αθλητικά πλατφόρμες, ριγέ κάλτσες που έφταναν μέχρι το γόνατο, γκρι φούστα-μπλούζα και ένα μπουφάν. Έμοιαζε τόσο χαλαρή και κουλ, λες και είχε βγει από τις σελίδες ενός περιοδικού που μπορούσες να το παραγγείλεις μονάχα από το Ίντερνετ.

«Πόσο δεν ήθελες να έρθεις;» ρώτησε η Ρέιν χαμογελώντας καθώς έστριβε. Ήταν ανέλπιστα καλή οδηγός.

«Χαχα τι άλλο έχω να κάνω;» είπα για να μην αναφέρω πως είχα γίνει μουσκίδι στον ιδρώτα από το άγχος που θα πήγαινα ξανά στο Spoons. Θα έρχονταν τόσο πολλοί από το σχολείο μας και άλλοι μεγαλύτεροι που τους γνώριζα ελάχιστα... θα ήταν τόσο αμήχανο όλο αυτό. Θα ήταν εκεί τρομακτικές αντροπαρέες, μάλλον θα έπρεπε να είχα φορέσει κάτι πιο βαρετό, αλλά ο μοναδικός λόγος που πήγαινα, ο μοναδικός λόγος για τον οποίο τα ξαναπερνούσα όλα αυτά ήταν επειδή υπήρχε έστω και μία πιθανότητα να είναι ο Άλεντ εκεί, για να του ζητήσω συγγνώμη και να ξαναγίνουμε φίλοι πριν φύγει αύριο για το πανεπιστήμιο και κάνει ένα σωρό νέους φίλους και με ξεχάσει...

«Ακριβώς», είπε η Ρέιν.

Μπήκαμε στην εθνική οδό. Με το ένα χέρι η Ρέιν άνοιξε το ραδιόφωνο, έβγαλε ένα iPod από την τσέπη και πάτησε τα κουμπιά του. Άρχισε να παίζει μουσική – το iPod της ήταν συνδεδεμένο στο ραδιόφωνο του αυτοκινήτου.

Ηλεκτρονική μουσική. Ντραμς και μπάσα.

«Τι είναι αυτό;» ρώτησα.

«Ο Madeon», απάντησε.

«Ωραίο», είπα.

«Η αγαπημένη μου μουσική για τσάρκες».

«Τσάρκες;»

«Βόλτες με το αυτοκίνητο. Δεν πας βόλτες με το αυτοκίνητο;»

«Δεν οδηγώ. Δεν έχω λεφτά για να πάρω δίπλωμα».

«Βρες καμιά δουλειά τότε, ρε φιλενάδα. Δούλευα σαράντα ώρες την εβδομάδα όλο το καλοκαίρι για να αγοράσω αυτή τη σακαράκα». Χάιδεψε το τιμόνι. «Οι γονείς μου είναι πάμφτωχοι, δεν έπαιζε να μου πάρουν αυτοκίνητο και *είχα ανάγκη* να πάρω ένα. Για να ξεφύγω από το κωλοχώρι».

«Πού δούλευες;»

«Στο Hollister. Σου βγάζουν την ψυχή, αλλά πληρώνουν καλά».

«Μια χαρά».

Η Ρέιν δυνάμωσε τη μουσική. «Αυτός ο Madeon είναι συνομήλικός μου. Νομίζω πως γι' αυτό γουστάρω τόσο πολύ τη μουσική του. Ή μπορεί και να νιώθω ότι δεν έχω κάνει τίποτα στη ζωή μου».

«Είναι σαν να βρίσκεσαι στο διάστημα», είπα. «Ή σε μια πόλη του μέλλοντος όπου όλα είναι μπλε, φοράς ασημένια στολή και από πάνω σου πετάνε διαστημόπλοια».

Με κοίταξε. «Για κοίτα μια κολλημένη με το *Universe City*».

Γέλασα. «Ναι, φανατική».

«Άκουσα μερικά επεισόδια νωρίτερα. Τα πιο πρόσφατα, εκείνα που παίζεις κι εσύ».

«Αλήθεια; Πώς σου φάνηκε;»

«Ωραίο είναι». Το σκέφτηκε λίγο. «Είναι... έχει *κάτι*. Μπορεί οι ιστορίες του να μην είναι υψηλή λογοτεχνία, αλλά οι χαρακτήρες, ο κόσμος και η γλώσσα σε υπνωτίζουν. Ναι, ωραίο είναι».

«Άρα, θα έβαζες ποτέ το Radio με την Τουλούζ να τα 'χουν;» Η σχέση ανάμεσα στο Radio και την Τουλούζ είχε ενταθεί τον τελευταίο καιρό και με έκανε να αισθάνομαι αμήχανα, αφού ουσιαστικά ήμασταν εγώ και ο Άλεντ και πολύς κόσμος πίστευε ότι οι χαρακτήρες συμβόλιζαν υπαρκτά πρόσωπα. Τουλάχιστον τρία παιδιά στο σχολείο με είχαν ρωτήσει αν βγαίνω με το Radio. Και να πεις ότι είχαμε προσπαθήσει να συνδέσουμε ρομαντικά το Radio με την Τουλούζ.

Το σκέφτηκε για λίγο. «Μμμ. Δεν ξέρω. Η σχέση τους δεν είναι τέτοια, όχι; Αν κατέληγαν μαζί, μπράβο τους, αλλά και να μη γίνουν ζευγάρι δεν έγινε και κάτι, δεν θα καταστραφεί η πλοκή. Το podcast δεν έχει τα ρομάντζα στο επίκεντρο».

«Αυτό ακριβώς πιστεύω κι εγώ».

Η μουσική ξαφνικά δυνάμωσε. Η Ρέιν άλλαξε ταχύτητα και πήρε τη δεξιά λωρίδα.

«Μ' αρέσει πολύ», είπα και άγγιξα το ραδιόφωνο.

«Τι λες;» είπε η Ρέιν. Η μουσική ήταν εκκωφαντική.

Γέλασα και κούνησα το κεφάλι. Η Ρέιν μου χαμογέλασε μπερδεμένη. Ελάχιστα τη γνώριζα, αλλά να που περνούσα καλούτσικα μαζί της. Η εθνική απλωνόταν μπροστά μας. Μπλε φώτα που αναβόσβηναν. Έμοιαζε με χρονοδίνη.

Η Ρέιν ήξερε κυριολεκτικά τους πάντες, όλους όσοι είχαν έρθει στο Spoons, κόσμο που είχε τελειώσει το σχολείο πριν τέσσερις μήνες και το έριχναν έξω μια τελευταία φορά προτού φύγουν για το πανεπιστήμιο και σταματήσουν να μιλάνε.

Χρειάστηκα τρεις αμήχανες συζητήσεις για να μου 'ρθει η ανάγκη για αλκοόλ και η Ρέιν μου το παρήγγειλε, μια και ήμουν ακόμη δεκαεπτά. Εκείνη έπινε νερό επειδή θα οδηγούσε, αλλά κάποια στιγμή μου είπε «σταμάτησα να πίνω εδώ και καιρό, γιατί έκανα μαλακίες» και αναρωτήθηκα τι εννοούσε. Κι εγώ θα έπρεπε να σταματήσω να πίνω, αλλά οι αμήχανες συζητήσεις εκείνης της βραδιάς με άτομα που δεν ήξερα νομίζω πως με κατέστρεψαν συναισθηματικά.

Το Spoons ήταν τίγκα. Με είχε φρικάρει ο τόσος κόσμος.

«Η κοπέλα μου κι εγώ θα πηγαίναμε στην Disneyland τον περασμένο μήνα», μου είπε κάποιος ενώ περίμενα το τρίτο ποτό μου. «Αλλά τελικά αποφασίσαμε να κρατήσουμε τα λεφτά μας για τη σχολή, αφού δεν πήραμε κάποια υποτροφία. Και μέχρι να βρω δουλειά, έχω ανάγκη από λεφτά».

«Τι; Αφού νόμιζα πως όλοι έπαιρναν υποτροφίες», είπα.

«*Δάνεια*, ναι, όλοι παίρνουν. Αλλά δεν καλύπτουν ολόκληρο το ενοίκιο, εκτός κι αν ζεις σε τρώγλη. Παίρνεις υποτροφία μόνο αν είσαι φτωχός ή έχεις χωρισμένους γονείς, ξέρω γω».

«Μάλιστα», είπα.

«Ναι, όλοι πίστευαν πως ο πρόεδρος του σχολείου αρρένων θα πάει στο Κέιμπριτζ», είπε μια κοπέλα, ένα μισάωρο αργότερα. Έπινα το τέταρτο ποτό μου καθισμένη σε ένα στρογγυλό τραπέζι, με τη Ρέιν να έχει πιάσει ταυτόχρονη κουβέντα με τέσσερις. Η κοπέλα κούνησε το κεφάλι. «Ήταν ο καλύτερος μαθητής της χρονιάς του από το έβδομο έτος. Κι όμως, δεν πέρασε. Επτά άλλοι πέρασαν, εκείνος όχι. Και όλοι του έλεγαν συνέχεια "μα *σίγουρα* θα περάσεις". Πόσο απαίσιο».

«Πολύ», είπα.

«Αλήθεια, δεν ξέρω τι κάνω», είπε άλλος ένας τύπος που φορούσε τζιν μπουφάν και από κάτω μπλουζάκι των Joy Division. Καθόταν κάπως παράξενα, σαν να ντρεπόταν για κάτι. «Δεν ξέρω πώς πέρασα το πρώτο έτος. Δεν έκανα τίποτα. Και τώρα ξεκινάω το δεύτερο έτος στη σχολή και... βασικά δεν ξέρω πού μου πάνε τα τέσσερα». Με κοίταξε κουρασμένα. «Μακάρι να γύριζα τον χρόνο πίσω και να έκανα τα πάντα διαφορετικά. Μακάρι να γύριζα τον χρόνο πίσω και να άλλαζα τα πάντα... Έκανα μαλακίες... Μεγάλες μαλακίες...»

Από το Spoons περάσαμε στου Johhny R., όπως πάντα, δίχως να καταλάβουμε πότε έγινε. Δεν έχω ιδέα πώς με άφησαν να μπω δίχως να δείξω ταυτότητα, αλλά ξαφνικά βρέθηκα εκεί, στην άκρη του μπαρ, με ένα ποτό που έμοιαζε με νερό, αλλά κρίνοντας από τη γεύση μόνο νερό δεν ήταν.

Στα αριστερά μου ήταν μια κοπέλα που καθόταν εκεί και έκανε ό,τι ακριβώς έκανα κι εγώ – στηριζόταν στο μπαρ με ένα ποτό στο χέρι και κοιτούσε με βλέμμα απλανές τον κόσμο. Με κατάλαβε πως την κοίταζα και γύρισε προς το μέρος μου. Ήταν στερεοτυπικά όμορφη –μεγάλα μάτια, πλατύ στόμα– και είχε τα καλύτερα μαλλιά που είχα δει ποτέ μου. Έφταναν στη μέση της, ήταν βαμμένα σκούρα μοβ και κάποιες τούφες είχαν πάρει μια γκρι-λιλά απόχρωση. Μου θύμιζε τον Άλεντ.

«Είσαι καλά;» με ρώτησε.

«Εμ, ναι», είπα. «Ναι».

«Μου φαίνεσαι κάπως ζαλισμένη».

«Μπα, απλώς βαριέμαι».

«Χαχα κι εγώ».

Σιωπή.

«Στην Ακαδημία πας;» ρώτησα.

«Όχι, όχι, στο πανεπιστήμιο. Πήγαινα στο παλιό σχολείο».

Στο παλιό σχολείο. Έτσι αναφέρονταν στο σχολείο στο οποίο πήγαινα και κάηκε, αναγκάζοντας τους περισσότερους να πάνε στο σχολείο αρρένων.

«Α, κατάλαβα».

Ήπιε μια γουλιά. «Δεν μου αρέσει. Παίζει να τα παρατήσω».

«Τι δεν σ' αρέσει;»

«Η σχολή. Είμαι στο δεύτερο έτος, αλλά...» Έχασε τον ειρμό της. Συνοφρυώθηκα ασυναίσθητα. Γιατί να μην της αρέσει το πανεπιστήμιο;

«Λέω να πάω σπίτι», είπε.

«Δεν είναι οι φίλοι σου εδώ;»

«Ναι, αλλά... δεν ξέρω. Νομίζω πως είμαι λιγάκι... δεν ξέρω».

«Τι;»

«Ερχόμουν παλιά εδώ, αλλά δεν...» Ξαφνικά, έβαλε τα γέλια.

«Τι;» ξαναρώτησα.

«Μια παλιά μου φίλη... μου έλεγε ότι κάποια στιγμή θα το βαρεθώ αυτό το μέρος. Εκείνη δεν ερχόταν όταν πήγαινε στο δέκατο τρίτο έτος και ήμασταν δεκαοκτώ. Μου έλεγε, μπα, άσε, δεν μ' αρέσει και μου έλεγε πως θα το βαριόμουν κι εγώ κάποτε. Και κάθε φορά με πιστόλιαζε». Γέλασε ξανά. «Και είχε δίκιο. Όπως συνήθως».

«Είναι εδώ η φίλη σου;»

Με κοίταξε. «Όχι...»

«Ακούγεται πολύ εντάξει άτομο».

Η κοπέλα χάιδεψε τα μακριά της μαλλιά. Το φως όπως έπεφτε πάνω τους την έκανε να μοιάζει με νεράιδα. «Είναι». Κοίταξε πίσω μου. Στο σκοτάδι δεν μπορούσα να δω τα μάτια της. «Δεν το πιστεύω πως είχε δίκιο απ' την αρχή», νομίζω αυτό είπε αλλά δεν μπορούσα να την ακούσω επειδή η μουσική ήταν δυνατή και πάνω που ετοιμαζόμουν να τη ρωτήσω «τι;» ξανά, σήκωσε τα φρύδια της, μου χαμογέλασε. «Τα λέμε», είπε, παρόλο που δεν την ξαναείδα ποτέ. Εξαφανίστηκε και αναρωτήθηκα αν θα σταματούσα να κάνω παρέα με τον Άλεντ μόλις έφευγε. Αναρωτήθηκα αν μια μέρα θα καθόμουν εγώ σε ένα κλαμπ με ένα ποτό στο χέρι, να βλέπω τις φίλες μου να χορεύουν, διάφορους αγνώστους τριγύρω, με τη μουσική να παίζει στη διαπασών.

Ήπια μονορούφι το ποτό μου.

ΣΥΓΓΝΩΜΗ

«ΦΡΑΝΣΙΣ, ΦΡΑΝΣΙΣ, ΦΡΑΝΣΙΣ, ΦΡΑΝΣΙΣ, ΦΡΑΝΣΙΣ...» Η Ρέιν έτρεξε να με βρει στον τρίτο, όπου έπαιζαν ένα remix του *White Sky* από Vampire Weekend.

Είχα μεθύσει και δεν ήξερα τι έκανα και γιατί. Απλώς το έκανα.

Η Ρέιν κρατούσε ένα πλαστικό κυπελλάκι με διαφανές υγρό και για μια στιγμή πίστεψα ότι ήταν ένα ποτήρι γεμάτο βότκα.

Με είδε να το κοιτάζω. «Νερό είναι, φιλενάδα!» Γέλασε. «Αφού οδηγώ!»

Άρχισε να παίζει το *Teenage Dirtbag.*

Η Ρέιν σήκωσε το χέρι της ψηλά και έδειξε το ταβάνι. «Φιλενάαααααδα! Φράνσις, πρέπει να χορέψουμε».

Γέλασα. Γελούσα συνεχώς, όπως κάθε φορά που μεθούσα. Την ακολούθησα στην πίστα. Ήταν αποπνικτικά και τέσσερις τύποι προσπάθησαν να μου τριφτούν. Ο ένας μου έπιασε τον κώλο και, μια και ήμουν υπερβολικά μεθυσμένη για να κάνω κάτι, η Ρέιν τον έλουσε με το νερό της και εκείνος της φώναξε. Γέλασα. Και η Ρέιν γέλασε. Χόρευα χάλια. Η Ρέιν, πάλι, χόρευε ωραία. Και ήταν όμορφη. Ήμουν μεθυσμένη και αναρωτήθηκα αν ήμουν ερωτευμένη μαζί της και η σκέψη με έκανε να γελάσω. Όχι. Δεν είμαι ερωτευμένη με κανέναν.

Ο Άλεντ εμφανιζόταν και εξαφανιζόταν από μπροστά μου, σαν να τηλεμεταφερόταν στον χώρο. Μπορεί να ήταν ένα υπέροχο πλάσμα, αλλά ούτε με εκείνον ήμουν ερωτευμένη, παρόλο που ήταν όμορφος με τις μπλούζες του και τα όμορφα μαλλιά του είχαν ανακατωθεί από τον ιδρώτα. Αργότερα χόρεψα με τη Μάγια ακούγοντας κάποιο τραγούδι των London Grammar. «Φράνσις, είσαι άλλος άνθρωπος!» μου είπε η Μάγια και είδα τον Άλεντ στη γωνία να μιλάει με κάποιον – προφανώς ήταν ο Ντάνιελ. Ήθελα να μιλήσω στον Άλεντ, ήθελα να φτιάξω τη σχέση μας, αλλά δεν ήξερα πώς, φοβόμουν μην τον κάνω να με σιχαθεί.

Τώρα που ήξερα ότι ο Άλεντ με τον Ντάνιελ ήταν μαζί, άρχισα να παρατηρώ μικροπράγματα που δεν είχα προσέξει νωρίτερα, όπως τον τρόπο που ο Ντάνιελ κοιτούσε τον Άλεντ ενώ μιλούσε, τον τρόπο που τον τραβούσε από το μπράτσο και ο Άλεντ τον ακολουθούσε δίχως δεύτερη σκέψη, τον τρόπο που μιλούσαν και έρχονταν τόσο κοντά, σαν να ετοιμάζονταν να φιληθούν. Τι χαζή που ήμουν.

Η Μάγια, η Τζες και δύο αγόρια, ο Λουκ και ο Τζαμάλ, είχαν γίνει λιώμα και έθαβαν τη Ρέιν ενώ χορεύαμε. Πόσα πράγματα ταυτόχρονα. Την αποκάλεσαν πουτανάκι ή κάτι τέτοιο και την έκαναν να νιώσει αμήχανα. Η Μάγια με κοιτούσε παράξενα όσο μιλούσαν και συνειδητοποίησα πως το έκανε επειδή τις κοιτούσα συνοφρυωμένη.

Εγώ πάλι είχα ακόμη στο μυαλό μου το κορίτσι με τα μοβ μαλλιά και αυτό που είχε πει, ότι ήθελε δηλαδή να παρατήσει το πανεπιστήμιο. Και το σκεφτόμουν επειδή δεν μπορούσα να την καταλάβω, δεν είχα ακούσει ποτέ ξανά κάποιον να λέει κάτι τέτοιο, αλλά και πάλι... *σίγουρα* δεν άρεσε σε όλους το πανεπιστήμιο. Εμένα, πάντως, ήξερα ότι θα μου αρέσει. Άρα δεν είχε σημασία τι έλεγε. Ήμουν η Φράνσις Ζανβιέρ, η μαθήτρια-ρομπότ. Θα πήγαινα στο Κέιμπριτζ, θα έπιανα καλή δουλειά, θα έβγαζα έναν τόνο λεφτά και θα γινόμουν ευτυχισμένη.

Σωστά; Δεν θα ήμουν ευτυχισμένη; Πανεπιστήμιο, δουλειά, λεφτά, ευτυχία. Αυτό πρέπει να κάνεις. Αυτή είναι η συνταγή. Όλοι το ξέρουν. Κι εγώ το ήξερα.

Και μόνο που το σκέφτομαι με πιάνει πονοκέφαλος. Μπορεί, βέβαια, να φταίει η δυνατή μουσική.

Είδα τον Άλεντ με τον Ντάνιελ να πηγαίνουν προς τις σκάλες, οπότε τους ακολούθησα χωρίς να πω στη Ρέιν πού πήγαινα. Δεν έχει πρόβλημα, αφού μιλάει στους πάντες. Δεν ήξερα τι θα έλεγα, αλλά ήξερα ότι έπρεπε να πω κάτι, δεν μπορούσα να τον αφήσω να φύγει έτσι, να με αφήσει μόνη. Ο Ντάνιελ προϋπήρχε, ήταν χαζό να πιστεύω πως ο Άλεντ με θεωρούσε την καλύτερή του φίλη όταν είχε ήδη έναν εδώ και τόσο καιρό, παρόλο που εκείνος ήταν ο πιο πραγματικός και απίθανος φίλος που είχα εγώ σε όλη μου τη ζωή. Και ίσως δεν συναντήσω ποτέ άλλον τόσο γαμάτο όσο εκείνος.

Παραλίγο να τους χάσω μέσα στον κόσμο. Όλοι άρχισαν να μοιάζουν ίδιοι, με τα τζιν παντελόνια, τα φορέματά τους, τα παρόμοια κουρέματα, τα πάνινα παπούτσια τους, τα γυαλιά ηλίου, τα βελούδινα κοκαλάκια, τα τζιν μπουφάν τους. Βγήκα έξω στον χώρο των καπνιστών και δεν το πίστευα πόσο κρύο έκανε, δεν ήταν καλοκαίρι; Όχι, είχε μπει σχεδόν Οκτώβριος. Πώς έγινε αυτό; Έξω ήταν τόσο ήσυχα, τόσο παγερά, τόσο σκοτεινά...

«Α», είπε ο Άλεντ όταν παραλίγο να πέσω πάνω του. Κανείς μας δεν κάπνιζε φυσικά, αλλά μέσα είχε τόση ζέστη που νόμιζα ότι θα λιώσω. Όχι δηλαδή πως θα με χαλούσε αν έλιωνα – θα λύνονταν όλα μου τα προβλήματα.

Ο Άλεντ ήταν μόνος του και κρατούσε το ποτό του. Φορούσε ένα από τα πιο βαρετά κοντομάνικα που είχε και ένα συνηθισμένο skinny τζιν παντελόνι. Και τα *μαλλιά* του... δεν έμοιαζε με τον Άλεντ που ήξερα. Ήθελα να τον αγκαλιάσω, λες και έτσι θα τον μεταμόρφωνα στον κανονικό του εαυτό. Ήταν σκοτεινά, είχε κόσμο, όλα τα παγκάκια ήταν πιασμένα. Από την πόρτα του Johhny R. ακουγόταν ένα ρεμίξ του *Chocolate* των 1975 και ήθελα να μου γυρίσουν τα μάτια ανάποδα.

«Συγγνώμη», είπα αμέσως, αν και η συγγνώμη μου ακούστηκε τόσο *παιδιάστικη*. «Αλήθεια, Άλεντ, είμαι... Δεν έχω λόγια για το πόσο...»

«Δεν πειράζει», είπε ανέκφραστος. Προφανώς και έλεγε ψέματα. «Απλώς δεν το περίμενα. Δεν πειράζει».

Δεν έμοιαζε με άνθρωπο που *απλώς δεν το περίμενε.*

Έμοιαζε σαν να ήθελε να πεθάνει.

«*Πειράζει.* Πειράζει. Δεν ήθελες να το μάθει κανείς και τώρα το ξέρουν όλοι. Και η μαμά σου... είπες ότι θα σε αναγκάσει να το σταματήσεις...»

Στεκόταν όρθιος με τα πόδια σταυρωμένα. Δεν φορούσε τα λαχανί παπούτσια του αλλά κάτι λευκά που δεν είχα ξαναδεί.

Κούνησε συγκαταβατικά το κεφάλι του. «Δεν... δεν καταλαβαίνω γιατί *δεν* τους είπες *ψέματα.* Δεν καταλαβαίνω γιατί δεν μπορούσες να πεις ότι όχι, δεν είμαι ο creator όταν σε ρωτούσαν».

«Δεν...» Δεν ήξερα γιατί δεν είχα πει ψέματα. Αφού έλεγα συνέχεια ψέματα. Υποκρινόμουν πως είμαι ένα άλλο άτομο με το που πατούσα το πόδι μου στο σχολείο. Όχι... η Φράνσις «του σχολείου» δεν ήταν *ψεύτικη*, αλλά... Δεν ξέρω... «Σ... συγγνώμη».

«Ναι, καλά, *το ξέρω αυτό*», μου είπε απότομα ο Άλεντ. Πολύ απότομα.

Ήθελα να είναι καλά. Ήθελα να ήταν όλα καλά ανάμεσά μας.

«Είσαι καλά;» τον ρώτησα.

Με κοίταξε.

«Μια χαρά», απάντησε.

«Όχι», είπα.

«Τι;»

«*Είσαι* καλά;» τον ξαναρώτησα.

«*Είπα ότι είμαι μια χαρά!*» Ύψωσε τον τόνο της φωνής του σε σημείο που με έκανε σχεδόν να πισωπατήσω. «Ό,τι έγινε έγινε. Δεν μπορούμε να το αλλάξουμε οπότε σταμάτα να το κάνεις μεγαλύτερο θέμα!»

«Αφού για εσένα είναι σοβαρό...»

«Δεν έχει σημασία», είπε και ένιωσα ότι θα γινόμουν θρύψαλα και θα με έπαιρνε ο άνεμος. «Σιγά το πράμα, δεν αξίζει να χαλάς τη διάθεσή σου για κάτι τέτοιο, δεν έχει σημασία».

«Μα *είσαι* ταραγμένος».

«Σταμάτα να μιλάς γι' αυτό!» Φώναξε *πιο* δυνατά, σχεδόν πανικόβλητος.

«Είσαι ο καλύτερος φίλος μου», είπα ξανά.

«Δεν έχεις άλλα προβλήματα να ασχοληθείς;» μου πέταξε.

«Όχι». Γέλασα ξανά, ενώ ήθελα να κλάψω. «Όχι, η ζωή μου είναι μια χαρά, βαρετή και ξέγνοιαστη. Τίποτα δεν συμβαίνει. Παίρνω καλούς βαθμούς, έχω μια καλή οικογένεια, μέχρι εκεί. Δεν έχω κανέναν λόγο να παραπονιέμαι. Δεν επιτρέπεται να νοιάζομαι για τα προβλήματα του φίλου μου;»

«Και η δική μου ζωή είναι *μια χαρά*», είπε βραχνά.

«Καλά!» είπα ή ίσως το φώναξα. Ίσως ήμουν πιο μεθυσμένη απ' όσο νόμιζα. «Καλά, καλά, καλά. Όλα είναι καλά. *Κι εμείς, μεταξύ μας, είμαστε καλά!*»

Ο Άλεντ έκανε πίσω σαν να *πληγώθηκε* και ήξερα πως είχα κάνει κάποιο λάθος *ξανά*. Γιατί είμαι τόσο χαζή;

«Τι νομίζεις ότι κάνεις;» είπε πιο δυνατά. «Γιατί έχεις πάθει τέτοια εμμονή μαζί μου;»

Αυτό ήταν μαχαίρι στην καρδιά.

«Εγώ... θέλω να σε ακούσω!»

«Δεν χρειάζεται να με ακούσεις! Δεν θέλω να πω τίποτα! Σταμάτα να με *ενοχλείς*!»

Αυτό ήταν.

Δεν θα μου έλεγε τίποτα.

Δεν ήθελε.

«Γιατί... γιατί το έκανες;» είπε και τα χέρια του σφίχτηκαν σε γροθιές.

«Τι έκανα;»

«*Είπες σε όλους πως είμαι ο Creator!*»

Κούνησα σαν τρελή το κεφάλι μου. «Σ' το ορκίζομαι δεν...»

«Λες *ψέματα*!»

«Τι... τι...»

Με πλησίασε και άρχισα να κάνω πίσω. Λογικά είχε πιει, αλλά κι εγώ ήμουν μεθυσμένη, οπότε δεν είμαι σίγουρη.

«Ήθελες... ήθελες να με χρησιμοποιήσεις για να γίνεις διάσημη, έτσι δεν είναι;»

Δεν μπορούσα να μιλήσω.

«Σταμάτα να υποκρίνεσαι πως νοιάζεσαι για μένα!» μου φώναζε. Ο κόσμος άρχισε να μας κοιτάζει. «Νοιάζεσαι μόνο για το *Universe City!* Είσαι άλλη μια παλαβή φαν που προσπαθεί να με αποκαλύψει και να μου πάρει μέσα από τα χέρια το *μοναδικό πράγμα* για το οποίο νοιάζομαι! Δεν ξέρω καν ποια είσαι στ' αλήθεια, αφού συμπεριφέρεσαι συνέχεια τόσο διαφορετικά. Το είχες σχεδιάσει από την αρχή, έλεγες ψέματα πως ήθελες να κάνουμε παρέα, πως δεν σε ενδιέφερε η φήμη και όλες αυτές οι μαλακίες...»

«Τι; Ό...όχι...» Ο νους μου άδειασε. «Δεν είναι αλήθεια!»

«Τότε, τι;! Γιατί είσαι τόσο εμμονική μαζί μου;»

«Συγγνώμη», είπα παρόλο που δεν ξέρω αν βγήκε από μέσα μου η λέξη.

«Σταμάτα να ζητάς συγγνώμη!» Το πρόσωπο του Άλεντ είχε παραμορφωθεί. Τα μάτια του είχαν βουρκώσει. «Σταμάτα να λες ψέματα! Κατάφερες ξανά να φτιάξεις μια ψευδαίσθηση, όπως τότε με την Κάρις!»

Μου ήρθε να κάνω εμετό.

«Εγώ είμαι ο αντικαταστάτης της! Έχεις *εμμονή* μαζί μου, όπως είχες και με την Κάρις και κατάφερες να διαλύσεις το μοναδικό πράγμα που είχα δικό μου, το μοναδικό καλό πράγμα στη ζωή μου, όπως κατάφερες να γαμήσεις και τη ζωή της Κάρις. Μη μου πεις ότι με γουστάρεις, κιόλας».

«Δεν... Εγώ... Δεν σε γουστάρω...»

«Τότε τι δουλειά είχες στο σπίτι μου κάθε μέρα;» Ήταν λες και κάποιος άλλος μιλούσε μέσω εκείνου. Με πλησίασε ξανά, εξοργισμένος. «Παραδέξου το!»

Η φωνή μου έβγαινε στριγκή. «Δεν σε γουστάρω!»

Με πιστεύεις; σκέφτηκα. *Με πιστεύει κανείς;* Σκεφτόμουν πως μάλλον ήμουν η μόνη που με πίστευε.

«Τότε, *τι στον πούτσο θες; Γιατί μου το κάνεις αυτό;*»

Δάκρυα άρχισαν να τρέχουν στα μάγουλά μου. «Κατά... κατά λάθος...»

Ο Άλεντ έκανε πίσω. «Εσύ η ίδια μου είπες ότι *εξαιτίας σου έφυγε* η Κάρις».

Το ξεστόμισε τόσο δυνατά, που έκανα πίσω ξανά και έβαλα τα κλάματα. Πόσο σιχαινόμουν τον εαυτό μου, με σιχαινόμουν τόσο πολύ, συγγνώμη, συγγνώμη, συγγνώμη, συγγνώμη, συγγνώμη...

Προτού καταλάβω τι συμβαίνει, ο Ντάνιελ βρέθηκε μπροστά μου, σχεδόν με έσπρωξε. «Φύγε από δω, Φράνσις, άσ' τον ήσυχο», είπε. Και τότε η Ρέιν μπήκε μπροστά του. «Για μαζέψου, φιλαράκο! Πώς της μιλάς έτσι;» και ξαφνικά άρχισαν να ουρλιάζουν, αλλά δεν καταλάβαινα τι έλεγαν, μέχρι που άκουσα τη Ρέιν να λέει «*δεν σου ανήκει*». Έφυγαν κι εγώ βρέθηκα έξω από το κλαμπ. Κάθισα στην άκρη του πεζοδρομίου, σε μια προσπάθεια να σταματήσω να κλαίω, αλλά δεν έλεγα να σταματήσω.

«Αχ, ρε Φράνσις».

«Συγγνώμη, συγγνώμη, συγγνώμη, συγγνώμη...»

«Δεν έκανες τίποτα, ρε Φράνσις!»

«Έκανα, τα έκανα πάλι θάλασσα...»

«Δεν φταις εσύ».

«Εγώ φταίω, μόνο εγώ φταίω».

«Δεν είναι δα και κάτι σημαντικό, θα του περάσει, στο υπόσχομαι».

«Όχι... δεν λέω μόνο γι' αυτό. Και για την Κάρις εγώ φταίω. Η Κάρις... εγώ φταίω που εξαφανίστηκε... και κανείς δεν ξέρει πού είναι, ο Άλεντ έμεινε μόνος με τη μαμά του και φταίω εγώ γι' αυτό...»

Ξαφνικά, βρέθηκα να κάθομαι σε ένα παγκάκι με το κεφάλι μου στον ώμο της Ρέιν. Έβγαλε το κινητό της, έβαλε να παίζει μουσική και ήταν λες και η μουσική έβγαινε από το χέρι της, αλλά τα ηχεία του κινητού ήταν απαίσια. Η μουσική μόνο σαν μουσική δεν ακουγόταν, περισσότερο ήταν σαν παράσιτα στο ραδιόφωνο ενός αυτοκινήτου που έτρεχε στην εθνική στις δύο τα ξημερώματα και ένας τύπος τραγουδούσε *I can lay inside.* Και η μουσική έπαιζε στο σκοτάδι του ουρανού, έπαιζε και μαζί μου. Ένιωθα μεθυσμένη, το μυαλό μου είχε θολώσει και δεν θυμάμαι τι ήθελα να πω.

3. ΦΘΙΝΟΠΩΡΙΝΟ ΤΡΙΜΗΝΟ

β)

BULLETS

- ΤΗΝ ΕΠΟΜΕΝΗ ΜΕΡΑ έστειλα μήνυμα στον Άλεντ, στο κινητό του. Έπειτα, του έστειλα στο Facebook. Μετά, τον πήρα τηλέφωνο. Καμία απάντηση. Στις επτά παρά τέταρτο το βράδυ βγήκα από το σπίτι με σκοπό να του χτυπήσω την πόρτα, αλλά το αυτοκίνητο της μητέρας του έλειπε. Το ίδιο και εκείνος.
- Το Σαββατοκύριακο του έστειλα μια μακροσκελή συγγνώμη στο Facebook. Ένιωθα αξιοθρήνητη όταν την έγραφα και το ίδιο ένιωσα όταν την ξαναδιάβασα. Ενώ την έγραφα, συνειδητοποίησα ότι δεν μπορούσα να κάνω τίποτα για να βελτιώσω την κατάσταση. Μάλλον είχα χάσει τον μοναδικό πραγματικό φίλο που είχα ποτέ σε ολόκληρη τη ζωή μου.
- Η συμπεριφορά μου για τον υπόλοιπο Οκτώβριο ήταν πιο αξιοθρήνητη από όσο θα μπορούσα ποτέ να φανταστώ. Έκλαιγα καθημερινά, δεν μπορούσα να κοιμηθώ και θύμωνα με τον εαυτό μου για όλα αυτά. Πήρα μερικά κιλά, αλλά δεν με ένοιαζε. Ποτέ δεν ήμουν λεπτή έτσι κι αλλιώς.
- Ο Οκτώβριος ήταν γεμάτος εργασίες. Περνούσα τα περισσότερα βράδια μου διαβάζοντας. Είχα να κάνω άπειρες

εργασίες στα Καλλιτεχνικά και *κάθε εβδομάδα* μας έβαζαν να γράφουμε εκθέσεις. Προσπαθούσα να διαβάσω βιβλία για τη συνέντευξή μου στο Κέιμπριτζ, αλλά δεν κατάφερνα να συγκεντρωθώ. Παρ' όλα αυτά, ακόμα και με το ζόρι, τα διάβασα. Ήταν οι *Ιστορίες του Κάντενμπερι*, το *Γιοι και Εραστές* και το *Για ποιον χτυπάει η καμπάνα*. Αν δεν περνούσα στο Κέιμπριτζ, όλος ο κόπος μου θα πήγαινε στράφι.

- Ένα απόγευμα είδα τον Άλεντ να έρχεται από τον σταθμό σέρνοντας μια βαλίτσα – λογικά είχε έρθει για το Σαββατοκύριακο. Παραλίγο να βγω και να τον χαιρετήσω αλλά, αν ήθελε να ξαναγίνουμε φίλοι, θα είχε απαντήσει στα μηνύματά μου. Ήθελα να μάθω τις εντυπώσεις του από το πανεπιστήμιο – τον είχαν κάνει tag σε μερικές φωτογραφίες μαζί με άλλους πρωτοετείς την εβδομάδα υποδοχής. Χαμογελούσε, έπινε και φορούσε ένα κομψό σακάκι. Δεν ήξερα αν έπρεπε να νιώσω χαρούμενη ή θλιμμένη, αλλά κοιτάζοντας τις φωτογραφίες ένιωθα απαίσια.
- Προφανώς σταμάτησα να κάνω τη φωνή της Τουλούζ στο *Universe City* και σταμάτησα να σχεδιάζω τα σκίτσα. Ο Άλεντ άλλαξε την ιστορία και η Τουλούζ ξαφνικά εξαφανίστηκε από την πόλη. Στενοχωρήθηκα, γιατί ήταν σαν να είχε εξαφανίσει και εμένα.
- Μου έστειλαν άπειρα μηνύματα στο Tumblr για να ρωτήσουν γιατί συνέβη αυτό. Τους είπα πως αυτή ήταν η πλοκή – η ιστορία της Τουλούζ είχε κάνει τον κύκλο της.
- Μου έστειλαν άπειρα μηνύματα στο Tumblr για να ρωτήσουν γιατί ξαφνικά είχα σταματήσει να φτιάχνω τα σκίτσα στα βίντεο του *Universe City* και γιατί δεν είχα ανεβάσει

τώρα τελευταία νέες ζωγραφιές. Είπα ότι ήμουν αγχωμένη με το σχολείο και χρειαζόμουν ένα διάλειμμα.

- Μου έστειλαν άπειρα μηνύματα.
- Έφτασα στο τσακ να διαγράψω το account μου στο Tumblr, τελικά δεν το έκανα, κι έτσι απλώς προσπαθούσα να κρατηθώ μακριά από το Tumblr.
- Την πρώτη Νοεμβρίου έκλεισα τα δεκαοκτώ. Περίμενα ότι θα ένιωθα διαφορετικά τώρα που ενηλικιωνόμουν. Φυσικά, κάτι τέτοιο δεν έγινε. Έμαθα ότι η ενηλικίωση και η ωριμότητα είναι καταστάσεις που δεν σχετίζονται με την ηλικία.

Η ΦΡΑΝΣΙΣ «ΤΟΥ ΣΧΟΛΕΙΟΥ»

«ΡΕ ΦΡΑΝΣΙΣ, ΓΙΑΤΙ ΕΧΕΙΣ *ΚΑΤΣΟΥΦΙΑΣΕΙ*;» ρώτησε η Μάγια γελώντας. «Τι τρέχει;»

Κάθε μέρα που περνούσα τρώγοντας μεσημεριανό με τις «φίλες» μου με έφερνε ένα βήμα πιο κοντά στο να μαζέψω τα μπογαλάκια μου, να φύγω και να πάω με auto stop μέχρι την Ουαλία.

Οι φίλες μου δεν ήταν κακές. Απλώς ήταν φίλες με τη Φράνσις «του σχολείου» –τη χαμηλών τόνων και μελετηρή Φράνσις– αντί για την πραγματική Φράνσις – που της αρέσουν τα memes, φοράει παρδαλά κολάν και είναι έτοιμη να καταρρεύσει. Επειδή η Φράνσις «του σχολείου» ήταν βαρετή, δεν τους άρεσε να της μιλούν, ούτε νοιάζονταν για το πώς ένιωθε. Συνειδητοποιούσα πως η προσωπικότητα της Φράνσις «του σχολείου» ήταν από αδιάφορη έως ανύπαρκτη, έτσι δεν κρατούσα κακία σε όποιους την κορόιδευαν. Ήταν αρχές του Νοέμβρη και μου ήταν τρομερά δύσκολο να φοράω το πετσί της Φράνσις «του σχολείου».

Χαμογέλασα στη Μάγια. «Χαχα, καλά είμαι μωρέ, λίγο αγχωμένη μόνο».

Το «λίγο αγχωμένη» είχε αποκτήσει σιγά σιγά την ίδια σημασία με το «καλά».

«Αχ, *κι εγώ*», είπε και άρχισε να μιλάει σε κάποια άλλη.

Η Ρέιν γύρισε σε εμένα. Καθόταν πάντα δίπλα μου όταν τρώγαμε και ένιωθα ευγνωμοσύνη γι' αυτό, ήταν το μοναδικό άτομο με το οποίο μιλούσαμε για ουσιαστικά ζητήματα.

«Σίγουρα είσαι καλά;» είπε με τόνο λιγότερο συγκαταβατικό από της Μάγια. «Φαίνεσαι κάπως άρρωστη».

Γέλασα. «Να 'σαι καλά».

Μου χαμογέλασε. «Όχι! Βασικά – όχου, θέλω να πω ότι δεν είσαι ο εαυτός σου».

«Χαχα. Δεν ξέρω ποιος είναι ο εαυτός μου».

«Είσαι ακόμη σπασμένη με τον Άλεντ;»

Το είπε τόσο στεγνά, που παραλίγο να ξαναγελάσω. «Εν μέρει ναι... Δεν απαντάει στα μηνύματά μου...»

Η Ρέιν με παρατήρησε για λίγο.

«Τι μαλάκας που είναι», είπε με αποτέλεσμα να χαχανίσω νευρικά.

«Γιατί τον θεωρείς μαλάκα;»

«Αν δεν μπορεί να σκεφτεί λογικά για να δει πως είσαι φίλη του, τότε τι νόημα έχει να προσπαθείς; Προφανώς δεν νοιάζεται αρκετά για σένα, δεν δίνει αξία στη σχέση σας. Άρα, ούτε εσύ θα έπρεπε να νοιάζεσαι». Κούνησε το κεφάλι. «Δεν έχεις ανάγκη από τέτοιους φίλους».

Ήξερα πως τα πράγματα ήταν πιο περίπλοκα και ήξερα πως εγώ έφταιγα για όλα και δεν μου άξιζε καμία συμπόνια, αλλά και πάλι χάρηκα που η Ρέιν μου τα είπε.

«Ναι, μάλλον», είπα.

Με αγκάλιασε και συνειδητοποίησα πως ήταν η πρώτη φορά που το έκανε. Την αγκάλιασα κι εγώ, όσο μπορούσα δηλαδή.

«Σου αξίζουν καλύτεροι φίλοι», είπε. «Είσαι ένας άγγελος».

Δεν ήξερα τι να πω ή τι να σκεφτώ. Την αγκάλιασα και δεν είπα τίποτα περισσότερο.

ΟΛΥΜΠΙΟΝΙΚΗΣ

«ΦΡΑΝΣΙΣ, πότε έχεις τις συνεντεύξεις στο Κέιμπριτζ;»

Περνούσα έξω από την πόρτα των παρασκηνίων στον διάδρομο του σχολείου όταν μου μίλησε ο Ντάνιελ. Δεν μου είχε ξαναμιλήσει από τον Σεπτέμβριο. Στεκόταν δίπλα στην αυλαία μαζί με έναν Ολυμπιονίκη των Χειμερινών Αγώνων, ο οποίος είχε έρθει για να μιλήσει στους μαθητές των ετών 7, 8 και 9.

Ο Ντάνιελ προφανώς και είχε λόγους για να είναι θυμωμένος μαζί μου και, αφού δεν ήμουν πια πρόεδρος, εγώ δεν είχα λόγους να του μιλάω. Επομένως, δεν ήταν έκπληξη το γεγονός ότι απέφευγε να με κοιτάξει όταν συναντιόμασταν στους διαδρόμους.

Δεν είχα να πάω κάπου, έτσι μπήκα στα παρασκήνια. Άλλωστε, δεν ήταν αγενής ο τρόπος που έθεσε την ερώτηση.

«Στις 10 Δεκεμβρίου», είπα. Ήταν μέσα Νοεμβρίου, οπότε είχα ακόμα μερικές εβδομάδες. Ακόμη δεν είχα διαβάσει όλα όσα είχα πει ότι θα διάβαζα στη συνοδευτική μου επιστολή. Δεν είχα τον χρόνο να προετοιμαστώ για τις συνεντεύξεις και παράλληλα να ασχοληθώ με τα μαθήματά μου.

«Α», είπε. «Κι εγώ».

Μου φαινόταν διαφορετικός από την τελευταία φορά που του είχα μιλήσει. Νομίζω πως τα μαλλιά του είχαν μακρύνει κάπως, αλλά δεν ήμουν σίγουρη, μια και τα χτένιζε προς τα πίσω κάθε μέρα.

«Πώς πάει;» τον ρώτησα. «Είσαι έτοιμος; Ξέρεις τα πάντα για... για τα βακτήρια και... τους σκελετούς;»

«Βακτήρια και σκελετοί...»

«Ε ναι, δεν ξέρω τι κάνετε στη βιολογία».

«Έδωσες βιολογία για το GCSE σου όμως».

Σταύρωσα τα χέρια. «Ο πυρήνας είναι το εργοστάσιο παραγωγής ενέργειας του κυττάρου. Η κυτταρική μεμβράνη – τι κάνει πάλι αυτή; Ελπίζω να ξέρεις τι κάνει γιατί μπορεί να σε ρωτήσουν».

«Μάλλον δεν θα με ρωτήσουν τι κάνει η κυτταρική μεμβράνη».

«Και τι θα σε ρωτήσουν;»

Με παρατήρησε. «Και να σου έλεγα, δεν θα καταλάβαινες».

«Τότε ευτυχώς που δεν θέλω να σπουδάσω βιολογία».

«Ακριβώς».

Ξαφνικά πρόσεξα πως βρισκόταν και η Ρέιν μαζί μας στα παρασκήνια. Ανέκρινε τον Ολυμπιονίκη και σχεδόν τον λυπόμουν – πρέπει να μας περνούσε ελάχιστα χρόνια και για αθλητής φαινόταν υπερβολικά φύτουκλας και νευρικός. Ήταν πανύψηλος, με τεράστια γυαλιά μυωπίας και τζιν που του έπεφτε περίεργα. Μάλλον τον είχε πιάσει πανικός που θα έπρεπε να μιλήσει για ένα εικοσάλεπτο σε τρεις τάξεις και η Ρέιν δεν έκανε την κατάσταση καλύτερη. Πήγαινε στο παλιό σχολείο του Άλεντ και είχε έρθει να μας μιλήσει για τις επιτυχίες και τα κατορθώματά του.

Ο Ντάνιελ με είδε να την κοιτάζω και γύρισε τα μάτια του ανάποδα. «Ήθελε να τον συναντήσει».

«Μάλιστα».

«Λοιπόν, άκου», συνέχισε ο Ντάνιελ και με κοίταξε κατάματα. «Θέλω να με πάει κάποιος στο Κέιμπριτζ».

«Θες να σε πάει;...»

«Ναι. Οι γονείς μου δουλεύουν και εγώ δεν έχω τα χρήματα για να πάω στο Κέιμπριτζ μόνος».

«Δεν μπορούν να σου αγοράσουν οι δικοί σου εισιτήριο για το τρένο;»

Έσφιξε τα δόντια σαν να μην ήθελε να πει αυτό που ετοιμαζόταν να πει.

«Οι γονείς μου δεν μου δίνουν χρήματα», είπε. «Και αναγκάστηκα να παραιτηθώ από τη δουλειά μου για να τα βγάλω πέρα με τα μαθήματα».

«Δεν σου δίνουν χρήματα ούτε για να πας στη *συνέντευξη;*»

«Δεν το θεωρούν σημαντικό». Κούνησε ελαφρώς το κεφάλι. «Δεν πιστεύουν ότι χρειάζεται να μπω στο πανεπιστήμιο. Ο μπαμπάς μου θέλει να δουλέψω στο μαγαζί του... έχει μαγαζί με ηλεκτρικά...» Η φωνή του χάθηκε.

Έμεινα να τον κοιτάζω. Άρχισα να τον λυπάμαι.

«Θα πάρω το τρένο», είπα. «Η μαμά μου δουλεύει».

Ο Ντάνιελ ένευσε και χαμήλωσε το βλέμμα. «Α, εντάξει. Δεν πειράζει».

Η Ρέιν έσκυψε από την καρέκλα όπου καθόταν. Ο Ολυμπιονίκης φάνηκε ανακουφισμένος.

«Θα σας πάω εγώ με το αμάξι. Αν θέλετε».

«Τι;» είπα εγώ.

«Τι;» είπε και ο Ντάνιελ.

«Θα σας πάω εγώ». Η Ρέιν χαμογέλασε πλατιά και στήριξε το πηγούνι στο χέρι της. «Στο Κέιμπριτζ».

«Έχεις σχολείο», είπε ο Ντάνιελ.

«Και λοιπόν;»

«Δηλαδή... θα κάνεις κοπάνα;»

Σήκωσε τους ώμους. «Θα φέρω ψεύτικο σημείωμα από τους γονείς μου. Πιάνει κάθε φορά».

Ο Ντάνιελ βρισκόταν σε δίλημμα. Το έβρισκα ακόμα τόσο παράξενο που ο Ντάνιελ είχε μεθύσει και είχε ανοίξει την καρδιά του σε μια κοπέλα με την οποία δεν είχε τίποτα κοινό. Ίσως, βέβαια, για αυτόν ακριβώς τον λόγο το έκανε.

«Εντάξει», είπε προσπαθώντας χωρίς επιτυχία να κρύψει τον ενοχλημένο τόνο στη φωνή του. «Ωραία. Θα μας βόλευε απίστευτα».

«Ναι, ευχαριστώ», της είπα κι εγώ. «Είσαι πολύ καλή!»

Ακολούθησε μια αμήχανη σιωπή για μερικά δευτερόλεπτα, έπειτα μια καθηγήτρια έκανε νόημα στον Ντάνιελ από την άλλη άκρη της σκηνής να έρθει και να παρουσιάσει τον Ολυμπιονίκη, ο Ντάνιελ τον παρουσίασε, ο Ολυμπιονίκης ανέβηκε στη σκηνή και ο Ντάνιελ κατέβηκε.

Δεν είπαμε τίποτα όσο ο Ολυμπιονίκης μιλούσε. Για να είμαι ειλικρινής, δεν ήταν καλός ομιλητής – έχανε συνεχώς το κεντρικό θέμα της ομιλίας του. Υποτίθεται θα έπρεπε να εμπνεύσει τους μαθητές να διαβάζουν και να μιλήσει για το πώς είναι να ακολουθείς καριέρα αθλητή. Φαινόταν ότι είχε αυτοπεποίθηση, πράγμα απαραίτητο, αλλά είπε διάφορα που δεν έπρεπε να πει, όπως «δεν μου ταίριαζε πολύ το πανεπιστήμιο» και «ένιωθα ξένος στο σχολείο» και «δεν πιστεύω ότι οι βαθμοί που παίρνουμε στα διαγωνίσματα θα πρέπει να καθορίζουν τις ζωές μας».

Αφού τελείωσε, ο Ντάνιελ κι εγώ του χαμογελάσαμε και τον ευχαριστήσαμε που ήρθε. Εκείνος μας ρώτησε αν τα πήγε καλά και, προφανώς, του είπαμε ναι. Έπειτα, τον πήρε μια καθηγήτρια μαζί της. Εγώ κι ο Ντάνιελ κατευθυνθήκαμε στην αίθουσα αναψυχής.

Καθώς περπατούσαμε στον διάδρομο, τον ρώτησα αν βλέπει καθόλου τον Άλεντ.

«Έχεις μάθει για εμάς, ε;» είπε και με κοίταξε.

«Ναι», του απάντησα.

«Δεν μου μιλάει πια», μου είπε.

«Γιατί;»

«Δεν ξέρω. Μια μέρα απλώς σταμάτησε να μου απαντάει στα μηνύματα».

«Έτσι απλά;»

Κοντοστάθηκε και για μια στιγμή μου φάνηκε ότι το βάρος της όλης κατάστασης θα τον έλιωνε. «Τσακωθήκαμε στα γενέθλιά του».

«Γιατί;»

Δεν ξέρω γιατί εκπλησσόμουν. Οι άνθρωποι προχωρούν τις ζωές τους πιο γρήγορα από όσο πίστευα. Σε ξεχνούν μέσα σε μερικές μέρες, ανεβάζουν στο Facebook νέες φωτογραφίες και δεν διαβάζουν τα μηνύματά σου. Προχωρούν και σε κάνουν πέρα, επειδή κάνεις περισσότερα λάθη από όσα έπρεπε. Ίσως έτσι πρέπει να γίνεται. Ποια είμαι εγώ για να κρίνω;

«Δεν έχει σημασία», μου είπε.

«Ούτε σε εμένα μιλάει», του είπα.

Και μετά από αυτό δεν είπαμε τίποτα άλλο.

ΔΙΑΣΤΗΜΑ

«ΠΗΓΕ ΑΡΓΑ, ΔΕΝ ΝΟΜΙΖΕΙΣ, ΦΡΑΝΣΙΣ;» είπε η μαμά όπως ήρθε στο σαλόνι κρατώντας ένα φλιτζάνι τσάι.

Την κοίταξα από το λάπτοπ μου. Κάθε κίνηση μου έφερνε πονοκέφαλο. «Τι ώρα είναι;»

«Δώδεκα και μισή». Κάθισε στον καναπέ. «Μη μου πεις ότι διαβάζεις ακόμη. Διαβάζεις κάθε βράδυ όλη τη βδομάδα».

«Πρέπει να τελειώσω αυτή την παράγραφο».

«Πρέπει να ξυπνήσεις σε έξι ώρες».

«Σε ένα λεπτό τελειώνω».

Ήπιε το τσάι της. «Αυτό κάνεις συνέχεια. Να γιατί σε πιάνουν τα ψυχοσωματικά σου».

Ένιωθα κάτι παράξενους πόνους στα πλευρά κάθε φορά που καθόμουν σε μια συγκεκριμένη στάση. Μερικές φορές ένιωθα λες και πάθαινα μια πολύ αργή καρδιακή προσβολή, οπότε προσπαθούσα να μην το σκέφτομαι και πολύ.

«Νομίζω ότι πρέπει να πας για ύπνο», είπε.

«Δεν γίνεται!» είπα πιο δυνατά απ' όσο ήθελα. «Αλήθεια, δεν μπορώ. Δεν καταλαβαίνεις. Πρέπει να παραδώσω αύριο την πρώτη ώρα, οπότε πρέπει να το τελειώσω τώρα».

Η μαμά με παρατήρησε σιωπηλή.

«Τι λες να πάμε σινεμά το Σαββατοκύριακο;» πρότεινε. «Να κάνεις ένα διάλειμμα από τα διαβάσματα; Έχει βγει μια ωραία ταινία για το διάστημα».

«Δεν έχω χρόνο. Ίσως αφού δώσω τις συνεντεύξεις».

Κατένευσε. «Καλά». Σηκώθηκε. «Καλά». Έφυγε από το δωμάτιο.

Ολοκλήρωσα την έκθεση στη μία τα ξημερώματα και πήγα για ύπνο. Σκέφτηκα να ακούσω το νέο επεισόδιο του *Universe City*, δεν είχα προλάβει ακόμη, αλλά τελικά ήμουν τόσο κουρασμένη που δεν είχα διάθεση. Έτσι, ξάπλωσα και περίμενα να με πάρει ο ύπνος.

ΔΙΑΔΙΚΤΥΑΚΟ ΜΙΣΟΣ

ΕΔΩ ΚΑΙ ΕΒΔΟΜΑΔΕΣ απέφευγα να μπαίνω στο Tumblr. Εκεί με περίμεναν άπειρα μηνύματα που με ρωτούσαν γιατί δεν είχα ανεβάσει τίποτα και η υπενθύμιση πως δεν είχα ζωγραφίσει απολύτως τίποτα για πάνω από έναν μήνα.

Και οι φαν με τρόμαζαν. Δεν θα πω ψέματα.

Τώρα που όλοι ήξεραν ποιος ήταν ο Άλεντ Λαστ, στο tag του *Universe City* ανέβαινε ξανά και ξανά κάθε φωτογραφία του Άλεντ που έβρισκαν οι φαν. Βέβαια δεν υπήρχαν πολλές. Κάνα δυο που είχαν κλέψει από το προφίλ του στο Facebook, μια που πήραν από τη σελίδα του Johhny R. επίσης στο Facebook, μια θολή έξω από τη σχολή του. Αυτές. Ευτυχώς, αφού μερικοί χρήστες σχολίασαν πως όλο αυτό που γινόταν ήταν μια αηδιαστική παραβίαση της ιδιωτικής ζωής ενός ατόμου που ήθελε να παραμείνει ανώνυμο, οι περισσότεροι σταμάτησαν να τις ανεβάζουν.

Πάντως κανείς δεν ήξερε τίποτα για εκείνον. Δεν ήξεραν πόσων ετών ήταν, πού έμενε, τι σπούδαζε στο πανεπιστήμιο. Ο Άλεντ δεν επιβεβαίωσε τίποτα στο Twitter – εξακολουθούσε να αγνοεί τα πάντα, σαν να μην είχε γίνει τίποτα. Και, σταδιακά, όλοι σταμάτησαν να ασχολούνται μαζί του και άρχισαν να μιλούν ξανά για το *Universe City*. Σαν να μην είχε συμβεί τίποτα.

Γενικά άρχισα να πιστεύω ότι τα πράγματα δεν ήταν τόσο άσχημα όσο πιστεύαμε.

Μέχρι το τέλος Νοεμβρίου.

Τότε ήταν που τα πάντα πήραν τη χειρότερη δυνατή τροπή.

Η πρώτη ανάρτηση που κυκλοφόρησε ήταν μια νέα φωτογραφία του Άλεντ.

Καθόταν σε ένα πέτρινο παγκάκι, μάλλον σε μια πλατεία. Δεν είχα ξαναπάει στην πόλη όπου βρισκόταν το πανεπιστήμιο του Άλεντ, αλλά υπέθεσα πως εκεί βρισκόταν. Στο ένα χέρι του κρατούσε μια σακούλα του σούπερ μάρκετ και κοιτούσε το κινητό του. Αναρωτήθηκα σε ποιον να έστελνε μήνυμα.

Τα μαλλιά του είχαν μεγαλώσει ξανά και του έπεφταν στα μάτια. Έμοιαζε με τον Άλεντ που είχα γνωρίσει τον περασμένο Μάιο.

Η φωτογραφία δεν είχε λεζάντα και η σελίδα στην οποία είχε ανέβει είχε απενεργοποιημένα τα σχόλια, έτσι ο μόνος τρόπος για να κρίνουν οι υπόλοιποι φαν το άτομο που ανέβασε τη φωτογραφία ήταν αναπαράγοντάς τη. Αυτό έκαναν και μέσα σε μερικές ημέρες η φωτογραφία είχε αναδημοσιευθεί είκοσι χιλιάδες φορές.

Η δεύτερη ανάρτηση δεν έγινε καν σε σελίδα που αφορούσε το *Universe City*.

troylerphandoms23756

λοιπόν, άκουσα το «Universe City» επειδή το πρότεινε

ο phil αλλά… το βρίσκει μήπως κανείς άλλος *τέρμα* ελιτίστικο; Πολύ προνομιούχος αυτός που το έχει δημιουργήσει. Το podcast είναι ουσιαστικά μια μεταφορά του συγγραφέα για να μας πει πόσο χάλια είναι το εκπαιδευτικό σύστημα, σωστά; Υπάρχει κόσμος που πεινάει σε χώρες του τρίτου κόσμου για να σπουδάζουμε εμείς lmao… Αφού το «Universe City» = «university», πανεπιστήμιο… δεν χρειάζεται να είσαι μάντης για να το καταλάβεις lol

Δεκάδες blog του *Universe City* το αναδημοσίευσαν για να σχολιάσουν και παραλίγο να σχολιάσω κι εγώ – τι γελοία ανάρτηση. Βέβαια, ο Άλεντ *πράγματι* είχε πει ότι δεν ήθελε να πάει στο πανεπιστήμιο. Όχι; Ή μήπως αστειευόταν;

Και τότε ήρθε και η τρίτη ανάρτηση από το ίδιο άτομο που είχε ανεβάσει τη φωτογραφία του Άλεντ από την πλατεία.

Ανέβασε άλλη μία φωτογραφία του Άλεντ. Ήταν σκοτεινή και φαινόταν να ξεκλειδώνει μια πόρτα. Οι λέξεις «Σεντ Τζονς Κόλετζ» φαίνονταν καθαρά στον τοίχο του κτιρίου.

Κάτι που σήμαινε ότι όσοι την είδαν ήξεραν και πού ζούσε ο Άλεντ.

Αυτή τη φορά, υπήρχε λεζάντα κάτω από τη φωτογραφία:

youngadultmachine

θα σκοτώσω τον άλεντ λαστ το προνομιούχο γουρούνι που κάνει μαλακίες, η εκπαίδευση είναι προνόμιο και ΔΕΝ έχει το δικαίωμα να κάνει τα παιδιά να αμφισβητούν τον Δρόμο που πρέπει να πάρουν στη ζωή. Κάνει πλύση εγκεφάλου στα παιδιά.

Το στομάχι μου σφίχτηκε καθώς το διάβαζα.

Δεν σοβαρολογούσε, έτσι;

Δεν μπορούσα να ξέρω αν το άτομο που τα είχε γράψει αυτά ήταν και εκείνο που είχε τραβήξει τη φωτογραφία.

Δεν ήξερα τι να σκεφτώ.

Μίσος. Διαδικτυακό μίσος.

Το *Universe City* ήταν απλώς μια ιστορία – μια μαγική ιστορία επιστημονικής φαντασίας που μία φορά την εβδομάδα μου χάριζε είκοσι λεπτά ευτυχίας. Δεν υπήρχε κάποιο βαθύτερο νόημα σε όλο αυτό. Αν είχε, ο Άλεντ θα μου το είχε πει.

Σωστά;

UNIVERSE CITY: Επ. 140 – καλά

UniverseCity 96.231 views

πιστεύετε ότι είναι αστείο;

Δείτε παρακάτω για την απομαγνητοφώνηση >>>

[...]

Αναρωτιέμαι γιατί με ακούτε! Συντονίζεστε στη συχνότητα αυτή κάθε βδομάδα για να ακούσετε μια αστεία ιστορία με το χαζο-Radio και τους φίλους του που αντιμετωπίζουν κάποιο τέρας και λύνουν το μυστήριο, λες και είναι η συμμορία του Scooby Doo από τον εικοστό έκτο αιώνα; Σας βλέπω. Γελάτε, ενώ εμείς εδώ αργοπεθαίνουμε από τα καυσαέρια της πόλης, δολοφονούμαστε στον ύπνο μας. Πάω στοίχημα πως μπορείτε να έρθετε σε επαφή μαζί μας, αλλά δεν κάνετε τον κόπο. Ακούτε καθόλου τι λέω;

Είστε ίδιοι με όλους όσους ήξερα στον παλιό κόσμο. Βαριέστε να κάνετε το οτιδήποτε.

[...]

GUY DENNING

«ΦΡΑΝΣΙΣ... Θα σε συμβούλευα να μην κολλάς το πρόσωπό σου στο θρανίο όταν χρησιμοποιώ χένα», είπε η Ρέιν ενώ κάναμε Καλλιτεχνικά. Ήταν αρχές Δεκεμβρίου. Αντέγραφα ένα πορτρέτο του Guy Denning με κάρβουνο – είχα ως θέμα την απομόνωση. Εκείνη έβαφε με χένα ένα σκελετικό χέρι από παπιέ μασέ – είχε ως θέμα τον ρατσισμό που βίωναν οι Ινδοί στη Βρετανία.

Ανακάθισα και άγγιξα το πρόσωπό μου. «Βάφτηκα;»

Η Ρέιν με κοίταξε συγκεντρωμένη. «Όχι, όλα καλά».

«Ευτυχώς».

«Τι τρέχει;»

«Έχω πονοκέφαλο».

«Ξανά; Φιλενάδα, πήγαινε σε γιατρό».

«Από το άγχος είναι. Και την έλλειψη ύπνου».

«Ποτέ δεν ξέρεις. Παίζει να έχεις όγκο στον εγκέφαλο».

Μόρφασα. «Κάνε μου τη χάρη, μη λες για όγκους στον εγκέφαλο. Είμαι υποχόνδρια».

«Ή ένα ανεύρυσμα που θα σκάσει οποιαδήποτε στιγμή».

«Σταμάτα, σε παρακαλώ».

«Πώς τα πάνε οι κυρίες εδώ;» Η καθηγήτρια των Καλλιτεχνικών, η κυρία Γκαρσία, ήρθε πάνω από το θρανίο μας εντελώς ξαφνικά. Τρόμαξα και παραλίγο να μουτζουρώσω τη ζωγραφιά μου.

«Όλα καλά», είπα.

Παρατήρησε το έργο μου και κάθισε στο σκαμπό δίπλα μου. «Πολύ καλά πας».

«Ευχαριστώ!»

Άγγιξε το χαρτί με το δάχτυλο. «Είσαι πολύ καλή στο να αντιγράφεις, διατηρώντας όμως το δικό σου στιλ. Δεν ζωγραφίζεις φωτογραφικά – τα μεταφράζεις σε κάτι νέο. Τα κάνεις δικά σου».

Ένιωσα χαρούμενη. «Σας ευχαριστώ...»

Με κοίταξε μέσα από τα τετράγωνα γυαλιά της και τύλιξε πιο σφιχτά το σώμα της στη μάλλινη ζακέτα της. «Τι θα ήθελες να σπουδάσεις, Φράνσις;»

«Αγγλική Φιλολογία».

«Αλήθεια;»

Γέλασα. «Τόσο πολύ σας εκπλήσσει;»

Έσκυψε πάνω από το θρανίο. «Δεν ήξερα πως σε ενδιέφερε τόσο. Πίστευα ότι θα σπούδαζες κάτι πιο πρακτικό».

«Α... σαν τι, δηλαδή;»

«Πάντοτε πίστευα ότι θα περνούσες στην Καλών Τεχνών. Ίσως κάνω λάθος, αλλά μου φαίνεται πως σου αρέσει».

«Ναι, όντως...» Κόμπιασα. Δεν είχα σκεφτεί να περάσω στην Καλών Τεχνών. Πάντα μου άρεσε να ζωγραφίζω, αλλά η σκέψη να το σπουδάσω κιόλας... Το πτυχίο θα μου ήταν άχρηστο, όχι; Ποιο το νόημα, όταν έπαιρνα καλούς βαθμούς σε πιο χρήσιμα μαθήματα; Θα χαράμιζα το μέλλον μου. «Όμως δεν μπορώ να επιλέξω τι θα σπουδάσω με βάση τι *μου αρέσει*».

Η κυρία Γκαρσία σήκωσε τα φρύδια της. «Μάλιστα».

«Αφήστε που έχω ήδη κάνει τις αιτήσεις μου. Την επόμενη εβδομάδα έχω συνεντεύξεις στο Κέιμπριτζ».

«Ναι, βέβαια».

Ακολούθησε μια αμήχανη σιωπή. Έπειτα σηκώθηκε. «Συνεχίστε έτσι, κορίτσια», είπε πριν απομακρυνθεί.

Λοξοκοίταξα τη Ρέιν, αλλά ήταν αφοσιωμένη στο χρωμάτισμα. Δεν θα έκανε αίτηση σε κάποια σχολή, προς μεγάλη απογοήτευση του σχολείου μας – θα έκανε αίτηση για πρακτική άσκηση σε επιχειρήσεις. Ήθελα να τη ρωτήσω τη γνώμη της, αλλά δεν ήξερε πόσο σημαντικό κομμάτι της ζωής μου ήταν η ζωγραφική, επομένως δεν θα μπορούσε να με βοηθήσει.

Κοίταξα το πορτρέτο που αντέγραφα. Ήταν το μουτζουρωμένο πρόσωπο ενός κοριτσιού με τα μάτια κλειστά. Αναρωτήθηκα αν ο Guy Denning είχε πάει στο πανεπιστήμιο, μια και ήταν ένας από τους αγαπημένους μου καλλιτέχνες και αποφάσισα να το ψάξω αφού γυρίσω σπίτι.

Σύμφωνα με τη Wikipedia, είχε κάνει αίτηση σε κάμποσες σχολές Καλών Τεχνών και όλες τον είχαν απορρίψει.

ΠΑΤΑ ΤΟ PLAY

ΤΡΕΙΣ ΜΕΡΕΣ ΠΡΙΝ ΤΙΣ ΣΥΝΕΝΤΕΥΞΕΙΣ ΜΟΥ στο Κέιμπριτζ, συνειδητοποίησα ότι δεν είχα ακούσει ούτε ένα επεισόδιο του *Universe City* εδώ και τρεις εβδομάδες. Δεν είχα μπει στο Twitter του Άλεντ. Δεν είχα μπει στο Tumblr. Δεν είχα κάνει ούτε μία ζωγραφιά.

Δεν πείραζε και τόσο. Ωστόσο με έκανε να αισθάνομαι παράξενα. Πίστευα πως μου άρεσαν όλα αυτά αλλά τελικά, βαθιά μέσα μου, ίσως να ήμουν αφοσιωμένη στην εκπαίδευση. Μπορεί να εξερευνούσα την προσωπικότητά μου, όμως μάλλον έκανα κύκλους. Κάθε φορά που πίστευα ότι ανακάλυπτα κάτι που μου άρεσε, άρχιζα να αμφιβάλλω για τον εαυτό μου. Ίσως και να μην μου άρεσε τίποτα τελικά.

Ο Άλεντ κι εγώ ήμασταν καλοί φίλοι· δεν θα μπορούσε να το είχε υποκριθεί. Αποφάσισε να δώσει τέλος στη φιλία μας και να μη μου ξαναμιλήσει. Εγώ, λοιπόν, γιατί έπρεπε να στενοχωρηθώ; Εκείνος έκανε λάθος. Δεν είχε το δικαίωμα να μου κρατάει κακία. Εγώ ήμουν αυτή που θα επέστρεφε στον άλλο της εαυτό, στη Φράνσις «του σχολείου», τη χαμηλών τόνων, βαρετή, αγχωμένη, κουρασμένη Φράνσις «του σχολείου». Εκείνος περνούσε καταπληκτικά στο πανεπιστήμιο κι εγώ κοιμόμουν ένα πεντάωρο τα βράδια και μιλούσα με το πολύ δύο άτομα καθημερινά.

Έβαλα να ακούσω ένα επεισόδιο του *Universe City*, αλλά δεν κατάφερα να πατήσω το play. Είχα διάβασμα, που ήταν πιο σημαντικό, οπότε δεν άκουσα το επεισόδιο.

UNIVERSE CITY: Επ. 114 – ημέρα του τίποτα

UniverseCity 85.927 views

Σήμερα δεν έκανα τίποτα

Δείτε παρακάτω για την απομαγνητοφώνηση >>>

[…]

Κάθε εβδομάδα συμβαίνει κάτι και αγχώνομαι. Η αλήθεια είναι, φιλαράκο, ότι μερικές φορές δεν έχω τι να πω. Μερικές φορές ίσως υπερβάλλω, μόνο και μόνο για να πω κάτι συναρπαστικό. Θυμάσαι τότε που σου είπα ότι καβάλησα το BOT22 μέχρι την πλατεία Λέφτλι; Ε, λοιπόν, ψέματα είπα. Ένα BOT18 καβάλησα. Είπα ψέματα. Ξεδιάντροπα ψέματα. Και λυπάμαι.

Μερικές φορές νιώθω κι εγώ σαν ένα BOT18. Γέρικος και σκουριασμένος, πονεμένος και νυσταλέος. Περιπλανιέμαι στην πόλη χαμένος, κόβω κύκλους ολομόναχος. Στην καρδιά μου δεν έχει απομείνει ούτε ένα γρανάζι. Στο μυαλό μου δεν τρέχει κανένας κώδικας. Με κυβερνάει η κινητική ενέργεια, προχωράω επειδή με σπρώχνουν εξωτερικές δυνάμεις – ο ήχος, το φως, τα κύματα σκόνης, οι σεισμοί. Είμαι τελείως χαμένος, φίλοι μου. Δεν το βλέπετε;

Θα ήθελα να με σώσει κάποιος. Και σύντομα. Πόσο θα το ήθελα. Θα το ήθελα. Αχ, πόσο θα το ήθελα.

[…]

ΠΟΥ ΑΛΛΟΥ ΜΠΟΡΟΥΣΕΣ ΝΑ ΠΑΣ

ΣΤΙΣ ΕΝΝΕΑ ΤΟ ΠΡΩΙ ΤΗΣ ΜΕΡΑΣ που θα έδινα τις συνεντεύξεις μου στο Κέιμπριτζ, η Ρέιν έφτασε έξω από το σπίτι μου με το μοβ Ford Ka της. Μου έστειλε «ΥΟ, ΕΙΜΑΙ ΑΠ' ΕΞΩ» και της απάντησα «τώρα βγαίνω», παρόλο που δεν είχα την παραμικρή διάθεση να βγω από την πόρτα.

Στην τσάντα μου είχα τις δύο εκθέσεις που είχα υποβάλει, ώστε να τις μελετήσω στη διαδρομή. Είχα πάρει μαζί μου και ένα μπουκάλι νερό, ένα κουτάκι καραμέλες, είχα κατεβάσει μερικά επεισόδια του *Universe City* στο iPod για να χαλαρώσω και στο μικρό τσεπάκι της τσάντας είχα το μήνυμα που μου είχε αφήσει για καλή τύχη η μαμά μου κάτω από μια εκτυπωμένη φωτογραφία της Beyoncé. Πριν πάει στη δουλειά, με είχε κάνει μια σφιχτή αγκαλιά και μου είχε πει να της στέλνω μηνύματα και να της τηλεφωνήσω αμέσως μετά τις συνεντεύξεις. Με είχε βοηθήσει να αισθανθώ καλύτερα.

Φορούσα ρούχα που πιστεύω ισορροπούσαν ανάμεσα στο «είμαι μια ώριμη, καλλιεργημένη και ευφυής νεαρή» και στο «δεν πιστεύω ότι αυτά που φοράω σήμερα θα επηρεάσουν την απόφασή σας», δηλαδή στενό τζιν παντελόνι, μια απλή μαύρη μπλούζα και από κάτω της ένα πράσινο καρό πουκάμισο. Κανονικά δεν θα φορούσα ποτέ τέτοια ρούχα, αλλά πίστευα ότι με αυτά φαινόμουν ξύπνια, ενώ παράλληλα διατηρούσα τον εαυτό μου.

Βασικά, ένιωθα τέρμα άβολα. Μάλλον εξαιτίας του άγχους.

Η Ρέιν με ακολούθησε με το βλέμμα της καθώς πλησίαζα το αυτοκίνητό της.

«Φράνσις, τι βαρετά ρούχα είναι αυτά που φοράς;» είπε με το που κάθισα μπροστά.

«Τέλεια», είπα. «Δεν θέλω να τους τρομάξω».

«Ήλπιζα ότι θα έβαζες παρδαλά κολάν. Ή το μαύρο τζιν μπουφάν σου».

«Δεν νομίζω πως φοράνε τέτοια στο Κέιμπριτζ».

Γελάσαμε και οι δύο δυνατά και φύγαμε για το σπίτι του Ντάνιελ.

Ο Ντάνιελ έμενε στο μέσο του χωριού απέναντι από ένα σούπερ μάρκετ, σε μια μονοκατοικία που δεν είχε γκαράζ. Πήρε στη Ρέιν ένα γεμάτο τρίλεπτο για να βρει μια θέση να παρκάρει.

Έστειλα μήνυμα στον Ντάνιελ –είχα τον αριθμό του– και, όταν βγήκε από το σπίτι, φορούσε τη σχολική του στολή.

Βγήκα για να μπει πίσω. «Βλέπω έβαλες τη στολή».

Με κοίταξε από την κορυφή μέχρι τα νύχια. «Νόμιζα πως αυτή φορούσαν όλοι».

«Αλήθεια;»

Σήκωσε τους ώμους. «Έτσι νόμιζα. Αλλά μπορεί να κάνω και λάθος». Μπήκε στο αμάξι. Το άγχος μου για σήμερα τριπλασιάστηκε.

«Ρε συ Ντάνιελ, δεν βοηθάς», είπε η Ρέιν και έκανε μια θεατρινίστικη γκριμάτσα. «Ήδη έχουμε αγχωθεί».

«Και εσύ;» γέλασε ο Ντάνιελ καθώς ξαναμπήκα μέσα. «Αφού εσύ δεν έχεις συνέντευξη. Θα καθίσεις σε κάποιο καφέ για ένα εξάωρο και θα παίζεις *Candy Crush*».

«Α, για να σου πω, αγχώνομαι και για τους δυο σας. Κι αν θες να ξέρεις, έκοψα το *Candy Crush* δύο μήνες πριν».

Γέλασα ξανά και, για πρώτη φορά από τότε που κανονίσαμε να πάμε μαζί, αισθάνθηκα όμορφα που δεν θα αναγκαζόμουν να πάω μόνη.

Η διαδρομή μέχρι το Κέιμπριτζ διήρκησε περίπου δυόμιση ώρες. Ο Ντάνιελ καθόταν πίσω με τα ακουστικά του και δεν μας μιλούσε καθόλου. Δεν τον αδικούσα. Κάθε δίλεπτο το στομάχι μου έκανε συσπάσεις, είχα συνέχεια την αίσθηση ότι ήθελα να ξεράσω.

Ούτε η Ρέιν μού μιλούσε πολύ, ευτυχώς δηλαδή. Με άφησε να διαλέξω μουσική από το iPod της. Έβαλα κάτι remix των Bon Iver και διάβασα τις εκθέσεις μου για ένα μισάωρο, προτού αρχίσω να κοιτάζω έξω από το παράθυρο για το υπόλοιπο της διαδρομής. Ο δρόμος με βοηθούσε να χαλαρώσω.

Όλη μου η σχολική διαδρομή κατέληγε εδώ.

Έμαθα για την Οξφόρδη και το Κέιμπριτζ όταν ήμουν εννιά ετών και τότε συνειδητοποίησα πως ήταν γραφτό να φοιτήσω εκεί.

Πού αλλού μπορούσες να πας όταν είχες κάθε χρόνο τους καλύτερους βαθμούς της τάξης;

Γιατί να χαραμίσω μια τέτοια ευκαιρία;

ΔΕΝ ΒΟΗΘΟΥΝ

«ΔΕΣ ΕΔΩ, ΡΕ ΦΙΛΕ», είπε η Ρέιν όταν φτάσαμε στο Κέιμπριτζ. «Είναι λες και το έχτισαν με χαβιάρι».

Ήταν γύρω στο μεσημέρι. Η πρώτη μου συνέντευξη ήταν στις δύο, του Ντάνιελ στις δυόμιση. Προσπαθούσα να μη με πιάσει κρίση άγχους.

«Πόσο καφέ», συνέχισε η Ρέιν. «Και πολύ γκρι. Σαν σκηνικά ταινίας είναι».

Για να πω την αλήθεια, ήταν όμορφο μέρος. Έμοιαζε ψεύτικο σε σύγκριση με το μουντό χωριό μας. Το ποτάμι στο Κέιμπριτζ φαινόταν βγαλμένο από τον *Άρχοντα των Δαχτυλιδιών*, ενώ το ποτάμι του χωριού μας έμοιαζε με μέρος όπου θα έβρισκες καροτσάκια του σούπερ μάρκετ πεταμένα πλάι σε πτώματα.

Έπειτα από ένα δεκάλεπτο άσκοπων κύκλων, βρήκαμε θέση για να παρκάρουμε. Η Ρέιν δεν ήξερε αν ήταν νόμιμη, αλλά αποφάσισε να το αφήσει εκεί και ό,τι γίνει. Ανησυχούσα κάπως, αλλά εκείνη οδηγούσε, έτσι αποφάσισα να μην της πω κάτι. Ο Ντάνιελ είχε περάσει σε μια άλλη διάσταση και δεν άκουγε τίποτα απ' όσα λέγαμε.

Μερικά από τα κολέγια του Κέιμπριτζ έμοιαζαν με παλάτια.

Τα είχα δει σε φωτογραφίες, αλλά ακόμα και οι φωτογραφίες δεν μπορούσαν να αποτυπώσουν την πραγματικότητα.

Ήταν λες και βρισκόμασταν σε άλλο κόσμο.

Βρήκαμε στα γρήγορα ένα Starbucks.

«Παίρνω πίσω ό,τι είπα για το καφέ», είπε η Ρέιν μόλις καθίσαμε. «Δεν έχω δει ούτε ένα σκουρόχρωμο άτομο από τότε που φτάσαμε». Ακόμα και εκείνη έμοιαζε έξω από τα νερά της και ήταν λογικό. Ξεχώριζε με το κούρεμα, το μπλε παστέλ μπουφάν και τα αθλητικά-πλατφόρμες που φορούσε.

«Πες το ψέματα», είπα.

Άρχισα να σιγοπίνω τον καφέ, αλλά δεν ήξερα αν θα μπορούσα να κατεβάσω το σάντουιτς που αγόρασα. Ο Ντάνιελ είχε φέρει μαζί του φαγητό, σάντουιτς τυλιγμένα σε σελοφάν, και μου θύμισε τον Ρον Γουίζλι στο τρένο για το Χόγκουαρτς. Όχι πως τα έτρωγε δηλαδή – καθόταν ακίνητος. Εκτός από το ένα του πόδι, το οποίο κουνιόταν νευρικά.

Η Ρέιν έγειρε πίσω και μας παρατήρησε.

«Έχω να σας πω ορισμένα πράγματα», είπε μετά.

«Μη, σε παρακαλώ», είπε αμέσως ο Ντάνιελ.

«Θα σας βοηθήσουν».

«Τίποτα από αυτά που θα πεις δεν θα μας βοηθήσει».

«Τότε... θα σας πω πράγματα που δεν θα σας βοηθήσουν».

Ο Ντάνιελ την κοίταξε σαν να της έλεγε «θέλω να πεθάνεις».

«Λοιπόν, παιδιά, πιστεύω ότι αν δεν μπείτε εσείς στο Κέιμπριτζ, τότε ποιος;»

Ο Ντάνιελ κι εγώ την κοιτάξαμε.

«Δεν βοηθάς», είπε ο Ντάνιελ.

«Αλήθεια». Η Ρέιν άνοιξε τα χέρια. «Είστε οι καλύτεροι

μαθητές από το έβδομο έτος. Και πάω στοίχημα ότι ήσασταν οι καλύτεροι μαθητές και στο δημοτικό. Αν εσείς δεν μπείτε στο Κέιμπριτζ, τότε δεν ξέρω ποιος μπορεί».

Δεν είπαμε τίποτα.

«Κι αν τα πάμε χάλια στις συνεντεύξεις;» ρώτησα χαμηλόφωνα.

«Ναι», είπε ο Ντάνιελ.

Η Ρέιν έχασε για λίγο τα λόγια της. «Δεν νομίζω πως θα τα πάτε χάλια», είπε μετά. «Ξέρετε το αντικείμενό σας και είστε πανέξυπνοι». Χαμογέλασε και έδειξε τον εαυτό της. «Αν ήταν εγώ να δώσω τις συνεντεύξεις, θα με πετούσαν έξω. Ή θα τους λάδωνα για να με περάσουν».

Χαχάνισα. Μέχρι και ο Ντάνιελ χαμογέλασε λιγάκι.

Φάγαμε το μεσημεριανό μας και έπειτα έφυγα για το κολέγιο στο οποίο είχα κάνει αίτηση – το είχα επιλέξει επειδή ήταν από τα πιο φημισμένα και τα πιο «ακαδημαϊκά». Η Ρέιν με έσφιξε στην αγκαλιά της πριν πάω. Ο Ντάνιελ μου ένευσε· ακόμα και αυτό με παρηγόρησε κάπως. Έστειλα μήνυμα στη μαμά ότι ετοιμαζόμουν για τη συνέντευξη και μου απάντησε πως πίστευε σε εμένα. Ευχήθηκα να πίστευα κι εγώ σε μένα, για να πω την αμαρτία μου.

Ήμουν αγχωμένη... Ένιωθα παράξενα που ήμουν αγχωμένη. Αυτό, τίποτα άλλο.

Το σχέδιο που είχα καταστρώσει μερικούς μήνες πριν ήταν να ακούσω ένα επεισόδιο του *Universe City* για να χαλαρώσω πριν περάσω μέσα. Δεν ήθελα να το κάνω πια.

Ένας φοιτητής μου έδειξε τον δρόμο. Είχε πλατύ χαμόγελο, επιτηδευμένη προφορά και φορούσε σακάκι.

Όπως το περίμενα, μισή ώρα πριν τη συνέντευξή μου μου

έδωσαν μια σελίδα με ένα ποίημα στη μια πλευρά και με ένα απόσπασμα κειμένου στην άλλη. Τα διάβασα καθιστή σε έναν καναπέ της βιβλιοθήκης. Δεν έβγαζαν νόημα, αλλά προσπάθησα να εντοπίσω τις μεταφορές. Το απόσπασμα μιλούσε για μια σπηλιά. Ούτε που θυμάμαι τι έλεγε το ποίημα.

Η μισή ώρα τελείωσε, οι παλάμες μου ίδρωσαν και η καρδιά μου άρχισε να χτυπάει σαν παλαβή. Η ζωή μου είχε χτιστεί γύρω από αυτή τη στιγμή. Το μέλλον μου θα χτιζόταν γύρω από αυτήν. Έπρεπε να φανώ ευφυής, ενθουσιασμένη, αυθεντική, ανοιχτόμυαλη. Η ιδανική φοιτήτρια του Κέιμπριτζ – αλλά, για μισό λεπτό, ποια ακριβώς ήταν αυτή; Είχα δει όλα τα παραδείγματα συνεντεύξεων στην ιστοσελίδα του Πανεπιστημίου. Έπρεπε να δώσω το χέρι μου σε αυτούς που θα μου έπαιρναν τη συνέντευξη; Δεν θυμόμουν. Η κοπέλα πριν από εμένα φορούσε σακάκι. Έπρεπε μήπως κι εγώ να φοράω σακάκι; Έμοιαζα χαζή; Είχα βάλει το κινητό μου στο αθόρυβο; Κι αν τα κατέστρεφα όλα; Θα τελείωνε εδώ η ζωή μου; Και αν τα κατέστρεφα τώρα, έπειτα από τόσα ολονύχτια διαβάσματα, έπειτα από τόσα βιβλία και ποιήματα που διάβασα για ένα ολόκληρο έτος; Τσάμπα το έκανα; Κι αν τα έκανα όλα αυτά για το τίποτα;

ΓΕΡΟΙ ΛΕΥΚΟΙ ΑΝΤΡΕΣ

ΚΑΙ ΤΑ ΔΥΟ ΑΤΟΜΑ ΠΟΥ θα μου έπαιρναν συνέντευξη ήταν γέροι λευκοί άντρες. Είμαι σίγουρη πως δεν είναι όλοι στο Πανεπιστήμιο του Κέιμπριτζ γέροι λευκοί άντρες, και στη δεύτερη συνέντευξή μου αργότερα, την ίδια μέρα, υπήρχε και μια γυναίκα, αλλά στην πρώτη μου συνέντευξη συναντήθηκα με δύο γέρους λευκούς άντρες και το γεγονός δεν μου προκάλεσε έκπληξη.

Δεν μου έδωσαν το χέρι, έτσι δεν τους το έδωσα ούτε εγώ.

Η συνέντευξή μου κύλησε κάπως έτσι:

ΓΕΡΟΣ ΛΕΥΚΟΣ ΑΝΤΡΑΣ (Γ.Λ.Α.) #1: Φράνσις, βλέπω ότι επέλεξες Καλλιτεχνικά επιπέδου Α, Αγγλικά, Ιστορία και Πολιτική. Και έκανες μαθηματικά σε επίπεδο AS. Πώς και επέλεξες ένα τέτοιο ευρύ πεδίο;

ΦΡΑΝΣΙΣ: Ξέρετε... ξέρετε, πάντα με ενδιέφερε ένα ευρύ πεδίο αντικειμένων. Σκέφτηκα, που λέτε, ότι το επίπεδο Α θα με βοηθούσε, ξέρετε, να συνεχίσω να... να χρησιμοποιώ και τα δύο ημισφαίρια του μυαλού μου, ώστε να έχω μια... μια ευρύτερη... πιο σφαιρική μαθησιακή εμπειρία. Μου αρέσουν πολλά και διάφορα μαθήματα, οπότε, ναι, αυτό.

Γ.Λ.Α. #1: [ανοιγοκλείνει τα μάτια και γνέφει]

Γ.Λ.Α. #2: Στη συνοδευτική επιστολή σου ανέφερες ότι το βιβλίο που σου προκάλεσε το ενδιαφέρον για να σπουδάσεις Αγγλική Φιλολογία ήταν το [κοιτάζει μια σελίδα] ο *Φύλακας στη Σίκαλη* του Τζ. Ντ. Σάλιντζερ, σωστά;

ΦΡΑΝΣΙΣ: Ναι!

Γ.Λ.Α. #2: Τι ακριβώς σε γοήτευσε στο βιβλίο αυτό;

ΦΡΑΝΣΙΣ: [εντελώς απροετοίμαστη για μια τέτοια ερώτηση] Α... ναι. Λοιπόν, νομίζω πως ήταν οι θεματικές του, ναι, ταυτίστηκα με τις θεματικές της απογοήτευσης και της αποξένωσης [γελάω] ξέρετε, ό,τι δηλαδή περνούν οι περισσότεροι έφηβοι! Εμ, ναι, υπάρχουν πολλά στο βιβλίο που με ενδιαφέρουν από, ας πούμε, ακαδημαϊκή σκοπιά, όπως... Ένα από τα πράγματα που μου άρεσαν ήταν πως ο Σάλιντζερ *χρησιμοποίησε* την αργκό των εφήβων από τις δεκαετίες του σαράντα και του πενήντα. Ήταν η πρώτη φορά που διάβασα ένα παλιό βιβλίο –βασικά ένα *κλασικό* βιβλίο– και ένιωσα ότι είχε πραγματική φωνή, καταλαβαίνετε τι θέλω να πω; Ένιωσα να ταυτίζομαι με τον πρωταγωνιστή... και με έκανε να καταλάβω το γιατί.

Γ.Λ.Α. #2: [γνέφει και χαμογελάει, αλλά μάλλον δεν άκουσε λέξη απ' όσα είπα]

Γ.Λ.Α. #1: Λοιπόν, Φράνσις, ήρθε η ώρα για τη μεγάλη ερώτηση: Γιατί θέλεις να σπουδάσεις Αγγλική Φιλολογία;

ΦΡΑΝΣΙΣ: [τρομακτική παύση] Ξέρετε... [άλλη μια τρομακτική παύση – γιατί δεν μου ερχόταν τίποτα;] Πάντα... πάντα μου άρεσε η Αγγλική Φιλολογία. [Τρίτη τρομακτική παύση. Έλα, ρε γαμώτο. Υπάρχουν καλύτεροι λόγοι. Δεν πειράζει. Με το πάσο σου.] Η λογοτεχνία ήταν το αγαπημένο μου μάθημα. [Αλλά δεν είναι αλήθεια, όχι;] Και ήθελα να τη σπουδάσω από τότε που ήμουν μικρή. [Τι μαλακίες λες. Αν θες να σε πιστέψουν, το καλό που σου θέλω να μην ακούγεσαι σαν ρομπότ.] Μου αρέσει να αναλύω κείμενα και να μαθαίνω περισσότερα για το... για το περιεχόμενό τους. [Δεν μπορώ να καταλάβω, γιατί μιλάς έτσι; Είναι σαν να λες ψέματα.] Πιστεύω πως με πτυχίο Αγγλικής Φιλολογίας θα διαβάζω περισσότερο από τώρα. [Μισό, δηλαδή τους λες ότι δεν διαβάζεις αρκετά; Και γιατί θες να σπουδάσεις Αγγλική Φιλολογία τότε;] Πιστεύω... [Γιατί θες να σπουδάσεις Αγγλική Φιλολογία στο πανεπιστήμιο;] Πιστεύω ότι από παλιά... [Τι από παλιά; Από παλιά λες ψέματα στον ίδιο σου τον εαυτό μήπως; Μήπως από παλιά πίστευες ότι σου άρεσε κάτι που δεν σε ενδιέφερε;]

Γ.Λ.Α. #2: Μάλιστα, πάμε παρακάτω.

ΤΟ ΜΟΝΟ ΠΟΥ ΜΕ ΚΑΝΕΙ ΞΕΧΩΡΙΣΤΟ

ΑΜΕΣΩΣ ΜΕΤΑ ΕΞΕΤΑΣΤΗΚΑ στη σύγκριση δύο κειμένων. Δεν θυμάμαι τι έλεγαν και δεν θυμάμαι τι έγραψα. Ήμουν σε μια αίθουσα με άλλους είκοσι και καθόμασταν γύρω από το ίδιο μεγάλο τραπέζι. Με έτρωγαν τα χέρια μου και στο τέλος οι πιο πολλοί μάλλον είχαν γράψει περισσότερα από εμένα.

Έπειτα έδωσα τη δεύτερη συνέντευξη, η οποία πήγε πάνω κάτω σαν την πρώτη.

Όταν γύρισα στα Starbucks, η Ρέιν διάβαζε μια εφημερίδα. Με κοίταξε όταν κάθισα. Δίπλωσε την εφημερίδα. Εκείνη τη στιγμή κατάλαβα πόσο καλή φίλη ήταν. Δεν είχε κανέναν απολύτως λόγο να μας φέρει με το αμάξι. Και καθόταν χωρίς να κάνει τίποτα ένα γεμάτο τρίωρο.

«Πώς πήγες, φιλενάδα;»

Χάλια. Συνειδητοποίησα πως δεν ήθελα να σπουδάσω το αντικείμενο στο οποίο είχα κάνει αίτηση ενώ μου έπαιρναν συνέντευξη στο Πανεπιστήμιο όπου ονειρευόμουν να πάω τα τελευταία δέκα χρόνια. Είχα χάσει τα λόγια μου, είχα ξεχάσει πώς να βγάζω πράγματα από το μυαλό μου και είχα καταστρέψει κάθε ελπίδα μου να γίνω δεκτή.

«Δεν ξέρω. Έκανα ό,τι καλύτερο μπορούσα».

Η Ρέιν με περιεργάστηκε. «Καλό δεν είναι αυτό; Έβαλες τα δυνατά σου».

«Ναι, ακριβώς». Αλλά δεν είχα βάλει τα δυνατά μου. Είχα κάνει ακριβώς το αντίθετο. Πώς γίνεται να μην το είχα προβλέψει; Πώς με άφησα να σκάψω τόσο βαθιά τον λάκκο μου;

«Ωραίο να είσαι τόσο έξυπνος», είπε και γέλασε ανόρεχτα. Χαμήλωσε το βλέμμα και ξάφνου φάνηκε τόσο λυπημένη. «Φοβάμαι συνεχώς πως δεν θα καταφέρω τίποτα στη ζωή μου. Μακάρι οι ζωές μας να μην εξαρτιόντουσαν από τους βαθμούς μας».

«Μακάρι», σκέφτηκα. Να μια κατάλληλη λέξη για την όλη κατάσταση.

Η Ρέιν κι εγώ κάναμε βόλτες στο Κέιμπριτζ όσο ο Ντάνιελ έδινε τη δεύτερη συνέντευξή του. Η Ρέιν είχε ήδη εξερευνήσει το μέρος και με πήγε να δω ό,τι πίστευε πως άξιζε, δηλαδή μια παλιά γέφυρα που περνούσε πάνω από το ποτάμι και ένα καφέ που έφτιαχνε μιλκσέικ.

Στις έξι και μισή είχαμε επιστρέψει στα Starbucks και η συνέντευξη του Ντάνιελ είχε ολοκληρωθεί. Είπα στη Ρέιν πως θα πήγαινα να τον βρω, για να μην τριγυρίζει μόνος του στα σκοτάδια. Η Ρέιν είπε ότι έτσι, όμως, θα τριγυρνούσα εγώ μόνη μου στα σκοτάδια. Της πρότεινα να έρθει μαζί μου, αλλά γκρίνιαξε, δεν είχε όρεξη να κουνηθεί, είχαμε πιάσει τους καλύτερους καναπέδες στη γωνία.

Πήγα μόνη μου να βρω τον Ντάνιελ με μισό ποτήρι eggnog latte στο χέρι. Έτσι κι αλλιώς, δεν ήθελα να καθίσω άλλο στα Starbucks.

Το Κινγκς Κόλετζ, όπου είχε κάνει αίτηση ο Ντάνιελ, έμοιαζε με παλάτι ακόμα και στα σκοτεινά. Ήταν πελώριο, λευκό και γοτθικό. Καμία σχέση με το μικρούτσικο κολέγιο στο οποίο είχα κάνει αίτηση εγώ. Ήταν ένα μέρος στο οποίο είχε θέση ο Ντάνιελ.

Τον βρήκα να κάθεται μόνος του σε έναν χαμηλό τοίχο απ' έξω. Το πρόσωπό του φωτιζόταν από το κινητό του και το σώμα του ήταν τυλιγμένο με ένα χοντρό μπουφάν. Μπορούσε κανείς να δει το σακάκι και τη γραβάτα του από κάτω. Ήταν στον φυσικό του χώρο. Μπορούσα να τον φανταστώ στα είκοσι ένα του να μπαίνει στην αίθουσα τελετών για την αποφοίτηση με την τήβεννο ή να γελάει με έναν ψηλό βλάκα, που θα λεγόταν Τιμ, πηγαίνοντας στην αίθουσα όπου ο Στίβεν Φράι θα μιλούσε για την ιδιωτικοποίηση του Εθνικού Συστήματος Υγείας.

Με κοίταξε καθώς πλησίαζα. Του χαμογέλασα αμήχανα. Κλασική Φράνσις.

«Γεια», του είπα και κάθισα δίπλα του. Προσπάθησε, χωρίς επιτυχία, να μου χαμογελάσει. «Όλα καλά;»

Δεν μπορούσα να καταλάβω αν είχε κλάψει.

Ήταν πιθανό.

«Ναι», είπε με μια ανάσα, αλλά ήταν φανερό πως έλεγε ψέματα.

Ξαφνικά, έγειρε μπροστά. Στήριξε τους αγκώνες στα πόδια και το κεφάλι του στα χέρια.

Οποιοσδήποτε μπορούσε να καταλάβει πως δεν ήταν καλά.

«Θέλω... να περάσω», είπε. «Είναι το μόνο που... θέλω να...»

Ανακάθισε, δίχως να με κοιτάζει.

«Όταν ήμουν δεκατριών, πήρα έπαινο... Πήρα τον υψηλότερο

βαθμό που είχε πάρει ποτέ μαθητής του σχολείου στα CAT...» Το ένα του πόδι ανεβοκατέβαινε νευρικά. Κούνησε το κεφάλι του και γέλασε. «Και έτσι... σκέφτηκα πως ήμουν *πανέξυπνος*. Πίστευα ότι ήμουν ο πιο έξυπνος σε όλο τον κόσμο. Αλλά τώρα νιώθω... όταν φτάνεις σε αυτή την ηλικία, συνειδητοποιείς πως δεν είσαι καθόλου ξεχωριστός τελικά».

Είχε δίκιο. Δεν ήμουν ξεχωριστή.

«Είναι ό,τι έχω και δεν έχω», είπε. «Είναι το μόνο που με κάνει να ξεχωρίζω».

Ήξερα πως νοιαζόταν για το αντικείμενό του. Όπως ήξερα και για μένα ότι δεν νοιαζόμουν για το δικό μου.

Με λοξοκοίταξε. Φαινόταν κουρασμένος, τα μαλλιά του ήταν ανακατωμένα και το γόνατό του κουνιόταν ακατάπαυστα. «Γιατί ήρθες;»

«Σκέφτηκα πως θα είχες ανάγκη λίγη παρέα», είπα, και επειδή φοβήθηκα ότι είπα μαλακία, συμπλήρωσα: «Άσε που είναι επικίνδυνο να περπατάς μόνος σου στα σκοτάδια».

Ο Ντάνιελ ρουθούνισε.

Καθίσαμε σιωπηλοί για λίγο, κοιτάζοντας τον άδειο δρόμο και τα άδεια μαγαζιά απέναντί μας.

«Θες λίγο eggnog latte;» Του προσέφερα το ποτήρι. «Έχει γεύση ίδια με χώμα».

Το κοίταξε δύσπιστα, αλλά το πήρε και ήπιε μια γουλιά. «Ευχαριστώ».

«Δεν κάνει τίποτα».

«Τώρα τι κάνουμε;»

«Πάμε σπίτι. Έχω παγώσει».

«Ναι, συμφωνώ».

Δεύτερη σιωπή.

«Τόσο χάλια τα πήγες;» τον ρώτησα.

Ο Ντάνιελ χαχάνισε. Δεν τον είχα ξαναδεί τόσο νηφάλιο. «Είναι ανάγκη να μιλάμε γι' αυτό;»

«Όχι, όχι, συγγνώμη».

Πήρε μια ανάσα. «Δεν τα πήγα και άσχημα. Αλλά όχι και τέλεια». Κούνησε το κεφάλι του. «Έπρεπε να τα πάω τέλεια».

«Νομίζω πως είσαι πολύ αυστηρός με τον εαυτό σου».

«Όχι, είμαι ρεαλιστής». Πέρασε το χέρι από τα μαλλιά του. «Το Κέιμπριτζ κάνει δεκτούς μόνο τους καλύτερους. Έτσι, πρέπει να είμαι ο καλύτερος».

«Σου ευχήθηκε τουλάχιστον ο Άλεντ καλή τύχη;»

Γέλασε. «Ο Άλεντ... ουάου. Λες πράγματι ό,τι σου 'ρθει, ε;»

«Μόνο σε σένα». Κούνησα το κεφάλι. «Σόρι, είπα μαλακία».

«Χα. Όχι, λοιπόν, δεν μου είπε τίποτα. Σου έχω πει πως δεν μιλάμε, έτσι;»

«Ναι».

«Ούτε εσείς μιλάτε;»

«Ούτε».

«Μάλιστα. Νόμιζα ότι θα είχατε συμφιλιωθεί πια».

Μου ακούστηκε κάπως πικραμένος.

«Νομίζω πως πρώτα θα συμφιλιωθεί με σένα...» είπα, αλλά με διέκοψε με ένα γέλιο.

«Αλήθεια τώρα;» είπε και κούνησε το κεφάλι του. «Ουάου. Είσαι πιο χαζή απ' όσο νόμιζα».

Έπαιξα νευρικά με τα χέρια του. «Τι εννοείς;»

Γύρισε προς το μέρος μου και με κοίταξε δύσπιστα. «Είσαι σε καλύτερη θέση από εμένα, Φράνσις. Πιστεύεις *αλήθεια* ότι νοιάζεται για μένα περισσότερο από ό,τι για εσένα;»

«Τι...» τραύλισα. «Αφού... αφού είσαι το αγόρι του. Και ο κολλητός του».

«Όχι, δεν είμαι», είπε. «Είμαι απλώς κάποιος τον οποίο φιλάει καμιά φορά».

ΠΑΙΔΙΑΣΤΙΚΑ ΦΙΛΙΑ

ΑΡΧΙΣΕ ΝΑ ΨΙΧΑΛΙΖΕΙ και οι δρόμοι στο σκοτάδι έμοιαζαν λιγότερο αρχοντικοί. Ο Ντάνιελ κρατούσε ένα μισοάδειο ποτήρι από τα Starbucks και το χτυπούσε ρυθμικά πάνω στο γόνατό του.

Γέλασε και με κοίταξε πάλι, σαν να μην είχε όρεξη να το παίζει κακός πια μαζί μου. «Τώρα δηλαδή υποτίθεται ότι πρέπει να πω την ιστορία της ζωής μου;»

«Όχι, αν δεν θες...»

«Αλλά θες να τη μάθεις, έτσι δεν είναι; Θες να μάθεις για εμάς».

Ήθελα.

«Λιγάκι», είπα.

Ο Ντάνιελ ήπιε μια γουλιά από τον latte.

«Και θέλω να καταλάβω καλύτερα τον Άλεντ», συμπλήρωσα.

Σήκωσε τα φρύδια του. «Γιατί;»

Σήκωσα τους ώμους. «Δεν καταλαβαίνω αυτά που κάνει... ή γιατί παίρνει αυτές τις αποφάσεις. Μου φαίνεται... ενδιαφέρον, ας πούμε». Σταύρωσα τα πόδια. «Και νοιάζομαι γι' αυτόν. Παρόλο που πολύ θα ήθελα να μη νοιαζόμουν».

Γνέφει. «Είναι απόλυτα κατανοητό. Ήσασταν φίλοι».

«Πότε γίνατε φίλοι;»

«Όταν γεννηθήκαμε. Οι μαμάδες μας ήταν συνάδελφοι και έμειναν έγκυες με δύο μήνες διαφορά».

«Και από τότε είστε κολλητοί;»

«Ναι. Πήγαμε στο ίδιο δημοτικό, έπειτα στο ίδιο σχολείο αρρένων, μέχρι δηλαδή να έρθω στην Ακαδημία για τις τελευταίες τάξεις. Κάναμε παρέα κάθε μέρα... ζούσα στο χωριό σου, το ήξερες; Μέχρι τα έντεκα».

Κούνησα το κεφάλι.

«Ναι, κάναμε παρέα κάθε μέρα, παίζαμε μπάλα στα χωράφια, φτιάχναμε μυστικά οχυρά, καβαλούσαμε τα ποδήλατά μας ή παίζαμε video games. Ό,τι... ό,τι κάνουν οι κολλητοί. Ήμασταν κολλητοί».

Δεν προσέθεσε κάτι, ήπιε μια χορταστική γουλιά από τον latte του.

«Και... λοιπόν...» Δεν ήξερα πώς ακριβώς να θίξω το θέμα. «Πότε αρχίσατε να... να βγαίνετε; Αν μπορώ να ρωτήσω...»

Ο Ντάνιελ παρέμεινε σιωπηλός για λίγο.

«Δεν θα έλεγα πως αρχίσαμε», είπε. «Δεν... δεν είμαι σίγουρος πως βγαίναμε καν».

Παραλίγο να τον ρωτήσω τι εννοούσε, αλλά τελικά σκέφτηκα πως θα ήταν καλύτερα να τον αφήσω να μου τα εξηγήσει όλα με το πάσο του. Φαινόταν νευρικός και τραύλιζε. Κοιτούσε το πεζοδρόμιο.

«Ήξερε από πολύ παλιά πως ήμουν γκέι», είπε με απαλή φωνή. «Το ξέραμε και οι δύο. Από τα δέκα, άντε τα έντεκα. Με το που καταλάβαμε τι σήμαινε να είσαι γκέι, ξέραμε πως αυτό ήμουν. Και...»

Πέρασε το χέρι του από τα μαλλιά του.

«Και όταν ήμασταν μικροί συνηθίζαμε να φιλιόμαστε. Όταν μέναμε μόνοι. Ξέρεις, παιδιάστικα φιλιά, πεταχτά στα χείλη, επειδή το βρίσκαμε αστείο. Ήμασταν... υπήρχε τρυφερότητα ανάμεσά μας. Χαϊδεύαμε ο ένας τον άλλον και... φερόμασταν όμορφα μεταξύ μας, όχι άσχημα και βίαια, όπως κάνουν τα περισσότερα αγόρια. Νομίζω πως είχαμε πέσει τόσο πολύ με τα μούτρα ο ένας στον άλλο που... που μας διέφυγε η προπαγάνδα που σου χώνουν στη μούρη σε τέτοια ηλικία για το πώς *πρέπει* να φέρονται δύο αγόρια μεταξύ τους».

Μου φαινόταν πως έλεγε τα πιο γλυκά λόγια στον κόσμο, αλλά η φωνή του Ντάνιελ έτρεμε λες και μιλούσε για κάποιον νεκρό.

«Δεν καταλάβαμε πως κάναμε κάτι παράξενο μέχρι... ναι, μέχρι που κλείσαμε τα δέκα ή τα έντεκα. Αλλά ούτε αυτό μας σταμάτησε. Μάλλον... μάλλον εγώ το έβλεπα πιο ρομαντικά από ό,τι ο Άλεντ. Για τον Άλεντ ήταν κάτι που κάνουν οι φίλοι, όχι τα ζευγάρια. Ο Άλεντ... ήταν από παλιά περίεργος. Δεν τον νοιάζει τι λένε οι άλλοι. Δεν αναγνωρίζει τις κοινωνικές συμβάσεις... είναι εγκλωβισμένος στον κόσμο του».

Κάνα δυο φοιτητές μας προσπέρασαν γελώντας και ο Ντάνιελ σταμάτησε μέχρι να απομακρυνθούν.

«Και μάλλον... ξέρεις... όταν μπήκαμε στην εφηβεία, τα πράγματα έγιναν... σοβάρεψαν κάπως. Δεν φιλιόμασταν πεταχτά πια, με καταλαβαίνεις;» Γέλασε αμήχανα. «Όταν ήμασταν γύρω στα δεκατέσσερα, νομίζω, έκανα την πρώτη σοβαρή κίνηση. Παίζαμε ένα video game στο δωμάτιό του και... και τον ρώτησα αν μπορούσα να τον φιλήσω κανονικά. Εξεπλάγη, αλλά μου είπε "ναι, αμέ" και έτσι τον φίλησα».

Κρατούσα την ανάσα μου και ο Ντάνιελ γέλασε με την έκφρασή μου.

«Γιατί στα λέω όλα αυτά; Jesus. Τέλος πάντων... έγινε η αρχή και έπειτα αρχίσαμε να... φιλιόμαστε περισσότερο και... να κάνουμε και άλλα πράγματα. Πάντα τον ρωτούσα αν θέλει να... ξέρεις... δεν καταλαβαίνω τι ακριβώς θέλει... είναι τόσο ήσυχος και... και γενικά τον κάνουν ό,τι θέλουν... ό,τι κι αν κάναμε τον ρωτούσα πρώτα, του έλεγα πως μπορούσε να πει “όχι” αν δεν ήθελε να κάνει κάτι... Αλλά πάντα έλεγε “ναι”».

Ο Ντάνιελ κόμπιασε, σαν να τα ξαναζούσε όλα από την αρχή με την ίδια ένταση με τότε. Ούτε που μπορούσα να φανταστώ μια τέτοια ζωή. Βασικά, δεν μπορούσα να φανταστώ πώς είναι να μοιράζεσαι τον εαυτό σου με κάποιον άλλο για τόσο πολύ καιρό.

«Ήταν... κάτι για *εμάς*. Δεν θέλαμε να λέμε πως “έχουμε σχέση”, ή να συμπεριφερόμαστε σαν ζευγάρι μπροστά σε άτομα που ξέραμε. Το ζούσαμε μόνοι μας, σαν να θέλαμε να το προστατέψουμε, δεν θέλαμε να το καταστρέψουν οι άλλοι. Δεν ξέρω γιατί ανησυχούσαμε... βασικά, δεν ένιωθα πως ήμασταν σε σχέση. Ένιωθα πως ήμασταν κολλητοί. Έτσι, δεν ξέραμε πώς να το εξηγήσουμε στους άλλους».

Ο Ντάνιελ πήρε μια ανάσα.

«Ήμασταν τόσο σημαντικοί ο ένας για τον άλλο. Λέγαμε τα πάντα για τα πάντα. Ήμασταν το πρώτο οτιδήποτε και για τους δυο μας. Το πρώτο και μοναδικό. Είναι... είναι ένας άγγελος».

Δεν νομίζω πως είχα ακούσει ξανά κάποιον να μιλάει έτσι για άλλον.

«Αλλά, ξέρεις, ο Άλεντ δεν ήθελε να... βασικά δεν πιστεύει

πως είναι γκέι, λέει ότι δεν νιώθει έλξη με κανέναν άλλο, παρά μόνο με μένα».

«Μπορεί να είναι οτιδήποτε», είπα γρήγορα.

«Ό,τι και να είναι, ούτε εκείνος το ξέρει», είπε ο Ντάνιελ. «Και ούτε εγώ ήθελα να βγω και να πω δημόσια ότι είμαι γκέι σε ένα σχολείο αρρένων. Θα ήταν σαν να τους ζητούσα να μου κάνουν μπούλινγκ. Εντάξει, το έχουν κάνει άλλοι... Ένα παιδί, έναν χρόνο μεγαλύτερος, που τον θαύμαζα, το έκανε. Ήταν φίλος με τον Άλεντ... αλλά... εγώ φοβόμουν για το τι θα πει ο κόσμος. Έλεγα να περιμένω μέχρι να έρθω στην Ακαδημία και να το πω τότε, αλλά... δεν έκανα στενούς φίλους και... το θέμα δεν συζητήθηκε ποτέ με κανέναν, οπότε...»

Κούνησε το κεφάλι του θλιμμένα και ήπιε άλλη μια γουλιά latte.

«Αλλά τον περασμένο χρόνο, από τότε που η Κάρις εξαφανίστηκε... άλλαξε. Κι εγώ άλλαξα. Κάναμε λιγότερη παρέα... και κάθε φορά που ήμασταν μαζί, ένιωθα ότι ερχόταν για να ξεφύγει από τα προβλήματά του, όχι επειδή ήθελε να με δει. Ξέρεις για τη μαμά του, ε;»

«Ναι».

«Πριν... πριν γίνετε φίλοι, ερχόταν σπίτι μου για να την αποφεύγει. Και τότε προέκυψες εσύ και... μάλλον δεν με είχε ανάγκη πια».

«Μα... ήσασταν φίλοι από τότε που *γεννηθήκατε*. Είστε μαζί από πάντα».

«Αν νοιαζόταν για μένα, τότε θα μου μιλούσε και περισσότερο». Πήρε μια ανάσα, σαν αυτή να ήταν η πρώτη φορά που το παραδεχόταν. «Δεν νομίζω πως του αρέσω πια. Νομίζω πως το κάνει επειδή το έχει συνηθίσει, επειδή νιώθει άνετα με εμένα και... επειδή με λυπάται. Δεν νομίζω πως... του αρέσω... γενικά».

Σταμάτησε να μιλάει και παρατήρησα πως είχε βουρκώσει. Κούνησε ξανά το κεφάλι του και σκούπισε τα δάκρυα.

«Συνήθως εγώ κάνω την αρχή».

«Τότε γιατί...» Η φωνή μου χαμήλωσε, έγινε ψίθυρος, παρόλο που ήμασταν μόνοι. «Γιατί δεν το τελειώνεις; Αφού δεν αρέσετε πια ο ένας στον άλλο;»

«Δεν είπα ποτέ πως δεν μου αρέσει. Νοιάζομαι γι' αυτόν *τόσο πολύ*». Ένα δάκρυ κύλησε στο μάγουλό του και γέλασε. «Συγγνώμη. Φέρομαι τελείως χαζά».

«Δεν φέρεσαι χαζά». Σήκωσα τα χέρια μου και τον αγκάλιασα. Μείναμε έτσι για λίγο, πριν τον αφήσω.

«Προσπάθησα να του μιλήσω στα γενέθλιά του», συνέχισε, «αλλά δεν έλεγε να με ακούσει. Συνέχιζε να μου λέει πως του αρέσω. Και με εκνεύριζε, επειδή καταλάβαινα πως μου έλεγε ψέματα. Μέχρι και στο παιχνίδι που παίξαμε είπε ψέματα... παρίστανε πως δεν είχε πει ψέματα όταν μου είπε "σ' αγαπώ". Το καταλαβαίνω. Το καταλαβαίνω όταν μου λέει ψέματα! Γιατί να με αποφεύγει αν με *αγαπάει, γαμώτο*; Εδώ δεν θέλει να παραδεχτεί τη σεξουαλικότητά του. Ούτε καν σε *μένα*».

Σκούπισε ξανά τα μάτια του.

«Και... εκείνο το βράδυ... επέμενε πως ήθελε να το κάνουμε, ξέρεις, αλλά δεν νομίζω πως έλεγε την αλήθεια, οπότε του είπα όχι και θύμωσε». Ο Ντάνιελ κούνησε το κεφάλι του. «Με έχει συνηθίσει και δεν θέλει να με στενοχωρήσει γιατί ξέρει... ξέρει πως είμαι ερωτευμένος μαζί του. Αλλά δεν του αρέσω πια όπως μου αρέσει εκείνος».

«Πώς είσαι τόσο σίγουρος;»

Με κοίταξε. «Είσαι αδιόρθωτα αισιόδοξη».

«Όχι, απλώς...» Δάγκωσα τα χείλη μου. «Αλλά αν... Ξέρω πως δυσκολεύεται να πει τι σκέφτεται... και ξέρω πως *εγώ* δυσκολεύομαι να καταλάβω τι σκέφτεται, αλλά αν... αν σ' αγαπάει; Πώς μπορείς να είσαι σίγουρος αν δεν έχει πει το αντίθετο;»

Ο Ντάνιελ γέλασε. Ήταν σαν να είχε παραιτηθεί.

«Μου φαίνεται πως όλοι θέλουν το γκέι ζευγάρι να έχει το χαρούμενο τέλος που του αξίζει», είπε.

Ένιωθα τόσο στενοχωρημένη που ήθελα να φύγω.

«Ο χειρότερος εφιάλτης μου είναι να τον βάλω να κάνει κάτι που δεν θέλει... δίχως να το ξέρω...» Περισσότερα δάκρυα εμφανίστηκαν στα μάτια του. «Και... και... οι άνθρωποι αλλάζουν, οπότε πρέπει να προχωράμε, αλλά...» Έγειρε και άφησε το κεφάλι του στα χέρια του. «Θα μπορούσε τουλάχιστον... τουλάχιστον να με χώριζε και επίσημα, αντί να με αφήσει έτσι...» Η φωνή του έτρεμε, έκλαιγε και τον λυπόμουν τόσο πολύ που πίστευα ότι θα έβαζα κι εγώ τα κλάματα. «Δεν με πειράζει αν δεν του αρέσω πια... δεν με πειράζει... αλλά θέλω τον φίλο μου... Θέλω να καταλάβω πώς ακριβώς νιώθει. Δεν ξέρω γιατί με αποφεύγει. Κάθε φορά που πιστεύω ότι δεν του αρέσω, αρχίζω να αμφιβάλλω επειδή *δεν μου έχει πει κάτι τέτοιο.* Θέλω να μου πει την αλήθεια. Όταν... όταν μου λέει ψέματα επειδή πιστεύει πως έτσι θα νιώσω καλύτερα, *με πληγώνει*».

Άφησε έναν λυγμό και τον αγκάλιασα ξανά. Μακάρι να μπορούσα να κάνω κάτι γι' αυτόν, *οτιδήποτε.*

«Μερικές φορές νομίζω πως το μόνο που τον ενδιαφέρει είναι το κανάλι του στο YouTube... Το Universe City είναι εκείνος.

Έχει μετατρέψει την ψυχή του σε ηχητική μορφή. Το Radio και η February Friday έχουν παγιδευτεί σε έναν γκρίζο κόσμο... όπως ακριβώς η ζωή του. Μια... χαζή μεταφορά επιστημονικής φαντασίας».

Όταν ανέφερε τη February Friday, η καρδιά μου πόνεσε. Αναρωτήθηκα αν ήξερε πως συμβόλιζε εκείνον.

«Είναι ο μόνος πραγματικός φίλος μου», είπε. «Και με άφησε ξεκρέμαστο. Μου λείπει... όχι το σεξ μαζί του, αλλά... να είμαστε μαζί... να κοιμάται σπίτι μου... να παίζουμε video games... Θέλω να ακούσω τη φωνή του... Θέλω να μου πει την αλήθεια...»

Τον κράτησα αγκαλιά για μερικά λεπτά ακόμα όσο έκλαιγε και συνειδητοποίησα ότι και οι δύο βρισκόμασταν ακριβώς στην ίδια κατάσταση, μόνο που για τον Ντάνιελ ήταν εκατό φορές χειρότερη. Κι εγώ ήθελα να γυρίσει ο Άλεντ. Γιατί δεν απαντούσε στα μηνύματά μου; Δηλαδή, *τόσο πολύ* μας αντιπαθούσε πια;

Εγώ έφταιγα, σωστά;

Πρόδωσα την εμπιστοσύνη του. Τον είχα διώξει. Και δεν θα επέστρεφε.

Δεν ξέραμε αν θα ακούγαμε ξανά τη φωνή του από κοντά.

Μόλις ο Ντάνιελ ηρέμησε κάπως, κάθισε ίσια. «Ξέρεις κάτι;» μου είπε. «Την πρώτη φορά που τον φίλησα κανονικά... τραβήχτηκε πίσω».

ΤΡΟΜΕΡΑ ΚΟΥΡΑΣΜΕΝΗ

ΓΥΡΙΖΟΝΤΑΣ ΜΕ ΤΟ ΑΜΑΞΙ, ο Ντάνιελ κι εγώ δεν είπαμε τίποτα, παρόλο που ένιωθα ότι με κάποιο τρόπο είχαμε γίνει πια φίλοι. Έπειτα από ένα σιωπηλό μισάωρο, η Ρέιν είπε:

«Ρε παιδιά... ξέρετε... Ακόμα κι αν δεν μπείτε, δεν ήρθε δα και το τέλος του κόσμου».

Και οι δύο νιώθαμε πως θα ερχόταν το τέλος του κόσμου. «Δεν έγινε και κάτι», πέταξα στα γρήγορα.

Νομίζω πως η Ρέιν ψυλλιάστηκε πως έλεγα ψέματα. Δεν προσπάθησε να μας μιλήσει ξανά για το υπόλοιπο της διαδρομής.

Αφού γύρισα σπίτι, μιμήθηκα τις ακριβείς εκφράσεις που είχαν κάνει οι γέροι –εντάξει, ίσως με κάποια υπερβολή– οι οποίοι μου πήραν τη συνέντευξη. Η μαμά γέλασε και τους στόλισε με διάφορα κοσμητικά επίθετα. Μετά παραγγείλαμε πίτσα και είδαμε το *Scott Pilgrim vs. the World.*

Ανακουφίστηκα που τελείωσαν όλα, για να πω την αλήθεια.

Έναν χρόνο τώρα με άγχωναν.

Ακόμα κι αν δεν ήθελα πια να σπουδάσω Αγγλική Φιλολογία, δεν είχε καμία σημασία. Η απόφαση είχε παρθεί. Ό,τι είναι να γίνει, ας γίνει.

Αποφάσισα να μη διαβάσω εκείνο το βράδυ. Ξάπλωσα στο κρεβάτι γύρω στις δώδεκα με το λάπτοπ μου αγκαλιά. Σκέφτηκα να ζωγραφίσω τίποτα –δεν είχα ασχοληθεί εδώ και μερικές εβδομάδες– αλλά για κάποιο λόγο δεν είχα όρεξη. Δεν μπορούσα να σκεφτώ τι να ζωγραφίσω. Μπήκα λίγο στο Tumblr κι άρχισα να σκρολάρω χωρίς τελειωμό. Όταν ένιωσα ότι πρέπει σταματήσω να χαραμίζω τον χρόνο μου, έκλεισα τη σελίδα για να μην την ανανεώνω ξανά και ξανά.

Σκέφτηκα μήπως ακούσω τα πιο πρόσφατα επεισόδια του *Universe City* – πόσα είχα χάσει; Τέσσερα; Πέντε; Ποτέ δεν είχα χάσει τόσα πολλά συνεχόμενα.

Ήταν... αλλόκοτο, δεν ήταν;

Ειδικά για κάποια που περηφανεύεται πως είναι ανάμεσα στους κορυφαίους φαν.

Για κάποια που γνωρίζει τον Creator τόσο καλά.

Ούτε το Twitter του Άλεντ έβλεπα. Ούτε το tag του *Universe City* στο Tumblr. Είχα απενεργοποιήσει τα σχόλια στη σελίδα μου εδώ και πολύ καιρό, ώστε να μη με ρωτούν τίποτα για τον Άλεντ. Δεν ήμουν μέλος του podcast, ούτε έφτιαχνα πια τα σκίτσα. Δεν αισθανόμουν πως είχα την οποιαδήποτε σύνδεση με το podcast. Είχα έναν μήνα να ανεβάσω έργο μου στο blog.

Ξαφνικά, ένιωσα τρομερά κουρασμένη. Έκλεισα το λάπτοπ μου –δεν είχα κάτι άλλο να κάνω μαζί του– και έσβησα τα φωτάκια στο δωμάτιό μου. Φόρεσα τα ακουστικά, κατέβασα το τελευταίο επεισόδιο του *Universe City* στο iPod μου και άρχισα να το ακούω.

UNIVERSE CITY: Επ. 142 – ναι

UniverseCity 93.937 views

γεια

Δείτε παρακάτω για την απομαγνητοφώνηση >>>

[...]

Δεν ξέρω τι να πω... Νιώθω κουρασμένος...

[Παύση 10 δευτερολέπτων]

Χθες περπατούσα στην Μπρόκενμπορν Στριτ και είδα αυτό το... αυτό το φωσφορίζον...

Χμ.

Ξέρεις, δεν έχει καμία απολύτως σημασία.

Βασικά σκεφτόμουν... Δηλαδή, είχα μια σκέψη... Σκεφτόμουν... κι αν... κι αν βάζαμε τέλος;

Χαχα, όχι, λέω, δεν...

Ουφ.

Μακάρι να ήταν εδώ η February Friday. Πάνε... πάνε χρόνια από την τελευταία φορά που την είδα.

[...]

ΑΠΕΙΡΗ ΩΡΑ

ΗΤΑΝ ΧΑΛΙΑ.

Τι απαίσιο επεισόδιο.

Το Radio με το ζόρι ολοκλήρωνε τις προτάσεις. Δεν υπήρχε πλοκή. Ούτε εμφανίστηκαν άλλοι χαρακτήρες. Το Radio είχε ένα εικοσάλεπτο παραλήρημα για πράγματα τα οποία μόνο ο Άλεντ μπορούσε να καταλάβει.

Και προς τι η αναφορά στη February Friday στο τέλος; Τι ήταν πάλι αυτό;

Είχε χρόνια να τη δει; Τι εννοούσε;

Η February Friday δεν ήταν ο Ντάνιελ; Ο Άλεντ είχε δει τον Ντάνιελ μερικούς μήνες πριν. Δεν υπερέβαλλε λιγάκι; Σίγουρα υπερέβαλλε.

Ο Ντάνιελ είχε πει πως ο Άλεντ έγραφε για τη ζωή του στο *Universe City*, που μου είχε φανεί αστείο όταν το πρωτάκουσα, αλλά μετά απ' αυτό το τελευταίο επεισόδιο...

Η February Friday ήταν πραγματικό πρόσωπο. Ο Άλεντ το είχε επιβεβαιώσει.

Ίσως το ίδιο να συνέβαινε και με τα υπόλοιπα πρόσωπα.

Σηκώθηκα. Δεν ένιωθα κουρασμένη.

Η February Friday ήταν ο Ντάνιελ. Ή... Δεν ξέρω.

Αν ο Άλεντ κυριολεκτούσε όταν έλεγε πως είχε χρόνια να τη δει...

Αποφάσισα να ξανακούσω το επεισόδιο μήπως εντόπιζα περισσότερα στοιχεία, αλλά τελικά το μόνο που κατάφερα ήταν να θυμηθώ πόσο *κουρασμένος* ακουγόταν ο Άλεντ, πόσο μασούσε τα λόγια του και δεν ήξερε τι ακριβώς ήθελε να πει. Δεν είχε κάνει ούτε καν τον κόπο να αλλάξει τη φωνή του – μιλούσε με τη χροιά του υιοθετώντας εκείνη την παλιομοδίτικη προφορά. Αν και κάθε τόσο την έχανε.

Δεν ήταν ο εαυτός του. Αν υπήρχε κάτι που ένοιαζε τον Άλεντ, κάτι που δεν το έκανε ποτέ με μισή καρδιά, ήταν το *Universe City*.

Κάτι δεν πήγαινε καλά.

Προσπάθησα να κοιμηθώ, αλλά μου πήρε άπειρη ώρα.

4. ΔΙΑΚΟΠΕΣ ΤΩΝ ΧΡΙΣΤΟΥΓΕΝΝΩΝ

ΕΝΑ ΔΙΑΔΙΚΤΥΑΚΟ ΜΥΣΤΗΡΙΟ

ΣΥΝΗΘΙΖΑ ΣΕ ΜΙΑ ΚΑΡΤΕΛΑ ΣΤΟ BROWSER να έχω μονίμως ανοιχτό το account του Άλεντ στο Twitter.

Δείτε εδώ κάποια από τα tweets του Άλεντ:

RADIO @UniverseCity
ΟΙ ΗΧΟΙ ΣΤΟ ΣΚΟΤΑΔΙ ΕΙΝΑΙ ΠΙΟ ΔΥΝΑΤΟΙ!

RADIO @UniverseCity
ξέρω τι έκαναν τα όνειρά σου το περασμένο καλοκαίρι,,, ναι σε εσένα μιλάω, ρόμι. δεν μπορείς να κρυφτείς πια

RADIO @UniverseCity
ενημέρωση για τη μόδα στο Universe City: μέσα τα χαλίκια, έξω τα γκόμπλιν και να έχετε έναν διακορευτή πάντα πάνω σας (!!! σας ΠΡΟΕΙΔΟΠΟΙΗΣΑ!!!)

RADIO @UniverseCity
@NightValeRadio εμείς ακούμε «» πάντα ακούμε

Φυσικά δεν έβγαζαν κανένα νόημα, γι' αυτό και μου άρεσαν. Προφανώς και τα αναδημοσίευσα.

Αλλά, αφού γνώρισα το πρόσωπο πίσω από το account, άρχισα να διαβάζω τα tweets του Radio –του Άλεντ– με μεγαλύτερη προσοχή απ' όση πιθανότατα χρειαζόταν.

Ανέβασε αυτό έπειτα από το διαγώνισμα στη Λογοτεχνία:

RADIO @UniverseCity

\το αλφάβητο κινδυνεύει, μόνο επτά γράμματα μένουν..., !! ΣΩΣΤΕ ΤΑ !!

Ανέβασε αυτό ένα βράδυ του Σεπτεμβρίου στις τέσσερις τα ξημερώματα, μερικές ώρες αφού μου είπε ότι είχε μαλώσει με τη μαμά του:

RADIO @UniverseCity

ΣΗΜΑΝΤΙΚΟ: τα αστέρια είναι πάντα στο πλευρό σου.

Αλλά αφότου μπήκε στο πανεπιστήμιο, τα tweets του Άλεντ γίνονταν ολοένα και πιο σκοτεινά.

RADIO @UniverseCity

πόσοι μίζεροι φοιτητές χρειάζονται για να αλλάξουν μια λάμπα. πείτε, αλήθεια, είμαι στο σκοτάδι εδώ και 2 βδομάδες

RADIO @UniverseCity

εναλλακτικές επιλογές για δουλειά: μεταλλική σκόνη, το ψυχρό κενό του διαστήματος, ταμίας σε σούπερ μάρκετ.

RADIO @UniverseCity
Έχετε κανένα tip για να μη βουλιάξει κάποιος στο μπετό;

Φαντάζομαι πως το έκανε επίτηδες. Το *Universe City* είχε γίνει πιο σκοτεινό. Οπότε, δεν ανησύχησα. Αντιθέτως, πέρασα το μεγαλύτερο μέρος των χριστουγεννιάτικων διακοπών ακούγοντας ξανά κάθε επεισόδιο του *Universe City*, σε μια προσπάθεια να καταλάβω ποιος ήταν η February Friday.

Εξακολουθούσα να μη γνωρίζω.

Ο Άλεντ είχε αναφέρει και παλιότερα πως είχε «χρόνια ολόκληρα» να δει τη February Friday. Οπότε δεν θα μπορούσε να εννοεί τον Ντάνιελ. Είχα κάνει λάθος.

Και με ενοχλούσε αυτό. Δεν μου άρεσε να κάνω λάθη.

Και ξέρετε κάτι; Τώρα που τα λέμε όλα, δεν υπάρχει κάτι που να σιχαίνομαι περισσότερο από ένα διαδικτυακό μυστήριο.

ΤΑΒΑΝΙ-ΓΑΛΑΞΙΑΣ

ΗΤΑΝ ΤΟ ΑΠΟΓΕΥΜΑ ΤΗΣ 21ΗΣ ΔΕΚΕΜΒΡΙΟΥ και η μαμά προσπαθούσε να με εμψυχώσει για να χτυπήσω την πόρτα του Άλεντ.

Έκανα επιτόπιο τρέξιμο στη βεράντα μας και με παρατηρούσε με τα χέρια σταυρωμένα.

«Αν σου ανοίξει η Κάρολ», είπε η μαμά, «μην της πεις τίποτα για: πολιτικά, σχολικά γεύματα, αλκοόλ και την ηλικιωμένη που δουλεύει στο ταχυδρομείο».

«Τι έχει με την ηλικιωμένη που δουλεύει στο ταχυδρομείο;»

«Μία φορά τη χρέωσε κατά λάθος παραπάνω και η Κάρολ ούτε συγχωρεί, ούτε ξεχνά».

«Φυσικά».

«Κι αν σου ανοίξει ο Άλεντ...» αναστέναξε η μαμά. «Μην τον αρχίσεις πάλι στις συγγνώμες. Νομίζω μπορεί να καταλάβει πως λυπάσαι, μια και του έχεις ζητήσει συγγνώμη ίσα με ένα εκατομμύριο φορές».

«Σας ευχαριστώ, μητέρα, για την ευαισθησία που δείχνετε».

«Πας στη μάχη, πρέπει να σε προετοιμάσω».

«Υπέροχα».

Η μαμά με χάιδεψε στον ώμο. «Όλα καλά θα πάνε. Μη φοβάσαι. Συζητώντας, όλα γίνονται καλύτερα, ειδικά αν το κάνεις πρόσωπο με πρόσωπο, στο υπογράφω. Απλώς δεν έχω καμία εμπιστοσύνη σε εσάς τους νέους με το... πώς το λέτε; Το "Tumble" σας;»

«Tumblr, ρε μαμά».

«Ναι, αυτό, μου ακούγεται κάπως ύποπτο. Πιο εύκολο είναι να μιλάς τετ α τετ».

«Καλά».

Μου άνοιξε την πόρτα και έδειξε έξω. «Πήγαινε!»

Όταν η Κάρολ Λαστ άνοιξε την πόρτα του σπιτιού της, ήταν η πρώτη φορά που την έβλεπα μετά το περιστατικό με το ψαλίδι, το οποίο, για να είμαι ειλικρινής, σκεφτόμουν ακόμη τουλάχιστον μία φορά κάθε μέρα.

Δεν είχε αλλάξει. Κοντά μαλλιά, παχουλή, με ανέκφραστο πρόσωπο.

«Φράνσις», είπε κάπως έκπληκτη που με έβλεπε. «Όλα καλά, καλή μου;»

«Ναι, πολύ καλά, σας ευχαριστώ», είπα μιλώντας κάπως βιαστικά. «Πώς είστε;»

«Ε, παλεύω να τα φέρω βόλτα, ξέρεις». Χαμογέλασε και κοίταξε πάνω από το κεφάλι μου. «Κάνω διάφορα. Προσπαθώ να κρατιέμαι απασχολημένη!»

«Α, μάλιστα», είπα προσπαθώντας να δείξω ενδιαφέρον, αλλά όχι και τόσο που να την έκανε να μου μιλήσει περισσότερο. «Αναρωτιόμουν αν είναι εδώ ο Άλεντ».

Το χαμόγελό της εξαφανίστηκε. «Μάλιστα». Με παρατήρησε

σαν να σκεφτόταν μήπως έπρεπε να μου βάλει τις φωνές. «Όχι, καλή μου. Λυπάμαι. Είναι στο πανεπιστήμιο».

«Α». Έχωσα τα χέρια στις τσέπες μου. «Μήπως... μήπως θα γυρίσει καθόλου τα Χριστούγεννα;»

«Αυτό καλύτερα να τον ρωτήσεις εσύ», είπε με το στόμα σφιγμένο.

Μπορεί να ήμουν τρομοκρατημένη, αλλά αποφάσισα να συνεχίσω.

«Απλώς... δεν μου απαντάει στα μηνύματα. Και... χμ... ανησύχησα κάπως. Ήθελα να δω αν είναι καλά».

«Αχ, *γλυκιά μου*». Γέλασε με οίκτο. «Μια χαρά είναι, στο λέω εγώ. Μόνο που πνίγεται με τα διαβάσματα για τη σχολή. Καταλαβαίνεις, του βάζουν δύσκολα... όπως πρέπει δηλαδή! Έμεινε εκεί στις διακοπές επειδή έχασε ορισμένες προθεσμίες». Κούνησε το κεφάλι της. «Τι χαζό αγόρι. Να δεις που αντί να διαβάζει, όπως θα έπρεπε να κάνει, πηγαίνει σε φοιτητικά πάρτι».

Το μόνο σίγουρο ήταν πως ο Άλεντ δεν θα πήγαινε ποτέ σε «φοιτητικά πάρτι», αλλά δεν ήθελα να βγάλω ψεύτρα τη μαμά του.

«Και ξέρεις», συνέχισε, «το αγόρι μου ήταν πάντοτε τεμπελάκος. Έχει τόσες προοπτικές... θα μπορούσε να κάνει μέχρι και διδακτορικό, αν το έπαιρνε απόφαση. Αλλά αποσπούν την προσοχή του άλλες χαζές ασχολίες. Ανούσια πράγματα. Ήξερες ότι ξόδευε άπλετο χρόνο γράφοντας μια ιστορία την οποία *διάβαζε* στον υπολογιστή του; Δεν έχω ιδέα πού στο καλό βρήκε μικρόφωνο».

Γέλασα, παρόλο που δεν ήταν αστείο.

Συνέχισε.

«Πόσο βλακώδες! Αφού καταλαβαίνετε πόσο σημαντικό είναι αυτό το στάδιο για τη ζωή σας. Πρέπει να είστε εκατό τοις εκατό συγκεντρωμένοι στις σπουδές σας, αλλιώς θα καταστρέψετε το μέλλον σας!»

«Ναι», είπα κάπως βεβιασμένα.

«Πάντοτε ήμουν δίπλα στον Άλεντ μας, αλλά... μερικές φορές ανησυχώ ότι δεν σκέφτεται σωστά. Είναι *απίστευτα* έξυπνος, αλλά *δεν* χρησιμοποιεί την εξυπνάδα του. Και έχω προσπαθήσει τόσο πολύ να τον βοηθήσω, από τότε που ήταν νήπιο, αλλά δεν λέει να με ακούσει. Βέβαια, δεν ήταν ποτέ τόσο αγύριστο κεφάλι όσο η αδελφή του». Γέλασε με πίκρα. «Τι παλιόπαιδο».

Άρχισα να αισθάνομαι αμήχανα, αλλά με κοίταξε κατάματα με έναν νέο ενθουσιασμό.

«Από τότε που μου τηλεφώνησε μερικές εβδομάδες πριν, σκέφτηκα ένα σχέδιο και έχω αρχίσει να το εφαρμόζω. Παραπονιόταν ότι δεν ήθελε πλέον να σπουδάσει και πιστεύω ότι αυτό οφείλεται στο γεγονός ότι δεν δημιουργεί ο ίδιος ένα κατάλληλο περιβάλλον για διάβασμα. Οπότε, άλλαξα ορισμένα πράγματα στο υπνοδωμάτιό του».

Δεν μου άρεσε καθόλου αυτό.

«Πρέπει να βρίσκεσαι στο σωστό περιβάλλον για να έχεις διάθεση και να μπορείς να συγκεντρωθείς, έτσι δεν είναι; Και δεν μου το βγάζεις από το μυαλό ότι το δωμάτιό του ήταν ένα απολύτως ακατάλληλο περιβάλλον για διάβασμα. *Τόσο* ακατάστατο όλη την ώρα... θυμάσαι πώς ήταν, έτσι;»

«Εμ... ναι... μάλλον».

«Παρότι έκανα *μικρές* αλλαγές στο δωμάτιό του, είμαι σίγουρη πως ο Άλεντ θα δει *θεαματικές* αλλαγές στη διάθεσή του από δω και πέρα». Έκανε απότομα πίσω. «Γιατί δεν έρχεσαι να ρίξεις μια ματιά, καλή μου;»

Άρχισα να ζαλίζομαι. «Ε...εντάξει», είπα και την ακολούθησα πάνω, στο δωμάτιο του Άλεντ.

«Άλλαξα ελάχιστα πράγματα. Είμαι σίγουρη πως θα του αρέσουν οι αλλαγές».

Άνοιξε την πόρτα.

Το πρώτο που με αιφνιδίασε ήταν το λευκό στον χώρο. Το πολύχρωμο πάπλωμα και η κουβέρτα του Άλεντ είχαν εξαφανιστεί και αντικατασταθεί από λευκά και κρεμ ριγέ σεντόνια. Το ίδιο είχε συμβεί και με τις κουρτίνες. Η μοκέτα ήταν η ίδια, μόνο που πλέον είχε πάνω της μια λευκή κουρελού. Τα φωτάκια ήταν χωμένα σε μια κούτα στο πλάι του δωματίου. Όλα τα αυτοκόλλητα είχαν φύγει από τη συρταριέρα, ενώ είχαν εξαφανιστεί οι αφίσες, τα καρτ-ποστάλ, τα εισιτήρια, τα φυλλάδια και, γενικότερα, κάθε χαρτί από τους τοίχους – ορισμένα ήταν τσαλακωμένα και πεταμένα στην ίδια κούτα με τα φωτάκια. Το μόνο σίγουρο ήταν πως δεν βρίσκονταν όλα εκεί μέσα. Τα φυτά υπήρχαν ακόμη αλλά είχαν μαραθεί, με τα φύλλα τους να έχουν κιτρινίσει και τα κλωνάρια τους να έχουν λυγίσει ξέψυχα. Οι τοίχοι ήταν λευκοί και, αλήθεια, μα τον Θεό, δεν ξέρω αν ήταν έτσι από πάντα ή αν η Κάρολ τους είχε βάψει.

Και τότε διαπίστωσα *με τρόμο* πως το ταβάνι-γαλαξίας είχε *όντως βαφτεί!*

«Δεν νιώθεις ότι έχει έναν *άλλο* αέρα; Ένας καθαρός, άδειος χώρος ισοδυναμεί με καθαρό και ξύπνιο μυαλό».

Είπα με το ζόρι ένα «ναι», αλλά πάω στοίχημα πως ακούστηκα λες και πνιγόμουν.

Ο Άλεντ θα έβαζε τα κλάματα με το που το έβλεπε.

Είχε αρπάξει τον προσωπικό του χώρο –το *σπίτι του*– και τον είχε καταστρέψει.

Ρήμαζε καθετί που αγαπούσε Άλιεντ.

03:54 Π.Μ.

ΜΑΛΛΟΝ ΑΝΗΣΥΧΗΣΑ ΤΗ ΜΑΜΑ ΜΟΥ όταν γύρισα σπίτι με την κούτα στο ένα χέρι και την κουβέρτα στο άλλο, μουρμουρίζοντας κάτι ακαταλαβίστικο για διακόσμηση δωματίων.

Με το που της εξήγησα τι είχε συμβεί, η μαμά μόρφασε από αηδία.

«Θα έπρεπε να ντρέπεται», είπε.

«Φοβάμαι γι' αυτό είναι ο Άλεντ ακόμη στο πανεπιστήμιο. Πιστεύει ότι δεν μπορεί να γυρίσει σπίτι, είναι παγιδευμένος εκεί, δεν έχει κανέναν να τον φροντίσει...» Άρχισα να πολυλογώ πάλι και η μαμά με έβαλε να καθίσω στον καναπέ για να ηρεμήσω. Πήγε στην κουζίνα, μου έφτιαξε ζεστή σοκολάτα και κάθισε δίπλα μου.

«Είμαι *σίγουρη* ότι έχει κάνει φίλους στη σχολή», είπε. «Και τα πανεπιστήμια έχουν επαγγελματίες στήριξης: κοινωνικούς λειτουργούς, ψυχολόγους, ανώνυμες υπηρεσίες. Είμαι σίγουρη ότι δεν είναι μόνος».

«Μα, αν είναι;» ψιθύρισα, προσπαθώντας για χιλιοστή φορά να μην κλάψω. «Κι αν υποφέρει;...»

«Δεν υπάρχει κανένας τρόπος να του μιλήσεις;»

Κούνησα το κεφάλι λυπημένη. «Δεν απαντάει στα μηνύματα

και στις κλήσεις μου. Μένει έξι ώρες από δω. Ούτε τη διεύθυνσή του δεν ξέρω».

Η μαμά πήρε μια βαθιά ανάσα. «Τότε... Ανησυχείς, το ξέρω, αλλά δεν μπορείς να κάνεις και πολλά. Δεν φταις εσύ γι' αυτό».

Κι όμως, ένιωθα πως εγώ έφταιγα, επειδή ήξερα τι συνέβαινε και δεν μπορούσα να κάνω τίποτα για να τον βοηθήσω.

Γενικά, μου έπαιρνε τρεις με τέσσερις ώρες να κοιμηθώ κάθε βράδυ, αλλά η κατάσταση ειδικά εκείνο το βράδυ ήταν πολύ άσχημη. Δεν ήθελα να κλείσω το λάπτοπ μου, ένιωθα μόνη στο δωμάτιό μου και δεν ήθελα να σβήσω τα φωτάκια, σιχαινόμουν το σκοτάδι.

Δεν μπορούσα να σταματήσω να σκέφτομαι. *Δεν μπορούσα να σταματήσω να σκέφτομαι.* Είχα πανικοβληθεί.

Ναι. Είχα πανικοβληθεί.

Την τελευταία φορά που απέτυχα να βοηθήσω κάποια, το έσκασε και από τότε δεν είχα ξανά νέα της.

Δεν μπορούσα... *δεν ήθελα* να επαναλάβω το ίδιο λάθος.

Έπρεπε να εστιάσω σε όσα συνέβαιναν και να κάνω κάτι γι' αυτό.

Μπήκα στο Tumblr και κοίταζα τις ζωγραφιές μου. Φαντάστηκα κάποιον να τις διαγράφει, να σπάει το λάπτοπ μου – και μόνο στη σκέψη γινόμουν έξαλλη. Αγαπούσα τα σκίτσα μου περισσότερο από καθετί, απολάμβανα να δημιουργώ περισσότερο από καθετί. Κι αν κάποιος μου τα έπαιρνε μέσα από τα χέρια, όπως είχε κάνει η μαμά του Άλεντ με το δωμάτιό του, με τον κόσμο του, με το μέρος όπου ένιωθε ασφαλής...

Πήρα το κινητό μου τυλιγμένη στα σκεπάσματα και βρήκα το

όνομα του Άλεντ. Τελευταία φορά που τον είχα πάρει τηλέφωνο ήταν τον Οκτώβριο.

Δεν πείραζε να δοκίμαζα άλλη μία φορά.

Πάτησα το εικονίδιο του τηλεφώνου δίπλα στο όνομά του.

Άρχισε να καλεί. Και σταμάτησε απότομα.

Α: *Ναι;...*

Η φωνή του ήταν όπως ακριβώς τη θυμόμουν. Αδύναμη, κάπως βραχνή, κάπως νευρική.

Φ: Α... Άλεντ, my God, δεν... δεν πίστευα ότι θα το σήκωνες...

Α: *Α. Συγγνώμη.*

Φ: Όχι, μη ζητάς συγγνώμη· εγώ, βασικά, χαίρομαι *τόσο* πολύ που σε ξανακούω.

Α: *Α...*

Τι να έλεγα; Ίσως ήταν η μοναδική μου ευκαιρία.

Φ: Για πες... πώς τα πας; Πώς είναι η σχολή;

Α: *Όλα... όλα καλά.*

Φ: Ωραία, χαίρομαι.

Α: *Έχει πολλή δουλειά*

Χαχάνισε. Αναρωτήθηκα πόσα δεν μου έλεγε.

Φ: Αλλά είσαι καλά;

Α: *Εμ...*

Έπεσε σιωπή και μπορούσα να ακούσω μέχρι και το καρδιοχτύπι μου.

Α: *Ξέρεις, μωρέ, τα φαντάζεσαι. Είναι... είναι δύσκολα. Δυσκολεύομαι κάπως.*

Φ: Ναι;

Α: *Πιστεύω ότι συμβαίνει το ίδιο και με πολλούς άλλους.*

Η φωνή του έβγαινε κάπως παράξενη.

Φ: Άλεντ... μπορείς να μου το πεις αν δεν νιώθεις καλά. Ξέρω πως δεν μιλάμε πια, αλλά... ακόμη... ακόμη νοιάζομαι για σένα. Ξέρω πως ίσως με μισείς και δεν ξέρω τι σκέφτεσαι για μένα... και ξέρω ότι δεν θέλεις να ακούσεις άλλη μια συγγνώμη μου. Αλλά... νοιάζομαι για σένα. Και γι' αυτό σου τηλεφώνησα.

Α: *Χαχα, ναι, βέβαια μου είχες πει ότι σε φοβίζει να παίρνεις ανθρώπους τηλέφωνο.*

Φ: Ποτέ δεν με φόβιζε να παίρνω *εσένα* τηλέφωνο.

Δεν το σχολίασε.

Φ: Πήγα σπίτι σου σήμερα για να δω αν είχες έρθει.

Α: *Αλήθεια; Γιατί;*

Φ: Ήθελα... να μιλήσουμε. Δεν απαντούσες στα μηνύματά μου.

Α: *Συγγνώμη... απλώς... εγώ... δυσκολευόμουν να... εμ...*

Η φωνή του χάθηκε και δεν είχα την παραμικρή ιδέα τι προσπαθούσε να μου πει.

Φ: Η μαμά σου... Μίλησα στη μαμά σου. Έχει... έχει κάνει αλλαγές στο δωμάτιό σου. Έβαψε το ταβάνι.
Α: ...
Αλήθεια;...
Φ: Ναι... αλλά έσωσα τα πάντα από τα πράγματά σου, την έπεισα να μου τα δώσει αντί να τα πετάξει...

Σιωπή.

Φ: Άλεντ; Είσαι εκεί;
Α: *Περίμενε. Δ...δηλαδή... πέταξε τα πάντα;...*
Φ: Ήθελε, αλλά τα έσωσα. Βασικά, δεν ξέρω αν έσωσα *τα πάντα*, αλλά τουλάχιστον αρκετά από τα πράγματά σου...
Α: ...
Φ: Γιατί; Γιατί να κάνει *κάτι τέτοιο* χωρίς την άδειά σου;
Α: *Τι...*
Φ: ...
Α: *Χαχα. Μην ανησυχείς.*

Δεν ήξερα τι να πω.

Α: *Έτσι ήταν πάντα η μαμά. Δεν με εκπλήσσει πια. Τίποτα δεν με εκπλήσσει.*
Φ: Θα... θα έρθεις για τα Χριστούγεννα;
Α: *Δεν ξέρω...*

Φ: Αν θες, μπορείς να μείνεις σπίτι μου.

Ήμουν σίγουρη ότι θα έλεγε όχι.

Α: *Δεν... Δεν θα πειράξει τη μαμά σου;*

Φ: Όχι, καθόλου! Ξέρεις τη μαμά μου! Και ξέρεις τώρα, όλο μου το σόι, οι παππούδες, οι θείοι, τα ξαδέλφια μου είναι όλοι τους φωνακλάδες, αλλά πολύ γλυκούληδες. Και απλώς θα τους πούμε ότι είσαι το αγόρι μου.

Α: *Εντάξει... αυτό... Ναι, θα μου άρεσε. Ευχαριστώ.*

Φ: Δεν κάνει τίποτα...

Με είχε συγχωρήσει. Δεν με μισούσε. *Δεν με μισούσε!*

Φ: Τι κάνεις ξύπνιος τόσο αργά;

Α: *Προσπαθώ να... να γράψω μια εργασία. Κατάφερα να πάρω παράταση...*

Σιωπή για αρκετή ώρα.

Φ: Α... Κάπως βαρετό μου ακούγεται.

Α: *Ναι...*

Ξαφνικά τον άκουσα να βαριανασαίνει. Αναρωτήθηκα αν είχε αρπάξει κρύωμα.

Φ: Είναι αργά για να γράφεις εργασίες.

Α: (παύση) *Ναι...*

Άλλη μια βασανιστική παύση.

Φ: Και; Πάει καλά;
Α: *Εμ, μπα... όχι και τόσο...*

Όταν μίλησε ξανά, η φωνή του έτρεμε και τότε κατάλαβα πως έκλαιγε.

Α: *Δεν θέλω να τη γράψω. Όλη μέρα κοιτάζω την οθόνη...*
Φ: ...
Α: *Δεν θέλω... δεν θέλω άλλο...*
Φ: Άλεντ, είναι πολύ αργά για να γράφεις την εργασία σου, πέσε κοιμήσου και τη γράφεις το πρωί.
Α: *Δεν γίνεται. Η προθεσμία μου λήγει στις δέκα αύριο το πρωί.*
Φ: Γι' αυτό δεν πρέπει να αφήνεις τις εργασίες για την τελευταία στιγμή...

Στην αρχή δεν απάντησε. Τον άκουσα να παίρνει άλλη μια τρεμουλιαστή ανάσα.

Α: *Ναι.*
Φ: ...
Α: *Ναι, συγγνώμη. Συγγνώμη, θα έπρεπε να... ναι.*
Φ: Δεν πειράζει.
Α: *Τα λέμε αργότερα.*

Το έκλεισε πριν προλάβω να τον σταματήσω.
Κοίταξα το κινητό μου. Η ώρα ήταν 03:54 π.μ.

ΕΚΑΙΓΕ

«*ΤΙ ΓΑΜΑΤΑ ΜΑΛΛΙΑ!*»

Ο Άλεντ κατέβηκε από το τρένο το βράδυ της 23ης Δεκεμβρίου με μια βαλίτσα στο χέρι και ένα σακίδιο στην πλάτη.

Τα μαλλιά του είχαν φτάσει στους ώμους και στις άκρες του είχε ανοιχτόχρωμες ροζ ανταύγειες. Φορούσε μαύρο στενό τζιν, ένα μπεζ κοτλέ παλτό με φόδρα από φλις, λαχανί παπούτσια με μοβ κορδόνια και είχε ακουστικά στα αφτιά του. Εγώ πάλι φορούσα το φαρδύ παλτό μου, κολάν-σκακιέρα και σταράκια Star Wars.

Μου χαμογέλασε. Αμήχανο μεν, χαμόγελο δε.

«Σου αρέσουν;»

«Είναι *τέλεια*». Στάθηκα μπροστά του για λίγο παρατηρώντας τον, προτού βγάλει τα ακουστικά του. Μπορούσα να ακούσω τι άκουγε – το *Innocence* από Nero. Εγώ του είχα μάθει τους Nero.

«Ακούς πολύ δυνατά μουσική», είπα προτού προλάβει να μου πει κάτι.

Βλεφάρισε και μου χαμογέλασε διακριτικά. «Το ξέρω».

❊

Γυρίσαμε με τα πόδια στο χωριό και μιλήσαμε για άσχετα πράγματα – για το ταξίδι με το τρένο, τα Χριστούγεννα, τον καιρό. Δεν με πείραζε. Ήξερα ότι δεν θα γίνονταν σε μια στιγμή τα πράγματα όπως ήταν.

Ένιωθα ευγνώμων που ήταν εδώ, μαζί μου.

Φτάσαμε σπίτι και η μαμά τον υποδέχτηκε με ένα φλιτζάνι τσάι, αλλά ο Άλεντ αρνήθηκε ευγενικά να κάτσει.

«Θα πάω να μιλήσω στη μαμά μου πρώτα», είπε. «Να της πω ότι θα μείνω εδώ τα Χριστούγεννα».

Βλεφάρισα. «Νόμιζα πως το ήξερε ήδη».

«Όχι, αυτό πρέπει να της το πω από κοντά».

Άφησε το σακίδιό του στο πάτωμα του χολ και στήριξε τη βαλίτσα του στον τοίχο.

«Θα μου πάρει ένα δεκάλεπτο», είπε.

Δεν τον πίστεψα.

Αφού πέρασε ένα μισάωρο, άρχισα να πανικοβάλλομαι. Το ίδιο και η μαμά.

«Μήπως θα έπρεπε να πάω από κει;» με ρώτησε η μαμά. Στεκόμασταν στο παράθυρο του σαλονιού με τα μάτια μας στραμμένα στο σπίτι του Άλεντ μήπως δούμε την οποιαδήποτε κίνηση. «Ίσως θα βοηθούσε αν της μιλούσα. Οι μεγάλοι συνήθως ακούν άλλους μεγάλους».

Και τότε ακούσαμε τον Άλεντ να ουρλιάζει.

Βασικά, δεν ήταν ουρλιαχτό. Ήταν περισσότερο σαν κραυγή. Δεν είχα ακούσει ποτέ άλλοτε κάποιον να κραυγάζει έτσι.

Εκτοξεύτηκα μέχρι την πόρτα και την άνοιξα, πάνω που

ο Άλεντ άνοιγε τη δική του και έφευγε. Έτρεξα κοντά του. Τρέκλιζε και πίστευα πως είχε τραυματιστεί, αλλά δεν μπορούσα να εντοπίσω κάποιο τραύμα στο σώμα του, πέραν από τον μορφασμό στο πρόσωπό του που έκλαιγε και τον πήρα αγκαλιά τη στιγμή που έπεσε στο έδαφος, στην άκρη του πεζοδρομίου, βγάζοντας τους πιο ανατριχιαστικούς ήχους που είχα ακούσει λες και τον είχαν πυροβολήσει, λες και πέθαινε.

Άρχισε να φωνάζει «όχι, όχι, όχι, όχι, όχι, όχι...». Τα δάκρυα έτρεχαν ασταμάτητα από τα μάτια του και άρχισα να τον ρωτάω τι είχε συμβεί, τι του είχε κάνει, αλλά εκείνος κουνούσε το κεφάλι και πνιγόταν, σαν οι λέξεις να μην ήθελαν να βγουν, ακόμα και να το ήθελε. Και τότε, το άκουσα...

«Τ...τον σκότωσε. Τ...τον σκότωσε».

«Ποιον; Τι έγινε; Πες μου...»

«Τον... τον σκύλο μου... τον Μπράιαν...» Και έβαλε πάλι τα κλάματα· οι λυγμοί του ήταν τόσο δυνατοί, σαν να μην είχε κλάψει ποτέ άλλοτε.

Ήθελα να κάνω εμετό.

Παρέμεινα ακίνητη.

«Σκό...σκότωσε... τον σκύλο σου;»

«Εί...είπε ότι... ότι δεν μπορούσε να τον φροντίσει... επειδή ήμουν μακριά και... Και εκείνος γερνούσε, έ...έτσι... τον... του έκανε... του έκανε *ευθανασία*».

«Όχι...»

Έβγαλε άλλον έναν λυγμό και κόλλησε το πρόσωπό του στη μπλούζα μου.

Δεν ήθελα να πιστέψω πως κάποιος ήταν ικανός για κάτι τέτοιο.

Αλλά καθόμασταν κάτω από τους φανοστάτες, ο Άλεντ έτρεμε στην αγκαλιά μου και όλο αυτό που ζούσαμε ήταν αληθινό. Είχε συμβεί. Έπαιρνε ό,τι είχε ο Άλεντ και το έκαιγε. Τον έκαιγε αργά, μέχρι να πεθάνει.

ΣΚΟΥΡΙΑΣΜΕΝΑ ΒΟΡΕΙΑ ΧΕΡΙΑ

«ΘΑ ΦΩΝΑΞΩ ΤΗΝ ΑΣΤΥΝΟΜΙΑ», είπε η μαμά για τέταρτη φορά. Καθόμασταν μισή ώρα τώρα στο σαλόνι. «Τουλάχιστον, άσε με να της τα ψάλλω».

«Δεν έχει νόημα», είπε ο Άλεντ. Ακουγόταν λες και ήθελε να πεθάνει.

«Τι μπορούμε να κάνουμε;» ρώτησα. «Σίγουρα κάτι μπορούμε...»

«Όχι». Σηκώθηκε από τον καναπέ. «Γυρίζω στη σχολή».

«Τι;» Σηκώθηκα και τον ακολούθησα έξω. «Περίμενε, δεν μπορείς να περάσεις τα Χριστούγεννα εκεί μόνος σου!»

«Δεν θέλω να είμαι κοντά της».

Σωπάσαμε για λίγο.

«Όταν η Κάρις και εγώ ήμασταν δέκα...» συνέχισε, «η μαμά έκαψε τα ρούχα που είχε αγοράσει η Κάρις από second hand. Η αδελφή μου είχε ενθουσιαστεί με ένα παντελόνι που είχε αγοράσει σε μια βόλτα με τις φίλες της. Το ύφασμά του έμοιαζε με γαλαξία... αλλά η μαμά είπε ότι ήταν όλα σκουπίδια, οπότε τα πήρε και τα έκαψε στην αυλή, ενώ η Κάρις ούρλιαζε και έκλαιγε, προσπάθησε να τα πάρει από τη φωτιά και έκαψε τα χέρια της. Η μαμά ούτε που την παρηγόρησε». Τα μάτια του ήταν κενά, σαν να μην υπήρχε τίποτα μέσα του. «Της... της κρατούσα τα χέρια κάτω από τη βρύση...»

«Αν είναι δυνατόν...» είπα.

Ο Άλεντ χαμήλωσε το βλέμμα και τη φωνή του. «Θα μπορούσε να τα πετάξει, αλλά επέλεξε να τα *κάψει*...»

Η μαμά μου κι εγώ προσπαθήσαμε για άλλο ένα τέταρτο να τον πείσουμε, μήπως αλλάξει γνώμη, αλλά εκείνος ήταν ανένδοτος.

Θα έφευγε.

Πάλι.

Ήταν σχεδόν εννέα το πρωί όταν ο Άλεντ κι εγώ γυρίσαμε στον σταθμό και, παρόλο που είχαμε συναντηθεί ένα δίωρο πριν, ένιωθα ότι είχαν περάσει μέρες ολόκληρες.

Καθίσαμε σε ένα παγκάκι. Τα δέντρα απλώνονταν μπροστά μας, ο χειμωνιάτικος ουρανός ήταν μαύρος και μουντός.

Ο Άλεντ σήκωσε τα πόδια του, λύγισε τα γόνατα και στήριξε τα παπούτσια του στο παγκάκι. Άρχισε να παίζει νευρικά με τα χέρια του.

«Κάνει κρύο στα βόρεια», είπε και μου έδειξε τα χέρια του. Το δέρμα στις κλειδώσεις του ήταν ξερό. «Κοίτα».

«Σκουριασμένα βόρεια χέρια», είπα.

«Τι πράγμα;»

«Έτσι λέει η μαμά μου». Χάιδεψα με ένα δάχτυλο το ξερό δέρμα στις κλειδώσεις του. «Όταν το δέρμα στα χέρια σου ξεραίνεται. Τα λέει σκουριασμένα βόρεια χέρια».

Ο Άλεντ χαμογέλασε. «Πρέπει να πάρω γάντια. Θα τα φοράω συνέχεια».

«Σαν το Radio». Στο *Universe City*, το Radio δεν βγάζει ποτέ τα γάντια του. Κανείς δεν ξέρει γιατί.

«Ναι». Τράβηξε το χέρι του και τύλιξε τα μπράτσα του γύρω από τα γόνατά του. «Μερικές φορές νομίζω πως *είμαι* το Radio».

«Θες τα γάντια μου;» είπα ξαφνικά και τα έβγαλα. Ήταν μπλε και είχαν ένα σχέδιο στη ράχη τους. Του τα έδειξα. «Έχω πάρα πολλά».

Με κοίταξε. «Δεν γίνεται να στα κλέψω!»

«Είναι παλιά». Και έλεγα την αλήθεια.

«Φράνσις, αν τα πάρω, θα νιώθω άσχημα που τα φοράω».

Δεν ήθελε να τα πάρει. Σήκωσα τους ώμους και είπα «καλά» και τα ξαναφόρεσα.

Καθίσαμε σιωπηλοί για λίγο. «Συγγνώμη που δεν σου απαντούσα στα μηνύματα», είπε.

«Δεν πειράζει, είχες κάθε λόγο να είσαι νευριασμένος μαζί μου».

Ξανά σιωπή. Ήθελα να μάθω ό,τι είχε κάνει στη σχολή. Ήθελα να του ζητήσω να μου πει ό,τι δεν ήξερα για το *Universe City*. Ήθελα να του πω κι εγώ τα πάντα, πόσο χάλια ήταν το σχολείο, πόση ανάγκη είχα από λίγο ύπνο, ότι κάθε μέρα πονούσε το κεφάλι μου.

«Πώς είσαι;» με ρώτησε.

Τον κοίταξα. «Καλά».

Και ήξερε πως δεν ήμουν. Ούτε εκείνος ήταν. Αλλά δεν ήξερα τι άλλο να πω.

«Πώς πάει το σχολείο;»

«Ανυπομονώ να τελειώσει. Αλλά και... προσπαθώ να το απολαύσω», απάντησα.

«Δεν είσαι από τις κοπέλες που θέλουν να χάσουν την παρθενιά τους πριν πάνε στο πανεπιστήμιο, έτσι;»

Συνοφρυώθηκα. «Υπάρχουν τέτοια άτομα;»

Σήκωσε τους ώμους. «Δεν ξέρω».

Γέλασα.

«Κατά τα άλλα είσαι καλά;» με ρώτησε.

Δεν μπορούσα να του πω ψέματα. «Μπα. Δεν κοιμάμαι τα βράδια».

Χαμογέλασε και κοίταξε αλλού. «Μερικές φορές πιστεύω πως είμαστε το ίδιο άτομο... αλλά χωριστήκαμε κατά λάθος στα δύο πριν γεννηθούμε».

«Γιατί;»

«Επειδή είσαι σαν κι εμένα, αλλά χωρίς σκουπίδια στη ζωή σου».

Ρουθούνισα. «Κάτω από τα σκουπίδια... κρύβονται κι άλλα σκουπίδια. Μέχρι και στο μεδούλι μας έχουμε σκουπίδια».

«Α», είπε. «Αυτός θα είναι ο τίτλος του πρώτου μου rap album».

Γελάσαμε. Τα γέλια μας αντήχησαν στον σταθμό.

Και μια φωνή ακούστηκε.

«Το επόμενο τρένο για την Πλατφόρμα Ένα θα είναι των 21:07 για τον Σταθμό Σεντ Πάκρας στο Λονδίνο».

«Α», είπε ο Άλεντ. Δεν έκανε την παραμικρή κίνηση.

Έσκυψα και τον αγκάλιασα. Τον αγκάλιασα σφιχτά, τυλίχτηκα γύρω από τον λαιμό του και το πηγούνι μου κρύφτηκε στον ώμο του. Κι εκείνος με αγκάλιασε. Και πιστεύω ότι συμφιλιωθήκαμε.

«Έχεις να περάσεις με κανέναν τα Χριστούγεννα;»

«Εμ...» Σιωπή. «Ναι, εμ... νομίζω πως θα μείνουν οι φοιτητές από άλλες χώρες...»

Το τρένο του έφτασε. Σηκώθηκε, πήρε τη βαλίτσα του, άνοιξε την πόρτα και επιβιβάστηκε. Γύρισε, με χαιρέτησε, του είπα «bon voyage!» μου χαμογέλασε θλιμμένα. «Φράνσις, είσαι...» είπε αλλά δεν ολοκλήρωσε την πρόταση και δεν είχα ιδέα τι ήθελε να πει. Φόρεσε τα ακουστικά του, η πόρτα έκλεισε, απομακρύνθηκε από το παράθυρο και δεν μπορούσα να τον δω πια.

Όταν το τρένο άρχισε να απομακρύνεται, σκέφτηκα να σηκωθώ από το παγκάκι, να αρχίσω να τρέχω και να τον χαιρετάω όπως κάνουν στις ταινίες, για να με δει από το παράθυρο. Αλλά έπειτα σκέφτηκα ότι θα φαινόμουν σαν χαζή και ότι θα ήταν τσάμπα κόπος. Έτσι έμεινα στο παγκάκι και περίμενα ώσπου να φύγει το τρένο. Έμεινα μόνη στη φύση, μαζί με τα χωράφια και τη μουντάδα.

ΦΙΛΗ ΜΟΥ

ΕΙΧΑ ΦΙΛΗΣΕΙ ΤΗΝ ΚΑΡΙΣ μια μέρα πριν το σκάσει. Δεν της άρεσε, με σιχάθηκε, το έσκασε και το φταίξιμο ήταν δικό μου.

Έγινε τη μέρα που ανακοινώνονταν τα αποτελέσματα για το GCSE – το δέκατο έτος μου, το ενδέκατο δικό της. Ήρθε από το σπίτι μου εκείνο το βράδυ για να το γιορτάσουμε ή, στη δική της περίπτωση, να το ρίξει έξω για να ξεχάσει, μια και τα είχε πάει χάλια.

Είχε γράψει κάτω από τη βάση σε όλα τα μαθήματα.

Καθόμουν στον καναπέ με κλειστές σακούλες πατατάκια και μερικά μπουκάλια αναψυκτικό –πράγματα που μας είχαν ξεμείνει από τις γιορτές– και την παρακολουθούσα να παραληρεί στον απέναντι καναπέ.

«Και ξέρεις κάτι; Χέστηκα. Πραγματικά δεν με νοιάζει. Και τι θα γίνει; Θα επαναλάβω την τάξη. Και τι έγινε; Και να μείνω ξανά – ποιος χέστηκε! Θα πιάσω δουλειά κάπου που δεν νοιάζονται για τους βαθμούς μου. Μπορεί να είμαι χαζή, αλλά υπάρχουν ένα σωρό πράγματα που μπορώ να κάνω. Η μαμά μου είναι τέρμα *μαλάκω* – τι περίμενε, δηλαδή; Δεν είμαι ο αδελφός μου! Δεν είμαι *το χαϊδεμένο!* Τι περίμενε;»

Συνέχιζε να μιλάει κάπως έτσι για αρκετή ώρα. Όταν άρχισε να κλαίει, πήγα κι έκατσα δίπλα της και την αγκάλιασα.

«Δεν είμαι άχρηστη, μπορώ να κάνω τόσα πράγματα! Οι βαθμοί είναι μόνο αριθμοί. Και λοιπόν; Τι έγινε αν δεν ξέρω τριγωνομετρία ή ποιος ήταν ο Χίτλερ ή τι είναι η φωτοσύνθεση;» Με κοίταξε. Η μάσκαρά της είχε μουτζουρώσει τα μάτια της. «Δεν είμαι άχρηστη, έτσι δεν είναι;»

«Δεν είσαι», είπα, περισσότερο ψιθυριστά.

Και τότε τη φίλησα.

Για να πω την αλήθεια, δεν θέλω να μιλήσω γι' αυτό.

Κριντζάρω και μόνο που το σκέφτομαι.

Πετάχτηκε πάνω σχεδόν αμέσως.

Επικράτησε αβάσταχτη σιωπή, σαν καμία από τις δυο μας να μην πίστευε τι είχε συμβεί.

Και τότε άρχισε να μου φωνάζει.

«Νόμιζα πως ήσουν φίλη μου», έλεγε. Επίσης ακούστηκε αρκετές φορές και το «κανείς δεν νοιάζεται για μένα». Αλλά το «τόσο καιρό προσποιείσαι τη φίλη μου» πόνεσε περισσότερο από καθετί άλλο.

Δεν παρίστανα τίποτα. Ήταν η φίλη μου και νοιαζόμουν για εκείνη. Δεν το παρίστανα.

Την επόμενη μέρα το έσκασε. Μέσα σε μια μέρα με είχε μπλοκάρει στο Facebook και είχε διαγράψει το Twitter της. Μέσα στη βδομάδα άλλαξε τον αριθμό της. Μέσα στον μήνα πίστευα πως θα το είχα ξεπεράσει αλλά, στην πραγματικότητα, αυτό δεν συνέβη ποτέ. Μπορεί να μην τη γουστάρω πια, αλλά αυτό δεν σημαίνει ότι δεν τη γούσταρα κάποτε. Και πάντα θα πιστεύω ότι εγώ φταίω που η Κάρις Λαστ το έσκασε.

ΚΕΦΑΛΙ

«ΘΕΣ ΝΑ ΦΥΓΩ ΑΠΟ ΤΟ ΔΩΜΑΤΙΟ;» ρώτησε η μαμά. «Μπορώ. Αν θα σε βοηθήσει να νιώσεις καλύτερα».

«Τίποτα δεν θα με βοηθήσει να νιώσω καλύτερα», είπα.

Ήταν Ιανουάριος. Ήταν *η μέρα*. Καθόμασταν η μία απέναντι από την άλλη στον πάγκο της κουζίνας. Στα χέρια μου κρατούσα έναν φάκελο και μέσα στον φάκελο υπήρχε μια επιστολή που θα με ενημέρωνε εάν είχα γίνει δεκτή στο Πανεπιστήμιο του Κέιμπριτζ.

«Λοιπόν, πάω στο δίπλα δωμάτιο», είπα. Είχα αλλάξει γνώμη.

Πήγα στο σαλόνι με την επιστολή και κάθισα στον καναπέ.

Η καρδιά μου σφυροκοπούσε, τα χέρια μου έτρεμαν και είχα γίνει μούσκεμα στον ιδρώτα.

Προσπαθούσα να μη σκέφτομαι την πιθανότητα να με είχαν απορρίψει, πράγμα που θα σήμαινε ότι είχα χαραμίσει τόσα χρόνια από τη ζωή μου. Σχεδόν ό,τι είχα κάνει στο σχολείο το έκανα για να μπω στο Κέιμπριτζ. Είχα πάρει τα συγκεκριμένα μαθήματα για να μπω στο Κέιμπριτζ. Είχα γίνει πρόεδρος για να μπω στο Κέιμπριτζ. Έπαιρνα άριστα για να μπω στο Κέιμπριτζ.

Άνοιξα τον φάκελο και διάβασα την πρώτη παράγραφο.

Χρειάστηκε μια πρόταση για να βάλω τα κλάματα.

Στις δύο άρχισε να βγαίνει μια στριγκλιά από τον λαιμό μου.

Δεν διάβασα παραπέρα. Δεν χρειαζόταν.

Είχα απορριφθεί.

Η μαμά μου ήρθε και με πήρε αγκαλιά, ενώ εγώ έκλαιγα. Ήθελα να μου ρίξω μπουνιά. Ήθελα να με πλακώσω στο ξύλο, μέχρι να μου ανοίξει το κεφάλι.

«Δεν πειράζει, σώπα, όλα θα πάνε καλά», μου έλεγε ξανά και ξανά η μαμά ταχταρίζοντάς με σαν να είχα γίνει ξανά μωρό, αλλά δεν θα πήγαιναν όλα καλά, εγώ η ίδια δεν θα ήμουν καλά πια!

«Μπορείς να στενοχωρηθείς. Και μπορείς να κλάψεις σήμερα», μου είπε όταν της το είπα με προσπάθεια ανάμεσα στους λυγμούς.

Αυτό έκανα.

«Δεν ξέρουν τι κάνουν», μουρμούρισε η μαμά χαϊδεύοντας τα μαλλιά μου μετά από λίγο. «Είσαι η πιο έξυπνη μαθήτρια στο σχολείο. Είσαι το καλύτερο παιδί στον κόσμο».

ΑΝΤΕ ΓΑΜΗΘΕΙΤΕ ΟΛΟΙ ΣΑΣ

ΘΑ ΗΜΟΥΝ ΨΕΥΤΡΑ ΝΑ ΠΩ ότι δεν στενοχωρήθηκα ακραία που δεν μπήκα. Ήξερα ότι τα είχα πάει χάλια στις συνεντεύξεις μου, αλλά ένα μικρό κομμάτι του εαυτού μου ήλπιζε ακόμη. Ακολούθησε το πρώτο κύμα σοκ και απογοήτευσης και, ώσπου να παραγγείλουμε πίτσα με τη μαμά και να δούμε το *Επιστροφή στο Μέλλον*, ο θυμός μου είχε στραφεί στον εαυτό μου που περίμενα να γίνω δεκτή, που ήταν το δεύτερο κύμα απογοήτευσης. Και ώσπου να πέσω στο κρεβάτι και να μείνω ξύπνια μέχρι τις τρεις, με είχα σιχαθεί που ήμουν ένα προνομιούχο κακομαθημένο. Που έκλαιγα επειδή δεν είχα μπει σε *ένα* από τα *πέντε* πανεπιστήμια στα οποία είχα κάνει αίτηση. Κάποιοι έκλαιγαν από *χαρά* επειδή μπήκαν σε ένα οποιοδήποτε πανεπιστήμιο.

Οι πολυάριθμες αναρτήσεις «omg με πήραν στο Κέιμπριτζ/Οξφόρδη :D» που ξεπρόβαλλαν στο Facebook εκείνη τη μέρα δεν με βοηθούσαν ιδιαίτερα, ειδικά όταν προέρχονταν από άτομα που δεν έγραφαν τόσο καλά όσο εγώ.

Αν και, όταν είδα την ανάρτηση του Ντάνιελ Τζουν, ένιωσα *κάπως* καλύτερα που είχε περάσει. Του άξιζε.

Ντάνιελ Τζουν 준대성

4 ώρες πριν

Έγινα δεκτός στο Πανεπιστήμιο του Κέιμπριτζ για να σπουδάσω Φυσικές Επιστήμες! Είμαι πολύ χαρούμενος x

Αρέσει σε **106 χρήστες**

Είχε μελετήσει όσο κανένας άλλος. Και δεν είχε κανέναν στο πλευρό του. Αλήθεια, του άξιζε. Και νομίζω πως πλέον τον συμπαθούσα. Ναι, όντως τον συμπαθούσα.

Αλλά μπορώ να νιώσω εγωίστρια έστω για λίγο;

Επειδή...

Είχα κάνει κυριολεκτικά τα πάντα. Είχα διαβάσει ένα σωρό βιβλία. Προετοιμαζόμουν μια ολόκληρη χρονιά. Ήμουν η πιο έξυπνη μαθήτρια στην τάξη από τότε που κατάλαβα τι σημαίνει να είσαι έξυπνος και όλοι οι έξυπνοι πήγαιναν στο Κέιμπριτζ.

Παρ' όλα αυτά, με είχαν απορρίψει.

Τσάμπα προσπαθούσα.

Είμαι σίγουρη ότι σκέφτεστε πως άδικα παραπονιέμαι. Και μάλλον πιστεύετε ότι είμαι μια γκρινιάρα έφηβη. Και, ναι, μάλλον όλα ήταν στο μυαλό μου. Αλλά αυτό δεν σημαίνει πως δεν ήταν κάτι που *όντως* με πονούσε (ή με στενοχωρούσε). Οπότε, άντε γαμηθείτε όλοι σας.

5. ΕΑΡΙΝΟ ΤΡΙΜΗΝΟ

α)

ΛΕΥΚΟΣ ΘΟΡΥΒΟΣ

ΣΤΗ ΔΙΑΡΚΕΙΑ ΤΟΥ ΙΑΝΟΥΑΡΙΟΥ, προσπάθησα να μην πολυσκέφτομαι τίποτα. Διάβαζα μηχανικά. Δεν είπα τίποτα σε κανέναν για το Κέιμπριτζ, αλλά όλοι ήξεραν πως δεν είχα περάσει. Είχα στείλει διάφορα μηνύματα στον Άλεντ, αλλά δεν μου είχε απαντήσει.

Έπρεπε να παραδώσω αρκετές εργασίες μέχρι το τέλος του μήνα. Αναγκαζόμουν να μένω ξύπνια μέχρι αργά κάθε βράδυ για να τις ολοκληρώσω. Και το βράδυ πριν τη λήξη της προθεσμίας δεν κοιμήθηκα καθόλου, έμεινα ξύπνια και το πρωί πήγα σχολείο. Αναγκάστηκα να τηλεφωνήσω στη μαμά και να της ζητήσω να έρθει να με πάρει στο διάλειμμα, νόμιζα ότι θα λιποθυμήσω.

Και παράλληλα συνέχιζα να ακούω το *Universe City*. Τα επεισόδια του Δεκεμβρίου και του Ιανουαρίου ήταν άνοστα. Ο Άλεντ δεν ήξερε πού ήθελε να πάει την ιστορία. Ξεχνούσε τελείως τις υποπλοκές. Οι νέοι χαρακτήρες ήταν εντελώς χάρτινοι και δεν εμφανίζονταν συχνά στην ιστορία.

Και την τελευταία Παρασκευή του Ιανουαρίου, ο Άλεντ ανέβασε το επεισόδιο που θα διέλυε τους φαν του *Universe City*.

Το επεισόδιο είχε τίτλο «Αντίο» και ήταν είκοσι λεπτά λευκού θορύβου.

ΠΡΕΠΕΙ ΝΑ ΠΡΟΗΛΘΕ ΑΠΟ ΚΑΠΟΙΟ ΑΣΤΕΡΙ

ΟΙ ΦΑΝ ΚΑΤΕΡΡΕΥΣΑΝ ΑΠΟ ΤΗΝ ΑΠΟΓΟΗΤΕΥΣΗ. Το tag στο Tumblr είχε πήξει από μακροσκελείς επικήδειους, θλιμμένες αναρτήσεις και συναισθηματικές ζωγραφιές. Ήταν όλα τόσο στενάχωρα, που δεν άντεχα να τα βλέπω.

Ο Άλεντ ανέβασε το τελευταίο του tweet την ίδια μέρα.

RADIO @UniverseCity
συγγνώμη. έχω ανάγκη από χρόνο για τον εαυτό μου. μπορεί να είστε μικροί αλλά είστε όλοι σας σημαντικοί στο σύμπαν μου. αντίο <3
31 Ιαν 14

Ο κόσμος πλημμύρισε το inbox μου με ερωτήσεις, παρόλο που δεν είχα καμία σχέση πια με το *Universe City*.

Ανώνυμος ρώτησε:
Έχεις μήνες που δεν είσαι ενεργή στο Tumblr. Είσαι το μοναδικό άτομο πέρα από τον Creator που συμμετείχε στο

podcast. Ενεργοποίησες ξανά τα comments, οπότε ελπίζω να μη σε πειράζει που έστειλα μήνυμα. Ξέρεις τι σημαίνει το επεισόδιο που ανέβηκε στο Universe City δύο εβδομάδες πριν (αν το έχεις ακούσει);

touloser απάντησε:
δεν ξέρω τι να πω, πέρα απ' ότι είμαι θλιμμένη όσο και εσύ που ο creator αποφάσισε να βάλει τέλος, αλλά προφανώς περνάει δύσκολα αυτό τον καιρό. κανείς εκτός από τον creator δεν ξέρει αν το Universe City θα ξαναρχίσει οπότε θα πρότεινα σε όλους να προχωρήσουν τις ζωές τους. συμβαίνουν τέτοια πράγματα. κρίμα που συνέβη με κάτι τόσο σημαντικό για πολύ κόσμο.
ήξερα τον creator. θεωρούσε το Universe City πολύ σημαντικό. για την ακρίβεια και λίγα λέω. το Universe City ήταν το μοναδικό στήριγμα στη ζωή του. και για πολύ καιρό το Universe City ήταν το μοναδικό στήριγμα και στη δική μου ζωή. δεν ξέρω τι να κάνω πια. ούτε τι θα κάνει ο creator ξέρω. δεν ξέρω τι να πω.

Δεν ήξερα γιατί είχε αποφασίσει να βάλει τέλος. Ίσως να τον ανάγκασε η μαμά του. Ίσως να μην είχε χρόνο. Ή ίσως, απλώς, να μην ήθελε να συνεχίσει.

Είχα μπερδευτεί, επειδή προφανώς σήμαινε πολλά για εκείνον. Νοιαζόταν για το podcast περισσότερο από οτιδήποτε άλλο.

Ούτε καν ποια ήταν η February Friday δεν είχε αποκαλύψει.

Το βράδυ που ανέβηκε το επεισόδιο με τον λευκό θόρυβο, κάθισα στο σαλόνι με το λάπτοπ και αναρωτήθηκα, για πρώτη φορά εδώ και τουλάχιστον έναν μήνα, ποια ήταν η February Friday.

Αμέσως κατάλαβα.

Αυτό που είχε πει ο Άλεντ για την Κάρις το βράδυ που είχε επιστρέψει στο χωριό τριγύριζε στο μυαλό μου για εβδομάδες και τότε μόνο κατάλαβα γιατί.

Φωτιά.

Η φωτιά με τα ρούχα.

Είχε κάψει τα χέρια της στη φωτιά.

Ήταν μια εντελώς τυχαία ιστορία. Μπορούσε να μας πει χίλια δύο πράγματα σχετικά με τη σχέση που είχε η Κάρις με τη μαμά τους, αλλά εκείνος επέλεξε το συγκεκριμένο γεγονός.

Άνοιξα το blog με τις απομαγνητοφωνήσεις του *Universe City*, πάτησα CTRL-F και αναζήτησα τη λέξη «φωτιά» στα πρώτα είκοσι επεισόδια. Έπειτα, αντέγραψα και επικόλλησα τις σχετικές φράσεις σε ένα νέο έγγραφο του Word.

- Και έπειτα από τη φωτιά, αυτό ήταν, έφυγες
- Σε βλέπω σε κάθε φωτιά που ανάβει
- Τελικά, μακάρι να ήμουν εγώ αυτός που είχε πέσει στη Φωτιά, κι ας ακούγεται εγωιστικό
- Η Φωτιά που σε άγγιξε πρέπει να προήλθε από κάποιο αστέρι
- Ήσουν τόσο θαρραλέα για να σε αγγίξει η Φωτιά

Δεν είχα πια καμία αμφιβολία.

Η Κάρις Λαστ ήταν η February Friday.

ΑΠΟΤΥΧΙΑ

ΗΤΑΝ ΜΙΑ ΚΡΑΥΓΗ ΓΙΑ ΒΟΗΘΕΙΑ.

Το *Universe City*. Το podcast. Ήταν μια κραυγή για βοήθεια από έναν αδελφό στην αδελφή του.

Μου πήρε ένα Σαββατοκύριακο ώσπου να καταστρώσω το σχέδιό μου. Χρειαζόμουν την Κάρις για να βοηθήσω τον Άλεντ.

Έτσι όπως είχαν έρθει τα πράγματα, μόνο εκείνη μπορούσε να τον βοηθήσει.

Τα Letters to February υπήρχαν από την αρχή. Ο Άλεντ έγραφε εδώ και χρόνια γράμματα στην Κάρις. Του έλειπε. Ήθελε να της μιλήσει. Και δεν ήξερε πού να τη βρει.

Αν ζούσε ακόμη.

Η μαμά του Άλεντ δεν του έλεγε πού ήταν η Κάρις – δεν ήξερα γιατί. Αλλά δεν έλεγα να σταματήσω να το σκέφτομαι και να ανησυχώ. Είχα την ευκαιρία να βοηθήσω την Κάρις και τα είχα κάνει χειρότερα. Αυτό δεν είχε συμβεί;

Είχα την ευκαιρία να τη βοηθήσω στο παρελθόν και απέτυχα.

Αλλά ποτέ μου δεν τα πήγαινα καλά με την αποτυχία.

ΤΟ ΚΟΡΙΤΣΙ ΜΕ ΤΑ ΑΣΗΜΕΝΙΑ ΜΑΛΛΙΑ

«ΞΑΝΘΟΥΛΗ, ΑΛΛΑΞΕ ΘΕΣΗ ΜΑΖΙ ΜΟΥ».

Σήκωσα το βλέμμα από το φυλλάδιο της Ιστορίας την επόμενη Δευτέρα και είδα ένα κορίτσι με ασημένια μαλλιά να σηκώνει το αγόρι που καθόταν δίπλα μου και να κάθεται στη θέση του. Βολεύτηκε, στήριξε τον αγκώνα της στο θρανίο, το πηγούνι της στο χέρι και με κοίταξε. Το κορίτσι με τα ασημένια μαλλιά ήταν η Ρέιν Σενγκούπτα.

Είχε βάψει πρόσφατα τα μαύρα μαλλιά της ανοιχτά ασημένια και είχε ξυρίσει σύρριζα τη δεξιά πλευρά του κεφαλιού της. Τα μαλλιά είναι ένα παράθυρο προς την ψυχή, δεν λένε;

«Φράνσις, φιλενάδα, δεν τα πας καλά, ε;» είπε και ένευσε.

Εξακολουθούσα να κάνω παρέα με τη Ρέιν, τη Μάγια και την υπόλοιπη παρέα και συνέχιζα να μιλάω αρκετά με τη Ρέιν, αλλά δεν ήξεραν τίποτα για όσα είχαν συμβεί με τον Άλεντ και το *Universe City.*

Γέλασα. «Τι εννοείς;»

«Εννοώ ότι έχεις κατεβάσει τα μούτρα μέχρι το πάτωμα, ρε φιλενάδα». Αναστέναξε. «Ακόμη για το Κέιμπριτζ στεναχωριέσαι;»

Ένιωθα έτοιμη να εκραγώ από την ανησυχία μου για τον

Άλεντ και την Κάρις, επειδή ήθελα να τους βοηθήσω και να κάνω κάτι καλό έστω και μια φορά στη ζωή μου, αλλά της είπα:

«Όχι, καλά είμαι. Ορκίζομαι».

«Ευτυχώς».

«Ναι».

Εξακολουθούσε να με παρατηρεί. Έπειτα, κοίταξε τι έκανα· αντί να γράφω τις απαντήσεις στο φυλλάδιο, ζωγράφιζα.

«Έλα ρε συ, ωραία ζωγραφίζεις! Είναι σαν τα σχέδιά σου για το *Universe City*».

Κατένευσα. «Ευχαριστώ».

«Γάμα το πανεπιστήμιο, πήγαινε σε καμιά σχολή καλών τεχνών», είπε. «Η κυρία Γκαρσία θα ενθουσιαζόταν». Αστειευόταν, αλλά για κλάσματα του δευτερολέπτου πήρα την ιδέα της στα σοβαρά και κάπως φοβήθηκα. Έπειτα προσπάθησα να μην την ξανασκεφτώ.

«Τι λέει;» συνέχισε.

Ήθελα και δεν ήθελα να της πω. Ήθελα να μιλήσω σε *κάποιον*, αλλά δεν ήξερα αν η Ρέιν ήταν το κατάλληλο άτομο. Υπήρχε κατάλληλο άτομο για να βγάλω τα εσώψυχά μου για όλα όσα συνέβαιναν;

Τέλος πάντων, το έκανα.

Της μίλησα για τη συμμετοχή μου στο *Universe City*, για αυτά που έκανε ο Άλεντ στον Ντάνιελ, για αυτά που έκανα στον Άλεντ, για αυτά που έκανε η μαμά του στον Άλεντ, για την Κάρις που ήταν η February Friday και για το τελευταίο επεισόδιο. Της τα είπα όλα.

Όλα εκτός από αυτό που δεν είχα παραδεχτεί σε κανέναν πλην του Άλεντ – για εμένα και την Κάρις. Δεν είχα το θάρρος ακόμη να μιλήσω γι' αυτό.

«Μαζεύτηκαν πολλά», είπε. «Και τι λες να κάνεις;»

«Τι εννοείς;»

«Θα αφήσεις την ιστορία να τελειώσει έτσι;» Σταύρωσε τα χέρια. «Ο Άλεντ είναι μόνος και παγιδευμένος στο πανεπιστήμιο. Η Κάρις βρίσκεται κάπου δίχως την παραμικρή ιδέα για όσα συμβαίνουν στον αδελφό της. Το *Universe City* τελείωσε δίχως καμία εξήγηση. Και κανείς δεν ψήνεται να κάνει κάτι. Εκτός ίσως από εσένα».

Κοίταξα το φυλλάδιο.

«Έλεγα... Θέλω να βρω την Κάρις για να βοηθήσει τον Άλεντ, αλλά... είναι μάλλον αδύνατον».

«Δεν είσαι φίλη με τον Άλεντ;»

«Ναι, φυσικά».

«Άρα, δεν θες να τον βοηθήσεις;»

«Εμ...» Φυσικά και ήθελα να τον βοηθήσω. Γιατί όμως δίσταζα; «Δεν ξέρω».

Η Ρέιν πέρασε με μια αργή κίνηση μια μακριά τούφα μαλλιά πίσω από το αφτί της.

«Άκου, θα σου ακουστεί χαζό μάλλον, αλλά η μαμά μου λέει πάντα το ίδιο πράγμα όταν όλα πάνε στραβά – πρέπει, λέει, να κοιτάζεις την ευρύτερη εικόνα. Κάνε ένα βήμα πίσω και κοίτα την ευρύτερη εικόνα. Σκέψου τι είναι πιο σημαντικό αυτή τη στιγμή».

Ανακάθισα.

«Η μαμά μου λέει ακριβώς το ίδιο πράγμα».

«Τι; Δεν παίζει!»

«Ναι, λέει ότι πρέπει να βλέπουμε τα πράγματα πιο σφαιρικά!»

«Ρε φιλενάδα! Κι εγώ αυτό ακριβώς σου λέω!»

Χαμογελάσαμε. Η Ρέιν προσπαθούσε να με βοηθήσει.

«Ξέρεις τι θα μπορούσε να βοηθήσει, τώρα που βλέπω τα πράγματα πιο σφαιρικά;» είπε η Ρέιν. Σταύρωσε το ένα πόδι πάνω από το άλλο και με κοίταξε κατάματα. «Να βρούμε την Κάρις Λαστ».

FILOFAX

ΟΙ ΛΟΓΟΙ για τους οποίους φοβόμουν να βρω την Κάρις Λαστ ήταν οι εξής:

- Η τελευταία φορά που είχα δει και μιλήσει στην Κάρις Λαστ ήταν δεκαοκτώ μήνες πριν.
- Την τελευταία φορά που είχα δει και μιλήσει στην Κάρις Λαστ, είχα προσπαθήσει να τη φιλήσω δίχως να τη ρωτήσω και δεν της άρεσε καθόλου, με αποτέλεσμα να το σκάσει από το σπίτι, ενώ εγώ ντρέπομαι και νιώθω τύψεις από τότε.
- Η προσπάθεια να βρω την Κάρις Λαστ, όταν το μοναδικό άτομο που ήξερε πού βρισκόταν ήταν μια τρομακτική δολοφόνος σκύλων, με άγχωνε περισσότερο απ' όσο αγχωνόμουν συνήθως (αν ήταν δηλαδή δυνατόν).

Παρ' όλα αυτά, και μόνο η σκέψη πως θα μπορούσα να φανώ χρήσιμη στην άχρηστη ζωή μου με βοηθούσε να συνεχίζω.

Μάλλον αυτός ήταν ο λόγος.

Με είχαν απορρίψει από το Κέιμπριτζ και ένιωθα πως όλη μου η ζωή ήταν μια αποτυχία.

Ξέρω, ακούγομαι χαζή και αξιολύπητη. Πιστέψτε με, το καταλαβαίνω.

Η Ρέιν είχε έρθει σπίτι μου μετά το σχολείο την επόμενη μέρα για να δούμε πώς θα βρούμε την Κάρις.

Μια και η Ρέιν δεν έλεγε να περάσει τα τρία μαθήματα στα οποία είχε μείνει, αναγκαζόταν ακόμη να κάθεται έξω από το γραφείο της δόκτορος Αφολαγιάν κάθε μέρα στη διάρκεια του μεσημεριανού και των κενών για να διαβάζει. Αυτό σήμαινε πως η Ρέιν έβλεπε πολύ κόσμο να μπαινοβγαίνει στο γραφείο της Αφολαγιάν, το οποίο ήταν μια μεγάλη αίθουσα συνεδριάσεων με κλιματισμό, τηλεόραση στον τοίχο, κάμποσα φυτά και αναπαυτικές πολυθρόνες.

Ένα από τα άτομα αυτά ήταν η πρόεδρος του συλλόγου γονέων, η Κάρολ Λαστ.

Σύμφωνα με τη Ρέιν, η Κάρολ είχε μαζί της ένα ροζ filofax κάθε φορά που ερχόταν στο σχολείο για συνάντηση.

Επίσης, σύμφωνα με τη Ρέιν, αν η Κάρολ ήξερε τη διεύθυνση της Κάρις, σίγουρα θα την είχε σε αυτό το filofax.

Δεν είχα την παραμικρή ιδέα πώς θα κλέβαμε το filofax της Κάρολ κάτω από τη μύτη της και, για να είμαι ειλικρινής, δεν ήθελα να το κάνω. Δεν είχα κλέψει ποτέ μου το οτιδήποτε και ούτε ήθελα να γίνω κλέφτρα. Και μόνο στην ιδέα να με πιάσουν αναγούλιαζα.

«Μη σε ανησυχεί», μου είπε. Καθόμασταν στην κουζίνα και τρώγαμε μπισκότα. «Εγώ έχω λιγότερους ηθικούς φραγμούς από εσένα. Έχω ξανακλέψει».

«Τι έχεις κάνει;»

«Στο περίπου δηλαδή... Έκλεψα τα παπούτσια του Τόμας Λίστερ επειδή μου πέταξε ένα σάντουιτς στο λεωφορείο». Χαμογέλασε και σήκωσε το κεφάλι. «Αναγκάστηκε να κατέβει από το λεωφορείο και να περπατήσει στο χιόνι με τις κάλτσες. Υπέροχο ήταν».

Το σχέδιο της Ρέιν ήταν να πέσει πάνω στην Κάρολ όπως έβγαινε από το γραφείο της Αφολαγιάν, και να σκορπίσει παντού βιβλία. Θεωρητικά, το filofax της Κάρολ θα έπεφτε και αυτό και η Ρέιν θα το τσιμπούσε δίχως εκείνη να το καταλάβει.

Πίστευα πως το σχέδιο ήταν καταδικασμένο επειδή, για να πετύχει, έπρεπε α) η Κάρολ να έχει το filofax στα χέρια και όχι στην τσάντα της, β) η Ρέιν να ρίξει τα βιβλία της με τρόπο που της επέτρεπε να πάρει το filofax δίχως να τη δει η Κάρολ και γ) η Κάρολ να ξεχάσει πως κρατούσε το filofax με το που θα το έριχνε.

Με άλλα λόγια, σίγουρη αποτυχία.

Άσε που δεν ξέραμε αν η διεύθυνση της Κάρις θα ήταν εκεί.

Η μαμά ήταν στην κουζίνα και με το που η Ρέιν σταμάτησε να μιλάει, είπε:

«Κορίτσια, δεν είμαι σίγουρη ότι θα πιάσει».

Η Ρέιν κι εγώ στραφήκαμε στο μέρος της.

Η μαμά χαμογέλασε και έπιασε κότσο τα μακριά μαλλιά της. «Αφήστε το πάνω μου».

Ξέραμε πως η Κάρολ θα ήταν στο σχολείο στις δύο το μεσημέρι την Πέμπτη 13 Φεβρουαρίου για τη συνέλευση του συλλόγου γονέων. Αναρωτήθηκα τι δουλειές είχαν αυτοί οι γονείς που τους επέτρεπαν να έχουν κενό στις δύο το μεσημέρι μιας Πέμπτης.

Αναρωτήθηκα γιατί η Κάρολ ήταν στον σύλλογο γονέων σε ένα σχολείο όπου δεν φοιτούσε κανένα από τα παιδιά της.

Η μαμά είχε πάρει ρεπό. Είπε πως ποτέ δεν έπαιρνε ρεπό οπότε τα είχε όλα μαζεμένα.

Και, για να πω την αλήθεια, νομίζω πως η μαμά ήταν ενθουσιασμένη που θα συμμετείχε στο σχέδιό μας.

Είχε ζητήσει ραντεβού με την Αφολαγιάν στις τρεις το μεσημέρι. Είπε ότι θα μιλούσε στην Κάρολ όπως εκείνη έφευγε από τη συνέλευση. Δεν είπε πώς θα έπαιρνε τη διεύθυνση της Κάρις. Η Ρέιν κι εγώ θα κάναμε Ιστορία εκείνη την ώρα, έτσι δεν ξέραμε τι θα συνέβαινε.

«Αφήστε το πάνω μου», είχε πει η μαμά με πονηρό χαμόγελο.

Η Ρέιν επέστρεψε με το τρένο σπίτι μαζί μου εκείνη τη μέρα μετά το σχόλασμα. Η μαμά μάς περίμενε στο τραπέζι της κουζίνας. Φορούσε το μοναδικό ταγέρ που είχε και τα μαλλιά της ήταν πιασμένα με κοκαλάκι. Έμοιαζε με στερεοτυπική μαμά.

Και κρατούσε το ροζ filofax.

Ούρλιαξα πετώντας τα παπούτσια μου σε μια γωνιά και κάθισα στο σκαμπό. Η Ρέιν ήρθε γρήγορα δίπλα μου νιώθοντας δέος. «Πώς τα κατάφερες;»

«Τη ρώτησα αν θα μπορούσα να το δανειστώ», είπε και σήκωσε αδιάφορα τους ώμους της.

Γέλασα βήχοντας. «*Τι;*»

Η μαμά στηρίχτηκε στο τραπέζι. «Τη ρώτησα αν είχε τη διεύθυνση του βουλευτή της περιοχής μας, επειδή ήθελα να του γράψω ένα γράμμα και να παραπονεθώ για τις *ελάχιστες* εργασίες που σας δίνουν, και για τα σχολεία της περιοχής που σας κάνουν τεμπέληδες». Μας έδειξε το filofax. «Αλλά είχα ραντεβού και δεν είχα χρόνο να σημειώσω τη διεύθυνση. Έτσι, τη ρώτησα αν θα μπορούσα να το δανειστώ και θα της το επέστρεφα στο γραμματοκιβώτιο μετά τη συνάντηση, οπότε θα σας πρότεινα να βιαστείτε».

«Πρέπει να σε συμπαθεί πάρα πολύ», είπα και κούνησα το κεφάλι με απορία και έκπληξη μαζί, αρπάζοντας το filofax.

«Πάντα προσπαθεί να μου πιάσει κουβέντα στο ταχυδρομείο», είπε η μαμά και σήκωσε τους ώμους της.

Μας πήρε δέκα λεπτά ώσπου η Ρέιν κι εγώ να χτενίσουμε τις σημειωμένες διευθύνσεις και να διαπιστώσουμε ότι δεν υπήρχε πουθενά το όνομα της Κάρις Λαστ.

Έπειτα ρίξαμε μια ματιά στις σημειώσεις, αλλά βρήκαμε μονάχα λίστες για ψώνια, λίστες με δουλειές, σημειώσεις από τη δουλειά (που ακόμη δεν ήξερα τι έκανε) και τις σημειώσεις της μαμάς από το ραντεβού της: τις λέξεις «μπλα μπλα μπλα», ένα χαμογελαστό προσωπάκι και ένα δεινοσαυράκι. Φρόντισα να σκίσω τη σελίδα.

«Δεν νομίζω πως την έχει εδώ», ένιωθα το στομάχι μου να σφίγγεται. Είχα πιστέψει ότι θα βρίσκαμε κάτι. Η Κάρολ Λαστ έπρεπε *κάπου* να έχει σημειωμένη τη διεύθυνση της κόρης της.

Αν δηλαδή είχε διεύθυνση.

Η Ρέιν βόγκηξε. «Τι θα κάνουμε τώρα; Είναι ήδη Φεβρουάριος, ο Άλεντ έχει δύο μήνες τώρα που έχει χαθεί...»

«Φεβρουάριος», είπα ξαφνικά.

«Τι;»

Φεβρουάριος. February.

«February». Τράβηξα το filofax. «Για να ρίξω άλλη μια ματιά».

Γύρισα πολύ αργά την κάθε σελίδα του καταλόγου με τις διευθύνσεις. Και τότε σταμάτησα, φώναξα «ΝΑΙ!» και έδειξα με το δάχτυλο τη σελίδα.

«Oh... my... God», ψιθύρισε η Ρέιν.

Στο «F» του καταλόγου υπήρχαν μόνο τέσσερις διευθύνσεις. Η πρώτη αντιστοιχούσε σε κάποιο άτομο που δεν είχε επώνυμο. Στο «Όνομα» υπήρχε γραμμένη μόνο μία λέξη:

«February».

LONDON'S BURNING

ΠΗΡΑ ΤΟ ΤΡΕΝΟ ΓΙΑ ΤΟ ΛΟΝΔΙΝΟ εκείνη την Παρασκευή. Η μαμά με έβαλε να της υποσχεθώ πως θα είχα μαζί μου σφυρίχτρα κινδύνου και θα της έστελνα μήνυμα ανά μία ώρα.

Θα τα κατάφερνα.

Θα έβρισκα την Κάρις. Και θα βοηθούσε τον Άλεντ.

Βρέθηκα σε ένα καλοδιατηρημένο σπίτι σε μια γειτονιά. Ήταν πιο πολυτελές απ' όσο φανταζόμουν. Προφανώς δεν ήταν κάποιο αριστοκρατικό σπίτι, όπως αυτά που φαντάζεται ο κόσμος όταν μιλάει για το Λονδίνο, αλλά η Κάρις δεν ζούσε σε καμιά τρώγλη. Δεν ξέρω γιατί περίμενα να δω ετοιμόρροπους τοίχους και σανιδωμένα παράθυρα.

Ανέβηκα τα σκαλιά που οδηγούσαν στην πόρτα και χτύπησα το κουδούνι. Χτύπησε στη μελωδία του *London's Burning*.

Μια νεαρή μαύρη με έντονα ροζ μαλλιά άνοιξε την πόρτα. Μου πήρε λίγη ώρα ώσπου να πω κάτι, επειδή είχε διακοσμήσει τις μπούκλες της με μαργαρίτες και τα μαλλιά της ήταν τα πιο εντυπωσιακά που είχα δει ποτέ.

«Είσαι καλά, φιλενάδα;» με ρώτησε με τυπική προφορά Λονδίνου. Για να πω την αλήθεια, η φωνή της θύμιζε της Ρέιν.

«Εμ, ναι, ψάχνω την Κάρις Λαστ». Ξερόβηξα, γιατί η φωνή μου ίσα που έβγαινε. «Νομίζω πως μένει εδώ».

Εκείνη με κοίταξε συμπονετικά. «Σόρι, φιλενάδα, αλλά δεν μένει καμία Κάρις εδώ».

«Α...» Η καρδιά μου σφίχτηκε.

Και τότε μου ήρθε μια ιδέα.

«Για περίμενε! Μήπως μένει εδώ κάποια Frebruary;» ρώτησα.

Εκείνη με κοίταξε έκπληκτη. «Α! Ναι, η Feb μένει εδώ! Είσαι φίλη της ή;...»

«Ε... ναι, με λες και φίλη».

Χαμογέλασε και στηρίχτηκε στην κάσα. «Κοίτα να δεις, ρε φίλη. Το ήξερα πως είχε αλλάξει το όνομά της, αλλά... ακούς εκεί *Κάρις*. Πόσο *Ουαλικό*».

Γέλασα κι εγώ. «Είναι... είναι εδώ;»

«Μπα, στη δουλειά είναι, φιλενάδα. Μάλλον θα τη βρεις εκεί, αν έχεις χρόνο. Ή μήπως θες να αράξεις εδώ;»

«Α, ναι. Είναι μακριά;»

«Μπα, εδώ λίγο πιο κάτω, στη Σάουθ Μπανκ. Δουλεύει στο Εθνικό Θέατρο, είναι ξεναγός και δουλεύει με παιδιά. Είναι δέκα λεπτά με το μετρό».

Κι εγώ που περίμενα πως η Κάρις θα είχε καμιά χάλια δουλειά με τον κατώτατο μισθό. Τι ευχάριστη έκπληξη.

«Θα την πείραζε λες; Μήπως τη διακόψω;»

Εκείνη κοίταξε το ρολόι στο χέρι της, το οποίο ήταν ογκώδες και κίτρινο. «Μπα, είναι περασμένες έξι, οπότε έχουν τελειώσει οι ξεναγήσεις τέτοια ώρα. Μάλλον θα τη βρεις στο κατάστημα με τα σουβενίρ, συνήθως βοηθάει τους υπαλλήλους εκεί μέχρι τις οκτώ που σχολάει».

«Εντάξει». Σταμάτησα στις σκάλες. Αυτό ήταν. Θα συναντούσα την Κάρις.

Όχι. Μισό λεπτό. Έπρεπε να ρωτήσω για να βεβαιωθώ.

«Και η Κάρις...» διόρθωσα τον εαυτό μου, «Η *February*... εμ... για να είμαι σίγουρη, έχει... Έχει ξανθά μαλλιά, έτσι;»

«Βαμμένα ξανθά μαλλιά, μπλε μάτια, μεγάλα βυζιά και φάτσα τρομακτική, σαν να θέλει να σε φάει ζωντανό». Μου γέλασε. «Αυτή θες;»

Χαμογέλασα νευρικά. «Ναι, αυτήν ακριβώς».

Μου πήρε άλλα είκοσι λεπτά να φτάσω στο Εθνικό Θέατρο. Η Σάουθ Μπανκ –μια περιοχή δίπλα στο ποτάμι γεμάτη καφέ, τουαλέτες, εστιατόρια και καλλιτέχνες του δρόμου– ήταν γεμάτη κόσμο που είχε βγει για φαγητό ή για να δει θέατρο. Είχε ήδη σκοτεινιάσει. Κάποιος έπαιζε ένα τραγούδι των Radiohead σε μια ακουστική κιθάρα. Είχα έρθει στην περιοχή μονάχα μια φορά – με το σχολείο για να δούμε στο θέατρο *Το Άλογο του Πολέμου*.

Καθώς πλησίαζα στο θέατρο με το Google Maps για οδηγό, τσέκαρα τι φορούσα – ένα ριγέ φόρεμα πάνω από ένα κοντομάνικο με συννεφάκια, χοντρό γκρι κολάν και μια ζακέτα. Ένιωθα ο εαυτός μου και έτσι είχα περισσότερη αυτοπεποίθηση.

Λίγο πριν μπω στο Εθνικό Θέατρο αισθάνθηκα για μια στιγμή έτοιμη να κάνω μεταβολή και να γυρίσω σπίτι. Έστειλα στη μαμά μου ένα κλαψιάρικο emoji, εκείνη μου απάντησε με έναν σηκωμένο αντίχειρα, μερικές κοπέλες που χόρευαν και τέσσερα τετράφυλλα τριφύλλια.

Μπήκα στο κτίριο –ένα πελώριο, γκρίζο τσιμεντόκουτο που

δεν έμοιαζε με τυπικό θέατρο του Λονδίνου– και αμέσως βρήκα το μαγαζί με τα σουβενίρ κοντά στην είσοδο. Πέρασα μέσα.

Μου πήρε μισό λεπτό για να βρω την Κάρις, αν και κανονικά έπρεπε να τη δω πιο γρήγορα. Ξεχώριζε, όπως πάντα.

Τακτοποιούσε βιβλία σε ένα ράφι, τα έβαζε στη σειρά και προσέθετε περισσότερα από ένα χαρτόκουτο που κρατούσε κάτω από τη μασχάλη της. Την πλησίασα.

«Κάρις», είπα και με το που άκουσε το όνομα συνοφρυώθηκε. Γύρισε το κεφάλι για να με δει σαν να είχε φοβηθεί.

Της πήρε λίγη ώρα μέχρι να με αναγνωρίσει.

«Φράνσις Ζανβιέρ», είπε με πρόσωπο ανέκφραστο.

Ο ΧΑΪΔΕΜΕΝΟΣ

ΠΟΛΛΑ ΠΡΑΓΜΑΤΑ ΜΕ ΦΡΙΚΑΡΑΝ. Τα μαλλιά της, ας πούμε. Ήταν τόσο ξανθά που σχεδόν έμοιαζαν λευκά και οι αφέλειές της έφταναν στα μισά του μετώπου της – τα μάτια της έμοιαζαν *τόσο μεγάλα* που το καταλάβαινες, *το έβλεπες* ότι σε κοιτούσε. Jesus Christ, έπρεπε να της έπαιρνε μισή ώρα ώσπου να βάλει eyeliner.

Φορούσε κόκκινο κραγιόν, ένα μπλε ριγέ μπλουζάκι και μπεζ φούστα που έφτανε μέχρι τις κνήμες της, μαζί με ροζ παπούτσια πλατφόρμες. Γύρω από τον λαιμό της είχε ταυτότητα του Εθνικού Θεάτρου. Έμοιαζε γύρω στα είκοσι τέσσερα.

Το μόνο που είχε παραμείνει ίδιο ήταν το δερμάτινο μπουφάν. Δεν θυμόμουν αν ήταν το ίδιο που φορούσε συνεχώς τότε, αλλά μου έδινε την ίδια εντύπωση.

Έμοιαζε έτοιμη να με δολοφονήσει, να μου κάνει μήνυση ή και τα δύο μαζί.

Και ξάφνου έβαλε τα γέλια.

«Το ήξερα», είπε με την ελαφρώς αριστοκρατική φωνή της λες και είχε γεννηθεί στο Τσέλσι. Όμορφη φωνή, σαν του Άλεντ. Σαν να είχε γεννηθεί για να βγαίνει στην τηλεόραση. «Το ήξερα πως κάποιος θα με έβρισκε αργά ή γρήγορα». Με κοίταξε και ήταν πράγματι εκείνη, αλλά δεν ένιωθα πως μιλούσα σε κάποια που γνώριζα. «Αλλά δεν πίστευα πως θα ήσουν εσύ».

Γέλασα νευρικά. «Έκπληξη!»

«Χμ». Σήκωσε τα φρύδια της. «Να σου πω, Κέιτ! Μπορώ να την κάνω νωρίς;» γύρισε και φώναξε στην ταμία.

Εκείνη της απάντησε, επίσης φωνάζοντας, ότι μπορούσε. Έπειτα πήγε να πάρει την τσάντα της και φύγαμε μαζί.

Η Κάρις με πήγε στο μπαρ του θεάτρου. Αναμενόμενο, θα έλεγε κανείς. Της άρεσε να πίνει στα δεκάξι της και εξακολουθούσε να της αρέσει μέχρι σήμερα.

Επέμεινε να με κεράσει. Προσπάθησα να τη σταματήσω, αλλά προτού προλάβω παρήγγειλε δύο cocktails daiquiri, που λογικά θα έκαναν μισή περιουσία το καθένα, μια και ήμασταν στο Λονδίνο. Έβγαλα το μπουφάν μου, το κρέμασα στο σκαμπό και προσπάθησα να μην ιδρώνω τόσο πολύ.

«Λοιπόν, πώς και ήρθες;» με ρώτησε πίνοντας αργά το cocktail της από δύο μικρά καλαμάκια, κοιτάζοντάς με στα μάτια. «Πώς με βρήκες;»

Γέλασα δυνατά όπως σκεφτόμουν την όλη ιστορία με το filofax. «Η μαμά μου έκλεψε την ατζέντα της μαμάς σου».

Η Κάρις συνοφρυώθηκε. «Η μαμά μου κανονικά δεν θα έπρεπε να ξέρει τη διεύθυνσή μου». Κοίταξε αλλού. «Γαμώτο. Μάλλον διάβασε το γράμμα που είχα στείλει στον Άλεντ».

«Ε...έστειλες γράμμα στον Άλεντ;»

«Ναι, πέρσι, όταν μετακόμισα με τις συγκατοίκους μου. Του είπα πως είμαι καλά και του έδωσα τη νέα μου διεύθυνση.

Υπέγραψα ως February για να ξέρει πως χρησιμοποιώ αυτό το όνομα».

«Ο Άλεντ...» Κούνησα ελαφρώς το κεφάλι μου. «Ο Άλεντ δεν είχε νέα σου. Μου το είπε».

Η Κάρις έμοιαζε να μη με άκουσε καν. «Η μάνα μου. Jesus. Δεν ξέρω γιατί εκπλήσσομαι». Αναστέναξε, σήκωσε τα φρύδια της και με κοίταξε.

Αναρωτήθηκα από πού να ξεκινούσα. Είχα τόσο πολλά να της πω, τόσα που ήθελα να τη *ρωτήσω.*

Με πρόλαβε. «Άλλαξες. Τα ρούχα σου σου ταιριάζουν περισσότερο. Και έχεις τα μαλλιά σου λυτά».

«Εμ, σ' ευχαριστώ...»

«Πώς είσαι;»

Η Κάρις συνέχισε να με βομβαρδίζει με ερωτήσεις για αρκετά λεπτά, αποτρέποντάς με από το να της πω όλα όσα ήθελα όπως, πρώτον, ο δίδυμος αδελφός σου τους τελευταίους επτά μήνες συμπεριφέρεται με τρόπο ανησυχητικό, δεύτερον, λυπάμαι τόσο που ήμουν απαίσια φίλη, τρίτον, πώς έχεις βάλει τη ζωή σου σε τέτοια *τάξη* παρόλο που είσαι μόλις δεκαοκτώ, τέταρτον, σε παρακαλώ, πες μου γιατί σε λένε February πλέον.

Εξακολουθούσε να είναι το πιο δυναμικό άτομο που ήξερα. Ακόμα *περισσότερο* πλέον. Όλα πάνω της με φόβιζαν.

«Μπήκες στο Κέιμπριτζ τελικά;» με ρώτησε.

«Όχι».

«Μάλιστα. Και τι λες να κάνεις τώρα;»

«Εμ... δεν ξέρω. Δεν έχει σημασία. Δεν ήρθα εδώ να μιλήσουμε γι' αυτό».

Η Κάρις με κοίταξε δίχως να πει κάτι.

«Ήρθα να σε βρω για τον Άλεντ».

Με κοίταξε με τα φρύδια σηκωμένα. Η γνώριμη κενή της έκφραση είχε επιστρέψει. «Α, ναι;»

Πήρα τα πράγματα από την αρχή. Της είπα πώς γίναμε φίλοι ο Άλεντ κι εγώ, πώς είχαμε γνωριστεί και για την παράξενη σύμπτωση με το *Universe City.* Της εξήγησα ότι αποκάλυψα κατά λάθος ότι ήταν ο Creator και εκείνος είχε σταματήσει να μου μιλάει, ενώ η μαμά του ήθελε να καταστρέψει ό,τι είχε και δεν είχε.

Η Κάρις με άκουγε πίνοντας κοφτές γουλιές από το ποτό της όσο μιλούσα, αλλά μπορούσα να καταλάβω ότι η ανησυχία της μεγάλωνε ολοένα και περισσότερο. Εγώ έπαιζα νευρικά με το ποτήρι μου, το έφερνα από το ένα χέρι στο άλλο.

«Αυτά που λες είναι...» είπε με το που τελείωσα. «My God. Δεν μπορούσα να φανταστώ... *Ποτέ* δεν φανταζόμουν πως θα έκανε τα ίδια και σε εκείνον».

Σχεδόν δεν ήθελα να τη ρωτήσω. «Ποια ίδια;»

Η Κάρις το σκέφτηκε για λίγο. Σταύρωσε τα χέρια και χάιδεψε τα μαλλιά της. «Η μητέρα μας δεν πιστεύει ότι μπορείς να έχεις μια σωστή ζωή αν δεν πετύχεις ακαδημαϊκά». Άφησε το ποτήρι και άπλωσε το χέρι, μετρώντας με τα δάχτυλά της. «Αυτό σημαίνει ότι πρέπει να παίρνεις συνεχώς άριστους βαθμούς, να επιλέγεις μόνο μαθήματα για το GCSE και τα A levels και να πάρεις ένα βαρβάτο πτυχίο πανεπιστημίου». Χαμήλωσε το χέρι. «Και όλα αυτά τα πιστεύει τόσο πολύ που προτιμάει να πεθάνουμε από το να μην τα κάνουμε».

«Fuck», είπα.

«Αυτό ακριβώς». Γέλασε η Κάρις. «Δυστυχώς για μένα, όπως ξέρεις, ήμουν ένας από αυτούς που, όσο και να διάβαζα, δεν μπορούσα να σταυρώσω καλό βαθμό. Σε τίποτα. Αλλά η μαμά πίστευε ότι μπορούσε να με κάνει έξυπνη *με το ζόρι*. Με φόρτωνε με ιδιαίτερα, με επιπλέον ασκήσεις, με καλοκαιρινά. Προφανώς και τσάμπα προσπαθούσε».

Ήπιε άλλη μια γουλιά. Μου έλεγε την ιστορία με το ανέμελο ύφος που παίρνει κάποιος όταν μιλάει για τις καλοκαιρινές του διακοπές.

«Ο Άλεντ ήταν έξυπνος. Ήταν το παιδί-όνειρο. Ακόμα και πριν "φύγει" ο μπαμπάς μας όταν ήμασταν οκτώ, φαινόταν ότι τον αγαπούσε περισσότερο. Η μαμά με σιχαινόταν επειδή δεν μπορούσα να λύσω προβλήματα στα μαθηματικά. Ήμουν το χαζό, χοντρό παιδί... και μετέτρεψε τη ζωή μου σε κόλαση».

Δεν ήθελα να τη ρωτήσω, αλλά τη ρώτησα. «Δηλαδή, τι σου έκανε;»

«Μου πήρε αργά και μεθοδικά ό,τι έφερνε χαρά στη ζωή μου». Η Κάρις σήκωσε τους ώμους της. «"Αν δεν πάρεις Α στο τεστ, τότε δεν θα δεις τους φίλους σου το Σαββατοκύριακο". "Αν δεν πάρεις άριστα στο φυλλάδιο, τότε θα σου πάρω το λάπτοπ για δύο εβδομάδες". Και οι τιμωρίες σταδιακά γίνονταν χειρότερες. Στο τέλος κατέληξε με τιμωρίες του στιλ, "αν δεν πάρεις Α στο δοκιμαστικό GCSE τότε θα σε κλειδώσω στο δωμάτιό σου για όλο το Σαββατοκύριακο". "Αν πάρεις κάτω από τη βάση, ξέχνα τα δώρα των γενεθλίων σου"».

«Θεέ μου...»

«Είναι τέρας». Η Κάρις σήκωσε το δάχτυλο. «Αλλά είναι και *ύπουλη*. Δεν κάνει τίποτα παράνομο, τίποτα που να φανεί ότι μας κακομεταχειρίζεται. Έτσι τη γλιτώνει».

«Και... πιστεύεις ότι... ότι κάνει τα ίδια και στον Άλεντ;»

«Απ' όσα μου λες, έτσι φαίνεται. Δεν πίστευα ότι θα τον βασάνιζε ποτέ κι εκείνον. Ήταν ο χαϊδεμένος της, πάντα. Δεν μπορούσα να... δηλαδή, αν το ήξερα... αν είχε δει το γράμμα μου, αν είχε απαντήσει, αν μου τα *είχε πει*...» Κούνησε το κεφάλι της, αφήνοντας την πρόταση ανολοκλήρωτη. «Δεν μπορούσα, όχι αυτόν, αλλά ούτε τον ίδιο μου τον εαυτό να υπερασπιστώ μαζί της. Αφού δεν ήμουν εκεί... μάλλον ήθελε να καταστρέψει κάποιον άλλο».

Δεν ήξερα τι να πω.

«Δεν μπορώ να το πιστέψω ότι έκανε *ευθανασία* στον σκύλο», συνέχισε. «Τι... τι απαίσιο».

«Ο Άλεντ κατέρρευσε».

«Ναι, το αγαπούσε πολύ αυτό το σκυλί».

Σώπασε για λίγο, και ήπια μια γουλιά από το ποτό μου. Ήταν αρκετά δυνατό.

«Αλήθεια, πάντως, τον μισούσα τότε».

Σοκαρίστηκα. «Τον *μισούσες*; Γιατί;»

«Επειδή η μαμά βασάνιζε μόνο εμένα. Επειδή εκείνος ήταν το χαϊδεμένο κι εγώ ήμουν η χαζή. Επειδή ποτέ δεν με υπερασπίστηκε, ακόμα και όταν έβλεπε πόσο απαίσια μου φερόταν. Τον κατηγορούσα». Με είδε πώς την κοίταζα και σήκωσε τα φρύδια. «Μη φοβάσαι, δεν σκέφτομαι έτσι πια. Δεν τον κατηγορώ, εκείνη φταίει. Αν ο Άλεντ είχε προσπαθήσει να με υπερασπιστεί, τότε θα έκανε τις ζωές *και των δυο μας* αφόρητες».

Πόσο θλιβερή κατάσταση. Ήξερα ότι *έπρεπε* να τους φέρω ξανά σε επαφή, πάση θυσία.

«Τέλος πάντων, έπρεπε να φύγω». Ήπιε το cocktail της και άφησε το ποτήρι. «Αν έμενα εκεί, θα ήμουν δυστυχισμένη για το υπόλοιπο της ζωής μου. Θα με έβαζε να ξαναδώσω για τα A levels και να επαναλάβω τη χρονιά και, αφού αποτύγχανα πάλι, τότε θα αναγκαζόμουν να βρω μια δουλειά που θα ταίριαζε στις απαιτήσεις της μαμάς». Σήκωσε τους ώμους. «Έτσι, έφυγα. Βρήκα τους παππούδες μου –τους γονείς του μπαμπά– και έζησα μαζί τους για λίγο. Μπορεί ο μπαμπάς να έφυγε, αλλά οι παππούδες μου κράτησαν επαφή. Κάπου τότε πήρα υποτροφία για να μπω στο Εθνικό Θέατρο Νέων, είχα κάνει οντισιόν. Και έκανα αίτηση για δουλειά». Τίναξε τα μαλλιά της σαν να ήταν σταρ του σινεμά και με έκανε να γελάσω. «Και η ζωή μου πλέον είναι τέλεια! Ζω με φίλους, έχω μια ωραία δουλειά και κάνω κάτι που μου αρέσει. Η ζωή δεν είναι μόνο βιβλία και βαθμοί».

Ένιωσα καλά τώρα που έμαθα πως ήταν ευτυχισμένη.

Περίμενα να μάθω πολλά για την Κάρις Λαστ όταν τη βρήκα, όχι όμως πως ήταν ευτυχισμένη.

«Αλλά...» Έγειρε στην πλάτη του καθίσματός της. «Λυπάμαι που ο Άλεντ περνάει άσχημα».

«Ανησυχώ επειδή σταμάτησε το *Universe City*».

Η Κάρις έγειρε στο πλάι το κεφάλι της. Τα ξανθά μαλλιά της έλαμψαν από τα LED λαμπάκια του μπαρ. «Τι σταμάτησε;»

Τότε το κατάλαβα.

Η Κάρις δεν ήξερε για το *Universe City*.

«Δεν... δεν ξέρεις το *Universe City*;» Έφερα το χέρι μου στο μέτωπο. «Χριστέ μου...»

Με κοίταξε, φανερά μπερδεμένη.

Τότε της εξήγησα τι ήταν το *Universe City*. Και ανέφερα τη February Friday.

Η παγερή της έκφραση έλιωνε όσο της μιλούσα. Τα μάτια της άνοιξαν διάπλατα. Κούνησε το κεφάλι της αρκετές φορές.

«Νόμιζα πως ήξερες», είπα αφού τελείωσα. «Αφού... είστε δίδυμα».

Ρουθούνισε. «Δεν έχουμε και τηλεπάθεια».

«Όχι, αλλά νόμιζα πως στο είχε πει».

«Ο Άλεντ δεν λέει *τίποτα*». Συνοφρυώθηκε πάλι σκεπτική. «*Δεν ανοίγει το στόμα* του να πει το παραμικρό».

«Νόμιζα πως γι' αυτό διάλεξες το όνομα February...»

«February είναι το *δεύτερο* όνομά μου».

Η σιωπή ήταν εκκωφαντική.

«Για μένα τα έκανε όλα;» ρώτησε.

«Θα έλεγα... κυρίως για τον ίδιο. Αλλά ήθελε να τον ακούσεις. Ήθελε να σου μιλήσει».

Στο τέλος αναστέναξε. «Πάντα πίστευα ότι μοιάζετε».

Έπαιξα με το καλαμάκι στο ποτήρι μου. «Γιατί;»

«Γιατί κι εσύ δεν λες ποτέ τι σκέφτεσαι».

ΟΙΚΟΓΕΝΕΙΑ

ΜΕΙΝΑΜΕ ΕΚΕΙ ΓΙΑ ΑΡΚΕΤΗ ΩΡΑ και λέγαμε τα νέα μας. Μπορεί να με περνούσε μονάχα τρεις μήνες, αλλά ήταν δέκα φορές πιο ενήλικη. Είχε περάσει από συνεντεύξεις για δουλειά, είχε πληρώσει λογαριασμούς και φόρους, έπινε κόκκινο κρασί. Εγώ δεν μπορούσα ούτε ραντεβού στον γιατρό να μου κλείσω.

Όταν πήγε εννιάμιση, είπα ότι έπρεπε να φύγω. Πλήρωσε τα cocktails μας (παρά τις διαμαρτυρίες μου) και με πήγε μέχρι τον σταθμό του Waterloo.

Δεν είχα καταφέρει ακόμη να της ζητήσω να βοηθήσει με κάποιο τρόπο τον Άλεντ και ήταν η μοναδική μου ευκαιρία.

Αφού αγκαλιαστήκαμε για να αποχαιρετιστούμε στο μέσο του σταθμού, της το ζήτησα.

«Μήπως θα μπορούσες να μιλήσεις στον Άλεντ;» ρώτησα.

Δεν φάνηκε να εκπλήσσεται. Πήρε την κλασική της κενή έκφραση. «Γι' αυτό ήρθες να με βρεις;»

«Εμ... ναι».

«Χμ. Μάλλον σου αρέσει πολύ».

«Είναι... ο καλύτερος φίλος που είχα ποτέ μου». Και αμέσως ένιωσα τόσο αξιοθρήνητη που το παραδέχτηκα.

«Πολύ γλυκό», είπε. «Αλλά... δεν νομίζω ότι μπορώ να του ξαναμιλήσω».

Το στομάχι μου σφίχτηκε. «Τι; Γιατί;»

«Επειδή...» Έπαιξε νευρικά με τα χέρια της. «Έχω αφήσει πίσω μου αυτή τη ζωή. Έχω προχωρήσει. Δεν είναι πια δουλειά μου».

«Μα... είναι ο αδελφός σου. Η οικογένειά σου».

«Η οικογένεια δεν σημαίνει τίποτα», είπε και ήξερα πως το πίστευε. «Δεν είσαι υποχρεωμένη να αγαπάς την οικογένειά σου. Δεν ήταν επιλογή σου να γεννηθείς».

«Μα... Ο Άλεντ είναι *καλό παιδί*, είναι... Πιστεύω πως χρειάζεται βοήθεια και δεν μου μιλάει».

«Δεν είναι δουλειά μου πια!» είπε υψώνοντας ελαφρώς τον τόνο της φωνής της. Κανείς δεν το πρόσεξε – ο κόσμος έτρεχε βιαστικά γύρω μας και οι φωνές τους αντηχούσαν στον σταθμό. «Δεν μπορώ να γυρίσω, Φράνσις. Πήρα την απόφαση να φύγω και να μην κοιτάξω ξανά πίσω μου. Ο Άλεντ θα τα πάει μια χαρά στο πανεπιστήμιο, εκεί είναι η θέση του. Άκου με που σου λέω, μεγάλωσα μαζί του. Αν υπάρχει κάποιος που πρέπει να σπουδάζει κάτι δύσκολο στο πανεπιστήμιο, είναι εκείνος. Είμαι σίγουρη ότι περνάει υπέροχα».

Δεν συμφωνούσα με όσα έλεγε. Με τίποτα από αυτά.

Ο Άλεντ μου είχε πει ότι δεν ήθελε να πάει. Το περασμένο καλοκαίρι. Είχε πει ότι δεν ήθελε να μπει στο πανεπιστήμιο και κανείς δεν τον άκουγε. Να πού φτάσαμε τώρα. Όταν τον είχα πάρει τηλέφωνο τον Δεκέμβριο, ακουγόταν λες και ήθελε να πεθάνει.

«Σου έγραψε τα “Letters to February”. Για *σένα* τα έγραψε.

Ακόμα και τότε που ήσουν σπίτι, έφτιαξε το *Universe City* ελπίζοντας πως θα το ανακάλυπτες και θα του μιλούσες».

Δεν είπε κάτι.

«Τον νοιάζεσαι;» τη ρώτησα.

«Φυσικά, μα...»

«Σε παρακαλώ», της είπα. «Σε παρακαλώ. Φοβάμαι».

Κούνησε ελαφρώς το κεφάλι. «Τι φοβάσαι;»

«Πως θα χαθεί. Σαν κι εσένα».

Πάγωσε και χαμήλωσε το κεφάλι.

Σχεδόν *ήθελα* να νιώσει τύψεις.

Ήθελα να νιώσει όπως ένιωθα κι εγώ δύο χρόνια τώρα.

Χαχάνισε.

«Προσπαθείς να μου δημιουργήσεις τύψεις, Φράνσις», είπε και χαμογέλασε. «Νομίζω σε συμπαθούσα περισσότερο όταν σε έκανα ό,τι ήθελα».

Σήκωσα τους ώμους. «Τώρα όμως σου λέω την αλήθεια».

«Λένε πως η αλήθεια έχει δύναμη».

«Θα τον βοηθήσεις;»

Πήρε μια βαθιά ανάσα, μισόκλεισε τα μάτια και έχωσε τα χέρια στις τσέπες.

«Ναι», είπε.

ΤΟ «ΠΕΡΙΣΤΑΤΙΚΟ»

ΠΗΓΑΜΕ ΑΠΟ ΤΟ ΣΠΙΤΙ ΤΗΣ ΚΑΡΙΣ για να πάρει μερικά ρούχα, έπειτα στον σταθμό του Σεντ Πάνκρας και από κει πήραμε το τρένο για το σπίτι. Ήταν πολύ αργά για να πάρουμε το τρένο για το πανεπιστήμιο του Άλεντ, έτσι αποφασίσαμε να κοιμηθούμε σπίτι μου και να τον βρούμε το πρωί. Έστειλα μήνυμα στη μαμά και είπε ότι δεν είχε θέμα.

Μιλήσαμε λιγάκι στο τρένο. Ήταν εξωπραγματικό που ήμασταν πάλι μαζί – που καθόμασταν στις απέναντι πλευρές του τραπεζιού και κοιτούσαμε το σκοτάδι έξω από το παράθυρο. Τόσα είχαν αλλάξει, αλλά ο τρόπος που στήριζε το κεφάλι στο χέρι της και ο τρόπος που τα μάτια της πετάριζαν ήταν ακριβώς ο ίδιος.

Φτάσαμε σπίτι μου, μπήκε μέσα και έβγαλε τα παπούτσια της. «Ουάου. Όλα μοιάζουν τόσο ίδια».

Γέλασα. «Δεν μας αρέσουν ιδιαίτερα οι αλλαγές».

Η μαμά βγήκε στο χολ από την κουζίνα. «Κάρις! Τι ωραία μαλλιά. Κι εγώ είχα κάποτε αφέλειες, αλλά δεν μου πήγαιναν καθόλου».

Η Κάρις γέλασε. «Ευχαριστώ! Τώρα πλέον μπορώ να βλέπω».

Η Κάρις έπιασε κουβέντα με τη μαμά για λίγο και όταν ανεβήκαμε στο δωμάτιό μου ήταν μεσάνυχτα. Έξω είχε σκοτεινιάσει, αλλά οι φανοστάτες φώτιζαν κάπως, έριχναν ένα χλωμό πορτοκαλί φως στο σκούρο μπλε σκοτάδι.

«Θυμάσαι τότε που κοιμήθηκα σπίτι σου;» με ρώτησε, αφού έβαλα τις πιτζάμες μου στο μπάνιο.

«Α, ναι», είπα σαν να είχα μόλις θυμηθεί. Δεν το είχα ξεχάσει. Ήταν δύο μέρες πριν το «περιστατικό». Είχαμε κοιμηθεί σπίτι μου έπειτα από ένα πάρτι στο οποίο με είχε σύρει η Κάρις. Ένα πάρτι που δεν ήθελα να πάω. «Είχες γίνει λιώμα, χαχα».

«Ναι».

Βούρτσισε τα δόντια της και φόρεσε πιτζάμες. Προσπάθησα να αγνοήσω την αμηχανία που ένιωθα από τον τρόπο με τον οποίο με κοιτούσε η Κάρις.

Πέσαμε στο διπλό κρεβάτι μου. Έσβησα τα φώτα και άναψα τα φωτάκια μου. Η Κάρις γύρισε το κεφάλι προς το μέρος μου. «Πώς είναι να είσαι έξυπνος;» με ρώτησε.

Χαχάνισα, αλλά δεν κατάφερα να την κοιτάξω. Αντ' αυτού, κοιτούσα τα φωτάκια στο ταβάνι. «Γιατί πιστεύεις πως είμαι έξυπνη;»

«Από τους βαθμούς. Παίρνεις καλούς βαθμούς. Πώς είναι;»

«Δεν... δεν είναι κάτι το ιδιαίτερο. Φαντάζομαι είναι χρήσιμο. Ναι, απλώς χρήσιμο».

«Λογικό». Γύρισε το κεφάλι και κοίταξε στο ταβάνι. «Θα ήταν χρήσιμο. Η μαμά προσπαθούσε να με αναγκάσει να πάρω καλούς βαθμούς. Τσάμπα. Δεν είμαι έξυπνη».

«Είσαι έξυπνη με άλλους, πιο σημαντικούς τρόπους, όμως».

Με κοίταξε ξανά και χαμογέλασε. «Πολύ γλυκό».

Τη λοξοκοίταξα. Δεν αντιστάθηκα και χαμογέλασα. «Αφού λέω την αλήθεια».

«Είσαι μια γλύκα».

«Δεν είμαι».

«Είσαι». Χάιδεψε τα μαλλιά μου. «Τα μαλλιά σου σου πάνε έτσι». Χάιδεψε το μάγουλο απαλά με το δάχτυλό της. «Είχα ξεχάσει πως έχεις φακίδες. Γλυκούλικο».

«Σταμάτα να το λες ξανά και ξανά», είπα χαχανίζοντας.

Συνέχιζε να με χαϊδεύει στο μάγουλο με τα δάχτυλα. Έπειτα, γύρισα να την κοιτάξω. Διαπίστωσα ότι απείχαμε μερικά εκατοστά η μία από την άλλη. Το δέρμα της είχε πάρει μπλε απόχρωση από τα φωτάκια, έπειτα άλλαξε σε ροζ, πράσινο και πάλι μπλε.

«Συγγνώμη...» Η φωνή μου λύγισε προτού ολοκληρώσω. «Συγγνώμη που δεν ήμουν καλή φίλη».

«Μου ζητάς συγγνώμη που με φίλησες», είπε.

«Ναι», ψιθύρισα.

«Χμ». Πήρε το χέρι της και κατάλαβα τι πήγαινε να κάνει. Δεν μπορούσα να βρω τρόπο να της πω όχι εγκαίρως, έτσι την άφησα να φέρει τα χείλη της πάνω στα δικά μου.

Την άφησα να με φιλήσει για μερικά λεπτά. Δεν ήταν άσχημο. Κάποια στιγμή, όσο με φιλούσε, συνειδητοποίησα πως δεν τη γούσταρα πλέον και δεν ήθελα να συνεχιστεί άλλο.

Εκείνη τη στιγμή, γύρισε το σώμα της, έφερε τον αγκώνα της στην άλλη πλευρά και ήρθε από πάνω μου. Κόλλησε στο σώμα μου το πόδι της και με φίλησε αργά, σαν να προσπαθούσε να επανορθώσει για τις φωνές της δύο χρόνια πριν. Μου έδωσε την εντύπωση ότι από τότε είχε φιλήσει πολλές.

Αφού συνειδητοποίησα τι συνέβαινε, το διέκοψα γυρίζοντας στο πλάι το κεφάλι.

«Δεν... δεν θέλω», είπα.

Για μια στιγμή σώπασε. Έπειτα απομακρύνθηκε από πάνω μου και ξάπλωσε στο κρεβάτι.

«Εντάξει», είπε. «Όλα καλά».

Σιωπή.

«Δεν με γουστάρεις στα κρυφά, ε;» τη ρώτησα.

Χαμογέλασε μόνη της.

«Όχι», είπε. «Απλώς ήθελα να ζητήσω συγγνώμη. Ένα φιλί για συγγνώμη».

«Συγγνώμη για τι πράγμα;»

«Σου φώναζα για ένα δεκάλεπτο γεμάτο επειδή με φίλησες».

Γελάσαμε και οι δύο.

Ένιωθα ανακουφισμένη.

Ένιωθα ανακουφισμένη επειδή ήμουν σίγουρη πια ότι δεν γούσταρα την Κάρις.

«Έχει βρει κοπέλα ο Άλεντ;» με ρώτησε.

«Α... ούτε αυτό το ξέρεις...»

«Τι πράγμα;»

«Ο Άλεντ... εμ... θυμάσαι τον φίλο του τον Ντάνιελ;»

«*Μαζί είναι;*» Η Κάρις κακάρισε. «Υπέροχο. Απίθανο. Ελπίζω να σπαστεί τόσο πολύ η μαμά με αυτό».

Γέλασα επειδή δεν ήξερα τι να πω.

Έχωσε τα χέρια της κάτω από το μάγουλό της.

«Μπορούμε να ακούσουμε το *Universe City*;» με ρώτησε.

«Θες να ακούσεις ένα επεισόδιο;»

«Ναι. Έχω περιέργεια».

Γύρισα για να τη βλέπω και έψαξα κάτω από το μαξιλάρι μου για να βρω το κινητό. Έβαλα το πρώτο επεισόδιο –θα ξεκινούσαμε από την αρχή– και πάτησα play.

Η φωνή του Άλεντ άρχισε να ακούγεται και η Κάρις κουνήθηκε ξανά, γύρισε ανάσκελα. Άκουγε τη φωνή του Άλεντ και κοιτούσε το ταβάνι. Δεν έκανε κάποιο σχόλιο, ούτε αντέδρασε, αν και χαμογέλασε με τις πιο αστείες ατάκες. Έπειτα από μερικά λεπτά άρχισα να θολώνω, έτοιμη να κοιμηθώ και το μόνο που υπήρχε στον κόσμο μου ήταν η φωνή του Άλεντ, που μας μιλούσε από κάπου ψηλά, μας μιλούσε σαν να ήταν και αυτός στο δωμάτιο. Όταν το επεισόδιο τελείωσε, μαζί και το *Nothing Left For Us*, ένιωθα πως το δωμάτιο ήταν τόσο επίπονα άδειο και ήσυχο. Σιωπηλό.

Κοίταξα την Κάρις και προς έκπληξή μου τη βρήκα ακίνητη στην ίδια θέση, να ανοιγοκλείνει αργά τα μάτια, σαν να σκεφτόταν κάτι σημαντικό. Και τότε ένα δάκρυ εμφανίστηκε στην άκρη του ματιού της.

«Έχω στενοχωρηθεί», μουρμούρισε. «Έχω στενοχωρηθεί πολύ».

Δεν είπα κάτι.

«Και έκανε το podcast πριν φύγω... με καλούσε».

Έκλεισε τα μάτια.

«Μακάρι να ήμουν κι εγώ τόσο ευγενική και όμορφη. Το μόνο που ξέρω είναι να ουρλιάζω...»

Γύρισα για να την αντικρίσω. «Γιατί δεν ήθελες να τον βοηθήσεις;»

«Γιατί φοβάμαι».

«Τι;»

«Πως, αν τον δω, δεν θα καταφέρω να τον αφήσω ξανά».

Κοιμήθηκε σχεδόν αμέσως και αποφάσισα να στείλω μήνυμα στον Άλεντ. Αμφέβαλλα πως θα μου απαντούσε. Ίσως και να μην το έβλεπε. Αλλά ήθελα να το στείλω.

Φράνσις Ζανβιέρ

Ελπίζω να είσαι καλά, Άλεντ. Για να ξέρεις, βρήκα την Κάρις και ερχόμαστε να σε βρούμε αύριο στη σχολή. Ανησυχούμε, σε αγαπάμε και μας λείπεις xxx

UNIVERS CITY: Επ. 1 – σκούρο μπλε

UniverseCity 109.982 views

Βοήθεια. Έχω ξεμείνει στο Universe City. Στείλτε βοήθεια.

Δείτε παρακάτω για την απομαγνητοφώνηση >>>

[...]

Δεν σ' αγαπώ αλλά, φίλε μου, θέλω να σου πω τα *πάντα.* Πριν από πάρα πολύ καιρό απέκτησα την απαίσια συνήθεια να μη λέω λέξη, ποτέ και για τίποτα, και πραγματικά δεν μπορώ να καταλάβω γιατί ή πώς έγινε. C' est la vie.

Αλλά κάτι πάνω σου με κάνει να εύχομαι να μπορούσα να μιλήσω όπως εσύ – σε παρακολουθούσα από μακριά και είσαι το καλύτερο άτομο που έχω συναντήσει στη ζωή μου. Έχεις την ικανότητα να σε ακούν όλοι να μιλάς για ώρες, μαγεμένοι, χωρίς αντιρρήσεις. Σχεδόν, θέλω να *γίνω* εσύ. Βγάζει νόημα αυτό; Μάλλον όχι. Πάλι λέω μπούρδες. Συγγνώμη.

Τέλος πάντων. Ελπίζω ότι, όταν συναντηθούμε ξανά, θα με ακούσεις προσεκτικά. Δεν έχω κανέναν άλλο για να μιλήσω. Μπορεί και να μη με ακούς. Δεν χρειάζεται βέβαια να ακούσεις, αν δεν θες. Ποιος είμαι εγώ για να σε αναγκάσω να κάνεις το οτιδήποτε; Δεν είμαι κανένας, δεν είμαι τίποτα. Αλλά εσύ –αχ, *εσύ*– μπορώ να σε ακούω να μιλάς για ώρες. Χωρίς αντιρρήσεις.

Αρκεί να σε ακούω.

[...]

5. ΕΑΡΙΝΟ ΤΡΙΜΗΝΟ

β)

Η ΤΕΧΝΗ ΑΝΤΑΝΑΚΛΑ ΤΗ ΖΩΗ

«ΝΑ ΞΕΡΕΙΣ, ΕΙΜΑΙ ΤΑΠΙ», είπε η Ρέιν από το ανοιχτό παράθυρο του μικρούλικου Ford Ka της. «Οπότε, κορίτσια, ελπίζω να έχετε μαζί σας παραδάκι».

Είχα τηλεφωνήσει στη Ρέιν το πρωί, ελπίζοντας πως θα ήθελε να έρθει μαζί μας για να σώσουμε τον Άλεντ από το πανεπιστήμιο. Φυσικά και ήταν.

«Θα πληρώσω τη βενζίνη», είπε η Κάρις και κάθισε πίσω.

Η Ρέιν την κοίταξε έκπληκτη.

«Είμαι η Κάρις».

«Ναι», είπε η Ρέιν. «Ουάου». Κατάλαβε πως την κοιτούσε και ξερόβηξε. «Είμαι η Ρέιν. Δεν μοιάζεις καθόλου με τον Άλεντ».

«Δίδυμα είμαστε, όχι το ίδιο άτομο».

Κατέβασα τη θέση του συνοδηγού και κάθισα. «Σίγουρα μπορείς να μας πας μέχρι την Οξφόρδη;»

Η Ρέιν σήκωσε τους ώμους. «Καλύτερο από το να πάω σχολείο».

Η Κάρις γέλασε. «Πόσο αλήθεια».

Με το που η Ρέιν έβαλε μπροστά, σκέφτηκα κάτι.

«Τι λέτε να δούμε αν και ο Ντάνιελ θέλει να έρθει;»

Η Ρέιν και η Κάρις με κοίταξαν.

«Νομίζω πως αν ήξερε τι κάνουμε θα... θα ήθελε να έρθει», συμπλήρωσα.

«Είσαι πραγματικά το καλύτερο άτομο σε όλο τον πλανήτη», είπε η Ρέιν.

Η Κάρις σήκωσε τους ώμους. «Όσο περισσότεροι, τόσο το καλύτερο».

Έβγαλα το κινητό και πήρα τον Ντάνιελ. Του είπα τα πάντα.

«Όλα καλά;» είπε η Ρέιν.

«Ναι. Πάμε να τον πάρουμε».

Η Κάρις κοιτούσε έξω από το παράθυρο.

Η Ρέιν την κοιτούσε από τον μεσαίο καθρέφτη. «Όλα καλά, φιλενάδα; Τι κοιτάς;» ρώτησε.

«Τίποτα. Πάμε».

Πήγαμε σπίτι του για να τον πάρουμε. Μας περίμενε καθιστός στο χαμηλό τοιχάκι απ' έξω. Φορούσε ένα μπορντό πουλόβερ κάτω από τη σχολική του στολή. Έμοιαζε έτοιμος να πάθει κρίση άγχους.

Βγήκα από το αυτοκίνητο και τον άφησα να περάσει για να καθίσει δίπλα στην Κάρις. Αντάλλαξαν ένα βλέμμα.

«Jesus fucking Christ», είπε. «Γύρισες».

«Γύρισα», είπε. «Κι εγώ χαίρομαι που σε βλέπω».

Η διαδρομή ήταν έξι ώρες. Δεν ξεκίνησε πολύ καλά, υπήρχε κάποια ένταση στον αέρα – η Ρέιν κοιτούσε την Κάρις όπως και εγώ στην αρχή, η Κάρις προκαλούσε δέος. Ο Ντάνιελ έπαιζε με το κινητό του και μου ζήτησε να του πω τι είχε γίνει με τον Άλεντ τα Χριστούγεννα.

Μετά από δύο ώρες ταξιδιού, σταματήσαμε σε ένα βενζινάδικο για να πάρουμε καφέ και να πάμε τουαλέτα. Καθώς επιστρέφαμε στο αυτοκίνητο και ο άνεμος φυσούσε στο πάρκινγκ, η Ρέιν ρώτησε την Κάρις «πού εξαφανίστηκες, λοιπόν;»

«Στο Λονδίνο», απάντησε η Κάρις. «Δουλεύω στο Εθνικό Θέατρο, διευθύνω διάφορα εργαστήρια. Παίρνω καλά λεφτά».

«Τι λες, ρε φιλενάδα! Ξέρω το Εθνικό. Είδα εκεί *Το Άλογο του Πολέμου* μερικά χρόνια πριν». Η Ρέιν κοιτούσε επίμονα την Κάρις. «Δεν χρειάστηκες πτυχία και τέτοια;»

«Όχι», είπε η Κάρις. «Δεν μου ζήτησαν τίποτα».

Ο Ντάνιελ συνοφρυώθηκε και η Ρέιν δεν είπε κάτι άλλο, αλλά χαμογέλασε. «Μου αρέσει αυτή», μου ψιθύρισε η Ρέιν όταν η Κάρις μπήκε στο αυτοκίνητο.

Η ατμόσφαιρα στο αυτοκίνητο κάπως ελάφρυνε έπειτα από αυτό το διάλειμμα. Η Ρέιν μου έδωσε το iPod της και έβαλα να παίζει Madeon, αλλά ο Ντάνιελ γκρίνιαξε πως ήταν σκέτη βαβούρα, οπότε έβαλα Radio 1. Η Κάρις κοιτούσε έξω από το παράθυρο με τα γυαλιά ηλίου της λες και ήταν η Audrey Hepburn.

Ένιωθα τα νεύρα μου τεντωμένα. Ο Άλεντ δεν μου είχε απαντήσει. Μάλλον θα ήταν στον κοιτώνα του, ή σε κάποιο μάθημα, αλλά δεν έλεγε να βγει από το μυαλό μου η σκέψη πως έκανε κάτι... πιο σοβαρό.

Συνέβαιναν τέτοια πράγματα, όχι;

Και ο Άλεντ δεν είχε κάποιον δίπλα του.

«Είσαι καλά, Φράνσις;» ρώτησε ο Ντάνιελ. Καθόμασταν δίπλα στο πίσω κάθισμα. Το ενδιαφέρον του φαινόταν ειλικρινές και με κοιτούσε με τα σκοτεινά του μάτια.

«Δεν... δεν έχει κανέναν. Ο Άλεντ δεν έχει πια κανέναν δίπλα του».

«Μαλακίες». Ο Ντάνιελ χαμογέλασε πονηρά. «Έχει εμάς τους τέσσερις εδώ. Έκανα κοπάνα στη χημεία για να έρθω».

Η Εθνική Οδός μου προκαλούσε μια αίσθηση ηρεμίας. Έβαλα τα ακουστικά μου, άκουσα ένα επεισόδιο του *Universe City* και έμεινα να κοιτάζω τη μίξη του γκρι με το πράσινο έξω. Ο Ντάνιελ καθόταν δίπλα μου, με το κεφάλι πάνω στο παράθυρο και τα δύο χέρια να σφίγγουν το κινητό του. Η Κάρις έπινε νερό από το μπουκάλι. Η Ρέιν σιγοτραγουδούσε το τραγούδι που έπαιζε στο ραδιόφωνο, αλλά φορούσα τα ακουστικά μου, έτσι δεν ήξερα ποιο ήταν. «Μακάρι να είχα τόσες ιστορίες όσες και εκείνη», έλεγε στα αφτιά μου ο Άλεντ –ή, καλύτερα, το Radio– και, παρόλο που όλοι μας αγχωνόμασταν για το ίδιο ακριβώς πράγμα, για μια στιγμή ένιωσα ήρεμη. Και τότε συνειδητοποίησα πόσο στρεσαρισμένη ήμουν εδώ και πάρα πολύ καιρό. Έκλεισα τα μάτια. Ο βόμβος του κινητήρα, το βουητό του ραδιοφώνου και η φωνή του Άλεντ μετατράπηκαν σε έναν ενιαίο, υπέροχο ήχο.

«Νιώθω πως παίζουμε στο Universe City», είπα μισή ώρα πριν φτάσουμε.

Η Ρέιν γέλασε. «Δηλαδή;»

«Το Radio είναι παγιδευμένο στη Universe City. Και κάποιος επιτέλους το άκουσε. Κάποιος έρχεται να το σώσει».

«Η τέχνη αντανακλά τη ζωή», είπε η Κάρις. «Ή... μήπως συμβαίνει το αντίθετο;»

ΕΝΑΣ ΥΠΟΛΟΓΙΣΤΗΣ ΜΕ ΘΛΙΜΜΕΝΟ ΠΡΟΣΩΠΟ

ΠΡΟΤΟΥ ΤΟ ΚΑΤΑΛΑΒΟΥΜΕ, φτάσαμε στο πανεπιστήμιο του Άλεντ. Έγινε πιο γρήγορα απ' όσο περιμέναμε.

Θα έλεγα πως το μέρος είχε πολλές ομοιότητες με το χωριό μας. Ψηλά ντικενσιανά κτίρια και μονοπάτια με καμάρες, μια μικρή πλατεία με πολυώροφα καταστήματα και ένα ποτάμι να το διατρέχει. Ήταν περασμένες εννέα το βράδυ – τα πάντα ήταν ανοιχτά και φοιτητές κατέκλυζαν το μέρος, έκοβαν βόλτες και άραζαν στις παμπ.

Η Ρέιν πάρκαρε το αυτοκίνητο πάνω σε μια διπλή κίτρινη γραμμή. Είχαμε χρειαστεί ένα εικοσάλεπτο ώσπου να βρούμε το Σεντ Τζονς Κόλετζ. Έμοιαζε με μικρή μεζονέτα και δυσκολευόμουν να πιστέψω ότι ένα κτίριο τόσο μικρό ήταν ολόκληρο κολέγιο πανεπιστημίου. Με το που μπήκαμε μέσα, ωστόσο, καταλάβαμε πως το κολέγιο στεγαζόταν στα γύρω κτίρια.

Σταθήκαμε κάπως αμήχανα στο φουαγιέ. Στα δεξιά μας υπήρχε μια σκάλα και δύο διάδρομοι ευθεία μπροστά.

«Τώρα τι κάνουμε;» είπα.

«Το ξέρει ο Άλεντ πως ερχόμαστε;» ρώτησε ο Ντάνιελ.

«Ναι, του έστειλα μήνυμα».

«Σου απάντησε;»

«Όχι».

Ο Ντάνιελ γύρισε στο μέρος μου. «Δηλαδή... ήρθαμε απρόσκλητοι».

Όλοι μας παραμείναμε σιωπηλοί.

«Για να πω την αλήθεια, φιλαράκο, ήμασταν λίγο χεσμένοι πάνω μας», είπε η Ρέιν. «Γιατί μου φάνηκε πως ο Άλεντ ήταν έτοιμος να φουντάρει».

Είπε τις λέξεις που κανείς δεν τολμούσε να πει και αυτό προκάλεσε ένα νέο κύμα σιωπής.

«Ξέρει κανείς πού είναι ο κοιτώντας του;» ρώτησε η Κάρις.

«Ίσως να ρωτούσαμε στη γραμματεία», είπα.

«Θα ρωτήσω εγώ», είπε η Κάρις δίχως τον παραμικρό δισταγμό και προσχώρησε στη γραμματεία, όπου καθόταν ένας ηλικιωμένος. Του μίλησε για λίγο, έπειτα επέστρεψε. «Δεν επιτρέπεται να μας πει».

Ο Ντάνιελ βόγκηξε.

«Θα μπορούσαμε να ρωτήσουμε τους συμφοιτητές του», πρότεινε η Ρέιν. «Μήπως τον γνωρίζουν».

Η Κάρις ένευσε.

«Κι αν *κανείς* δεν ξέρει τον Άλεντ;» ρώτησα.

Η Ρέιν πήγε να πει κάτι, όταν μια φωνή ακούστηκε από τις σκάλες.

«Συγγνώμη... είπε κανείς σας μήπως "Άλεντ";»

Όλοι γυρίσαμε ταυτόχρονα και αντικρίσαμε ένα παιδί που φορούσε ένα μπλουζάκι πόλο της ομάδας κωπηλασίας του πανεπιστημίου.

«Ναι», είπα.

«Είστε φίλοι του;»

«Ναι, είμαι η αδελφή του», είπε η Κάρις και ακούστηκε δέκα χρόνια μεγαλύτερη απ' όσο πραγματικά ήταν.

«Ευτυχώς, πάλι καλά!» είπε ο φοιτητής.

«Γιατί το λες αυτό;» είπε απότομα ο Ντάνιελ.

«Εμ... συμπεριφέρεται παράξενα. Μένω απέναντί του και σπάνια βγαίνει από το δωμάτιό του, ας πούμε. Ούτε έρχεται να φάει στο εστιατόριο της σχολής. Γι' αυτό».

«Πού είναι το δωμάτιό του;» είπε η Κάρις.

Ο φοιτητής μάς κατηύθυνε.

«Χαίρομαι που έχει φίλους», είπε ο φοιτητής πριν φύγει. «Φαίνεται *τόσο* μόνος του».

Αποφασίσαμε να πάω μόνη στο δωμάτιο του Άλεντ.

Κατά κάποιο τρόπο, ανακουφίστηκα.

Μου φάνηκε ότι περπατούσα για χρόνια στους διαδρόμους με τη μπλε μοκέτα, τους τοίχους με την κρεμ ξεφτισμένη μπογιά και τις γυαλιστερές πόρτες, όταν βρήκα το δωμάτιό του.

Χτύπησα.

«Είναι κανείς μέσα;»

Δεν μου απάντησε και ξαναχτύπησα. «Άλεντ;»

Τίποτα.

Δοκίμασα να ανοίξω – ήταν ξεκλείδωτα, έτσι μπήκα μέσα. Το δωμάτιο ήταν σκοτεινό –οι κουρτίνες ήταν κλειστές– και άνοιξα τα φώτα.

Το δωμάτιο ήταν τυπικό δωμάτιο σε κοιτώνα πανεπιστημίου.

Μικρότερο από το δωμάτιό μου. Είχε χώρο για ένα μονό κρεβάτι, μερικά τετραγωνικά μέτρα πάτωμα, μια ετοιμόρροπη ντουλάπα και ένα ομοίως ετοιμόρροπο γραφείο. Οι κουρτίνες ήταν τόσο λεπτές που μπορούσες να δεις τα φώτα απ' έξω.

Αλλά τα πράγματα του δωματίου ήταν αυτό που με ανησύχησε περισσότερο. Η ακαταστασία ήταν απερίγραπτη και ο Άλεντ δεν ήταν ιδιαίτερα ακατάστατος. Πάνω στην καρέκλα υπήρχε μια ντάνα άπλυτα και περισσότερα ρούχα σκόρπια στο πάτωμα κάλυπταν σχεδόν όλη τη μοκέτα. Η ντουλάπα του ήταν σχεδόν άδεια και το κρεβάτι του ήταν ξέστρωτο. Τα σεντόνια μάλλον δεν είχαν αλλαχτεί εδώ και μήνες. Στο κομοδίνο υπήρχαν τουλάχιστον δώδεκα αδειανά μπουκάλια μαζί με ένα λάπτοπ. Κατάλαβα από το λαμπάκι που αναβόσβηνε ότι ήταν ανοιχτό. Οι τοίχοι ήταν το μοναδικό καθαρό σημείο του δωματίου. Δεν είχε κρεμάσει αφίσες ή φωτογραφίες – ήταν κενοί, με την πράσινη μπογιά να καλύπτει τους τσιμεντόλιθους. Έκανε κρύο – είχε αφήσει το παράθυρο ανοιχτό.

Το γραφείο καλυπτόταν από διάφορα χαρτιά, εισιτήρια, φυλλάδια, συσκευασίες φαγητού και κουτάκια από αναψυκτικά. Πήρα ένα φύλλο χαρτί από το γραφείο. Ήταν άγραφο, πέρα από μερικές αράδες.

Ποίηση 14/1 – Τζορτζ Χέρμπερτ: μάθημα για φόρμα και πρόζα

- *Δεκαετία 1630*
- *Παρακείμενο – Ζεράρ Ζενέτ. Μορφή ενός ποιήματος – πώς μοιάζει στη σελίδα*
- *Διάλογος – τροχαϊκός*

- *Θεολογία του Τζον Γουέσλι 1744 1844????*

Η υπόλοιπη σελίδα καλυπτόταν από μουτζούρες.

Συνέχισα να ψάχνω τα αραδιασμένα χαρτιά στο γραφείο του, δίχως να είμαι βέβαιη για τι ακριβώς έψαχνα. Βρήκα περισσότερες σημειώσεις από παραδόσεις μαθημάτων, με μία ή δύο το πολύ αράδες. Επιπλέον, βρήκα επιστολές από τη Γραμματεία Υποτροφιών. Ήταν υπενθυμίσεις πως έπρεπε να ξανακάνει αίτηση αν ήθελε να λάβει χρηματοδότηση και του χρόνου.

Τότε βρήκα την πρώτη χειρόγραφη επιστολή.

Πώς τολμάς να καταστρέφεις μια εκπομπή που σήμαινε τόσα πολλά για τόσο κόσμο; Νομίζεις πως εσύ την ελέγχεις, αλλά η εκπομπή έχει ξεφύγει εδώ και καιρό από τα χέρια σου – αν δεν ήμασταν εμείς, εσύ δεν θα βρισκόσουν καν σε αυτή τη θέση. Ξανάρχισε το Universe City αλλιώς θα το μετανιώσεις.

Και μια δεύτερη.

ΓΑΜΙΕΣΑΙ ΑΛΕΝΤ ΛΑΣΤ!!! ΚΑΤΕΣΤΡΕΨΕΣ ΤΗΝ ΕΥΤΥΧΙΑ ΑΜΕΤΡΗΤΩΝ ΑΝΘΡΩΠΩΝ ΠΑΓΚΟΣΜΙΩΣ. ΕΙΣΑΙ ΙΚΑΝΟΠΟΙΗΜΕΝΟΣ ΤΩΡΑ;

Και μια τρίτη.

Γιατί μένεις ζωντανός αν δεν ανεβάζεις επεισόδια του Universe City; Πλήγωσες χιλιάδες ανθρώπους. ΤΡΑΒΑ ΑΥΤΟΚΤΟΝΑ

Και μια τέταρτη. Και μια πέμπτη.

Βρήκα δεκαεννέα σκόρπιες επιστολές στο γραφείο του.

Συγχύστηκα και τρομοκρατήθηκα και ξάφνου θυμήθηκα τη φωτογραφία του Άλεντ έξω από τη σχολή του, που είχε ανέβει στο Ίντερνετ μερικούς μήνες πριν. Το μόνο που είχαν να κάνουν αυτοί οι άνθρωποι ήταν να γράψουν ένα γράμμα, να σημειώσουν το όνομά του και τη διεύθυνση του κολεγίου του και το αποτέλεσμα ήταν ο Άλεντ να βομβαρδιστεί από επιστολές μίσους.

Τότε βρήκα μια επιστολή με το σήμα του YouTube πάνω, μαζί με κάποια άλλα σήματα που δεν αναγνώριζα. Έγραφε:

Αγαπητέ κύριε Λαστ,

Καθώς δεν έχετε απαντήσει στα e-mail μας, ελπίζουμε να μη σας πειράζει που προσπαθούμε να επικοινωνήσουμε γραπτώς μαζί σας – η εταιρεία μας, η Live!Video, θα ήθελε να σας προσκαλέσει να λάβετε μέρος στο καλοκαιρινό μας συνέδριο Live!Video London. Καθώς το κανάλι σας Universe City απέκτησε θεαματική δημοτικότητα την περασμένη χρονιά, θα θέλαμε να μάθουμε εάν ενδιαφέρεστε να παρουσιάσετε ζωντανά ένα επεισόδιο της εκπομπής. Δεν έχουμε δοκιμάσει ξανά ένα τέτοιο εγχείρημα, αλλά θα ήταν τιμή μας εάν ήσασταν ο πρώτος καλεσμένος μας που θα επιχειρούσε κάτι τέτοιο.

Βρήκα και περισσότερες επιστολές που επιβεβαίωναν ότι ο Άλεντ δεν είχε απαντήσει σε καμία. Και ξαφνικά αισθάνθηκα τόσο λυπημένη.

Κάτω από τα χαρτιά βρήκα το κινητό του Άλεντ. Ήταν απενεργοποιημένο και το άνοιξα, αφού ήξερα τον κωδικό. Αμέσως έλαβα οκτώ νέα μηνύματα. Τα περισσότερα ήταν από εμένα, από τις αρχές Ιανουαρίου.

Είχε να ανοίξει το κινητό του από τον Ιανουάριο.

«Τι φάση;» είπε μια φωνή πίσω μου.

Γύρισα και είδα τον Άλεντ στην πόρτα.

Φορούσε ένα λευκό κοντομάνικο που είχε μια στάμπα ενός υπολογιστή με θλιμμένο προσωπάκι. Φορούσε ανοιχτόχρωμο σκισμένο τζιν παντελόνι. Τα μαλλιά του είχαν μακρύνει κι άλλο και είχαν πάρει εκείνη την πρασινογκρίζα απόχρωση που συνήθως παίρνουν όταν κάποιος τα βάφει συχνά και σε διάφορα χρώματα και έπειτα τα αφήνει απεριποίητα. Στο ένα χέρι του κρατούσε μια οδοντόβουρτσα και μια οδοντόκρεμα.

Αυτό που έβγαζε μάτι, ωστόσο, ήταν η συγκλονιστική απώλεια βάρους από την τελευταία φορά που τον είχα δει τα Χριστούγεννα. Ο Άλεντ δεν ήταν πετσί και κόκαλο όσο τον ήξερα, αλλά πλέον το πρόσωπό του είχε χάσει τις καμπύλες του, τα μάτια του είχαν χωθεί στις κόγχες τους και το κοντομάνικο έμοιαζε πολλά νούμερα μεγαλύτερό του.

Είχε μείνει με το στόμα ανοιχτό. Προσπάθησε να πει κάτι. Και έπειτα, το έσκασε.

ΑΚΟΥ

ΕΤΡΕΞΑ ΠΙΣΩ ΤΟΥ, αλλά γρήγορα τον έχασα και βρέθηκα έξω στο σκοτάδι. Ήμουν σίγουρη πως είχε φύγει από το κτίριο, όμως δεν μπορούσα να δω προς τα πού είχε πάει και σίγουρα θα κρύωνε εκεί έξω φορώντας μονάχα ένα κοντομάνικο και ένα τζιν. Έβγαλα το κινητό μου, βρήκα το όνομά του στις επαφές και τον κάλεσα. Προφανώς και δεν απάντησε· τότε θυμήθηκα ότι είχε αφήσει το κινητό στο δωμάτιό του και ότι δεν το είχε χρησιμοποιήσει εδώ και εβδομάδες.

Δεν ήξερα τι να κάνω. Άραγε, θα εμφανιζόταν από μόνος του αν τον περίμενα μέσα; Ή θα έκανε τίποτα επικίνδυνο;

Προφανώς, δεν σκεφτόταν λογικά.

Έκανα μεταβολή και κοίταξα την πόρτα του κολεγίου.

Δεν μπορούσα να μπω μέσα. Άρχισα να τρέχω στον δρόμο με κατεύθυνση το κέντρο της πανεπιστημιούπολης.

Τον βρήκα σχεδόν αμέσως. Ξεχώριζε ανάμεσα στους φοιτητές που φορούσαν παλτά και πουλόβερ, ενώ εκείνος μόνο ένα κοντομάνικο. Όλοι τους γελούσαν και φαίνονταν να περνούν τέλεια. Και μάλλον όντως περνούσαν.

Τον φώναξα, γύρισε και με είδε. Το ξανάβαλε στα πόδια.

Γιατί έτρεχε μακριά μου;

Τόσο πολύ δηλαδή ήθελε να με αποφύγει;

Τον ακολούθησα σε κάτι σκάλες, στρίψαμε σε μια στροφή και διασχίσαμε μια γέφυρα. Έστριψε πάλι δεξιά και όρμησε σε κάτι άλλες σκάλες. Τον ακολούθησα και ξαφνικά κατάλαβα πού πήγαινε.

Εξαφανίστηκε μέσα σε ένα κλαμπ.

Μουσική ακουγόταν εκκωφαντικά από μέσα. Μπορεί να μην υπήρχε ουρά απ' έξω, αλλά το κλαμπ φαινόταν γεμάτο.

«Είσαι καλά, κοπελιά;» είπε ο πορτιέρης με έντονη προφορά από τον βορρά. «Μπορείς να μου δείξεις ταυτότητα;»

«Εμ...» Δεν μπορούσα. Δεν είχα δίπλωμα και δεν είχα συνέχεια μαζί μου το διαβατήριό μου. «Όχι, απλώς ήθελα...»

«Δεν μπορώ να σε αφήσω να περάσεις χωρίς ταυτότητα, κοπελιά».

Μόρφασα. Σίγουρα δεν ήταν καλή ιδέα να τσακωθώ με έναν δίμετρο καραφλό τυπά. Αλλά δεν είχα άλλη επιλογή.

«Σε παρακαλώ, ο φίλος μου μόλις μπήκε μέσα, βρίσκεται σε άσχημη κατάσταση, θέλω να του μιλήσω μόνο και θα φύγω με το που τον βρω, *στ' ορκίζομαι...*»

Ο πορτιέρης με κοίταξε συμπονετικά. Έριξε μια ματιά στο ρολόι του και αναστέναξε.

«Ε, τότε μπες, ρε κοπελιά, είναι μόλις δέκα η ώρα».

Του ψιθύρισα ένα ευχαριστώ και έτρεξα μέσα.

Ήταν χειρότερα από του Johhny R. Το πάτωμα κολλούσε και ήταν μες στη βρόμα, οι τοίχοι έσταζαν υγρασία, μετά βίας έβλεπες από τα σκοτάδια, ενώ το μόνο που μπορούσες να ακούσεις ήταν η pop μουσική που έπαιζε τέρμα. Διέσχισα το πλήθος των φοιτητών, χοροπηδώντας πάνω κάτω – παράξενο, οι περισσότεροι φορούσαν τζιν και κοντομάνικα, καμία σχέση με τους μαθητές που φορούσαν τις σχολικές τους στολές στου Johhny R. Τον έψαχνα αγνοώντας τους φοιτητές που με κοίταζαν δολοφονικά όπως τους σκουντούσα για να περάσω από δίπλα τους. Πήγα στον πάνω όροφο, άρχισα να τον ψάχνω και τότε...

Να τος! Στηριζόταν στον τοίχο με το λευκό του κοντομάνικο. Τα μαλλιά του φαίνονταν λαχανί από τα φώτα.

Τον άρπαξα από το μπράτσο προτού με δει, και τρόμαξε τόσο, που ένιωσα τα κόκαλά του να τρέμουν.

«ΑΛΕΝΤ!» φώναξα, αν και δεν είχε νόημα. Ούτε εγώ δεν μπορούσα να ακούσω τη φωνή μου.

Η μουσική έπαιζε τόσο δυνατά που τα πάντα δονούνταν: το πάτωμα, το δέρμα μου, το αίμα μου.

Με κοιτούσε λες και δεν είχε ξαναδεί άνθρωπο. Κάτω από τα μάτια του είχε μπλαβιές σακούλες. Είχε μέρες να λουστεί. Το δέρμα του γινόταν μπλε, κόκκινο, ροζ, πορτοκαλί...

«Τι κάνεις;» φώναξα, αλλά κανείς μας δεν το άκουσε. «Η μουσική είναι πολύ δυνατά!»

Άνοιξε το στόμα του και είπε κάτι αλλά δεν τον άκουσα ούτε κατάφερα να διαβάσω τα χείλη του, παρόλο που προσπάθησα όπως δεν είχα προσπαθήσει ποτέ άλλοτε στη ζωή μου. Δάγκωσε το χείλος του και έμεινε ακίνητος.

«Μου έλειψες τόσο πολύ», είπα το μόνο που ερχόταν στο μυαλό μου και νομίζω ότι διάβασε τα χείλη μου, επειδή βούρκωσε. «Κι εμένα», είπε. Ποτέ μου, από τότε που τον γνώρισα, δεν είχα θελήσει τόσο έντονα να ακούσω τη φωνή του.

Δεν ήξερα τι άλλο να κάνω, έτσι τύλιξα τα χέρια μου γύρω από τη μέση του, έβαλα το κεφάλι μου στον ώμο του και τον έσφιξα.

Στην αρχή δεν έκανε τίποτα. Έπειτα σήκωσε αργά τα χέρια του, τα έβαλε στους ώμους μου και ακούμπησε το κεφάλι του πάνω στο δικό μου. Ύστερα από λίγο τον ένιωσα να τρέμει. Λίγο αργότερα συνειδητοποίησα ότι κι εγώ έκλαιγα.

Από μέσα μου ξεπηδούσε όλη η αλήθεια μου. Δεν προσπαθούσα να είμαι κάποια που δεν ήμουν, δεν προσπαθούσα να υποκριθώ κάτι.

Νοιαζόμουν για εκείνον. Και εκείνος νοιαζόταν για μένα.

Αυτό ήταν όλο.

ΚΑΝΕΝΑΣ

ΠΗΓΑΜΕ ΣΤΗΝ ΠΛΑΤΕΙΑ ΤΗΣ ΠΑΝΕΠΙΣΤΗΜΙΟΥΠΟΛΗΣ. Όσο περπατούσαμε, δεν είπαμε κουβέντα. Κρατιόμασταν από το χέρι, νιώθαμε πως αυτό ήταν το σωστό, αυτό *θέλαμε* να κάνουμε.

Καθίσαμε σε ένα πέτρινο παγκάκι. Μερικά λεπτά αργότερα συνειδητοποίησα ότι σε αυτό ακριβώς το σημείο είχε βγάλει φωτογραφία στα κρυφά τον Άλεντ όποιος την είχε ανεβάσει στο Tumblr μερικούς μήνες πριν.

Όταν έχω τις μαύρες μου, δεν θέλω ούτε να με λυπούνται ούτε να μου φέρονται λες και είμαι ανήμπορη. Και ήξερα πως ο Άλεντ δεν είχε απλώς τις μαύρες του. Έτσι, δοκίμασα κάτι διαφορετικό.

«Μάλλον νιώθεις τελείως σκατά, ε;» τον ρώτησα. Κρατιόμασταν ακόμη χέρι χέρι.

Τα μάτια του Άλεντ μισόκλεισαν από το ανεπαίσθητο χαμόγελο. Μου ένευσε, δίχως να πει κάτι.

«Γιατί νιώθεις έτσι; Αν σε στενοχώρησε κάποιος, να ξέρεις, θα πάω να τον πνίξω».

Μου χαμογέλασε ξανά. «Ούτε *μύγα* δεν μπορείς να πνίξεις».

Ο ήχος της φωνής του –εδώ έξω, στον *πραγματικό* κόσμο– παραλίγο να με κάνει να βάλω πάλι τα κλάματα.

Το σκέφτηκα καλύτερα. «Μάλλον έχεις δίκιο. Οι μύγες είναι πολύ γρήγορες. Κι εγώ είμαι πολύ αργή... με πολλούς τρόπους».

Γέλασε. Μαγεία.

«Λοιπόν, τι σε προβληματίζει;» είπα με φωνή ψυχολόγου.

Ο Άλεντ άρχισε να παίζει τα δάχτυλά του στο χέρι μου. «Μάλλον... τα πάντα».

Περίμενα.

«Σιχαίνομαι τη σχολή», είπε.

«Ναι;»

«Ναι». Βούρκωσε πάλι. «Τη σιχαίνομαι. Σιχαίνομαι τη φοιτητική ζωή. Νιώθω πως τρελαίνομαι». Ένα δάκρυ κύλησε και του έσφιξα το χέρι.

«Γιατί δεν την παρατάς;» ψιθύρισα.

«Δεν μπορώ να γυρίσω σπίτι. Το σιχαίνομαι κι αυτό. Οπότε... δεν έχω πού να πάω», είπε βραχνά. «Δεν έχω πού να πάω. Κανένας δεν μπορεί να με βοηθήσει».

«Εγώ είμαι εδώ. Θα σε βοηθήσω εγώ».

Γέλασε ξανά και το γέλιο του κόπηκε σχεδόν αμέσως.

«Γιατί σταμάτησες να μου μιλάς;» ρώτησα, ακόμα και τώρα δεν μπορούσα να καταλάβω. «Γιατί έκανες το ίδιο και με τον Ντάνιελ;»

«Γιατί...» Η φωνή του σαν να κόλλησε. «Γιατί φο...φοβόμουν».

«Τι φοβόσουν;»

«Τ...τρέχω όποτε συναντάω κάποιο εμπόδιο στη ζωή μου», είπε και γέλασε βεβιασμένα. «Αν κάτι μου είναι δύσκολο, αν πρέπει να μιλήσω σε κάποιον για κάτι δύσκολο, απλώς το αποφεύγω και τους αγνοώ όλους, λες και έτσι θα περάσουν όλα».

«Τι; Δηλαδή... με εμάς, απλώς...»

«Δεν μπορούσα ούτε να διανοηθώ πως θα... πως θα... σας έχανα για πάντα. Φοβόμουν πως, αν σας μιλούσα, θα με κρίνατε και θα με παρατούσατε. Δεν θα το άντεχα. Πίστευα ότι θα ήταν καλύτερα αν σας αγνοούσα εγώ».

«Μα... γιατί να κάνουμε κάτι τέτοιο;»

Σκούπισε τα μάτια του με το ελεύθερο χέρι του. «Άκου... εγώ και ο Νταν... μαλώναμε για διάφορα. Κυρίως επειδή δεν με πιστεύει όταν του λέω ότι μου αρέσει. Πιστεύει ότι του λέω ψέματα ή, ακόμα χειρότερα, πιστεύει ότι *παριστάνω* πως μου αρέσει επειδή τον λυπάμαι και επειδή είμαστε φίλοι τόσα χρόνια». Με λοξοκοίταξε, είδε την έκφρασή μου. «Μη μου πεις ότι κι εσύ πιστεύεις το ίδιο».

«Ο Ντάνιελ μου φάνηκε σίγουρος γι' αυτό...»

Ο Άλεντ βόγκηξε. «Τι βλάκας. Μόνο και μόνο επειδή... επειδή δεν βροντοφωνάζω τα συναισθήματά μου συνέχεια...»

«Και δηλαδή, αν τον αγνοείς, τα πράγματα θα φτιάξουν;»

Κούνησε το κεφάλι του. «Όχι. Ξέρω πως δεν θα φτιάξουν. Αλλά φοβόμουν να μιλήσουμε. Να αντιμετωπίσω την πιθανότητα πως θα... πως θα έβαζε τέλος στη σχέση μας επειδή νομίζει ότι δεν μου αρέσει. Και το έκανα από πριν το καλοκαίρι επειδή είμαι... είμαι *τελείως μαλάκας*. Και να που τώρα απομακρυνθήκαμε και... Δεν ξέρω αν τα πράγματα θα γίνουν πάλι όπως παλιά...»

Έσφιξα το χέρι του.

«Κι εμένα;» είπα.

«Προσπάθησα», είπε αμέσως κοιτάζοντάς με στα μάτια. «Προσπάθησα. Σου έγραψα τόσες απαντήσεις στα μηνύματά σου, αλλά... δεν μπορούσα να τις στείλω. Πίστευα ότι θα με μισούσες.

Και όσο περνούσαν οι μέρες, τα πράγματα γίνονταν όλο και χειρότερα, εγώ να πιστεύω ότι θα με μισείς περισσότερο και, ό,τι κι αν σου έλεγα, κάποια στιγμή θα με ξεχνούσες για πάντα». Βούρκωσε πάλι. «Νόμιζα πως ήταν καλύτερο να μη λέω τίποτα. Τουλάχιστον... έτσι υπήρχε ακόμη η πιθανότητα να έχω κάτι ωραίο στη ζωή μου... τώρα που δεν έχω πια το *Universe City*...»

«Δεν σε μισώ», του είπα. «Το αντίθετο».

Ρούφηξε τη μύτη του.

«Λυπάμαι», είπε. «Ξέρω πως είμαι τελείως βλάκας. Όλα θα ήταν διαφορετικά αν είχα... αν είχα μιλήσει νωρίτερα...»

Είχε δίκιο.

«Δεν πειράζει», του είπα. «Σε καταλαβαίνω».

Μερικές φορές δεν μπορείς να πεις όσα σκέφτεσαι. Μερικές φορές είναι τόσο μα τόσο δύσκολο να πεις έστω και μια κουβέντα για το βάρος που νιώθεις μέσα σου.

«Γιατί σταμάτησες το *Universe City*;» ρώτησα.

«Η μαμά μου μου τηλεφωνούσε κάθε φορά που ανέβαζα ένα επεισόδιο. Μου έλεγε να το σταματήσω αλλιώς θα σταματούσε να μου στέλνει χρήματα ή θα τηλεφωνούσε στη σχολή, τέτοια πράγματα. Στην αρχή δεν της έδινα σημασία, αλλά έφτασα σε σημείο να φοβάμαι κάθε φορά που ανέβαζα ένα επεισόδιο, μου τέλειωσαν οι ιδέες και το σιχάθηκα». Μόρφασε, κι άλλα δάκρυα έτρεξαν. «Το *ήξερα* πως θα το κατέστρεφε. Το ήξερα πως θα *κατέστρεφε* το τελευταίο πράγμα που μου είχε απομείνει».

Του άφησα το χέρι και τον αγκάλιασα πάλι.

Μείναμε σιωπηλοί για λίγο και, παρόλο που τίποτα δεν είχε διορθωθεί ακόμη, ανακουφιζόμουν που για πρώτη φορά τον άκουγα να μου λέει πώς ένιωθε ακριβώς.

«Θέλουμε να είσαι καλά», είπα και τον άφησα. «Όλοι μας».

«Όλοι σας; Εσύ και ο Ντάνιελ;»

Κούνησα το κεφάλι. «Έχει έρθει και η Κάρις».

Ο Άλεντ πάγωσε.

«Η… Κάρις;» ψιθύρισε, λες και είχε χρόνια να πει το όνομα της αδελφής του.

«Ναι», του είπα κι εγώ ψιθυριστά. «Ήρθε να σε δει. Ήρθε μαζί μου για να σε δει».

Ο Άλεντ έβαλε τα κλάματα. Δάκρυα έτρεξαν από τα μάτια του, έτρεχαν ποτάμια ατέλειωτα.

Γέλασα σαν αναίσθητη, αλλά δεν μπορούσα να μην χαρώ με κάποιον παράξενο τρόπο. Τον αγκάλιασα πάλι, επειδή δεν ήξερα τι να πω και κατάλαβα ότι, παρά τα δάκρυά του, γελούσε και εκείνος.

ΕΛΠΙΖΑΜΕ

Η ΚΑΡΙΣ, Ο ΝΤΑΝΙΕΛ ΚΑΙ Η ΡΕΪΝ περίμεναν στο φουαγιέ όταν εμφανιστήκαμε. Όταν μπήκαμε από την πόρτα και ο Άλεντ είδε την Κάρις, έμεινε ακίνητος να την κοιτάζει.

Η Κάρις σηκώθηκε από την καρέκλα της και τον κοίταξε κι εκείνη. Κάποτε ήταν ίδιοι –μπλε μάτια και ξανθά μαλλιά– αλλά πλέον ήταν τόσο διαφορετικοί. Η Κάρις ήταν ψηλότερη, γεμάτη ομορφιά, περηφάνια, πολυχρωμία. Ο Άλεντ ήταν μικρόσωμος, κοκαλιάρης, καμπούρης, σκιά του εαυτού του. Το δέρμα του είχε σπυριά, τα ρούχα του ήταν τσαλακωμένα, τα μαλλιά του ήταν πράσινα, μοβ και γκρι.

Απομακρύνθηκα από τον Άλεντ όταν η Κάρις ήρθε κοντά του. «Συγγνώμη που σε άφησα μόνο σου μαζί της», την άκουσα να του λέει όπως έκανε να τον αγκαλιάσει.

Ο Ντάνιελ με τη Ρέιν τους παρατηρούσαν αδιάκριτα από τις καρέκλες τους. Ο Ντάνιελ είχε μείνει με ανοιχτό το στόμα βλέποντας την αλλαγή στην εμφάνιση του Άλεντ. Η Ρέιν, πάλι, είχε συγκινηθεί λες και έβλεπε κάποιο οικογενειακό δράμα στην τηλεόραση.

Τους άγγιξα τα κεφάλια και τους τα γύρισα για να κοιτάζουν αλλού.

«Πώς είναι;» ψιθύρισε ο Ντάνιελ όταν κάθισα.

Δεν είχε νόημα να του πω ψέματα. «Χάλια», είπα. «Τουλάχιστον δεν είναι νεκρός».

Μπορεί να το είπα μισοαστεία, μισοσοβαρά, αλλά ο Ντάνιελ ένευσε.

Τα είχαμε καταφέρει.

Τον είχαμε βρει. Τον είχαμε βοηθήσει. Τον είχαμε σώσει – ελπίζαμε, δηλαδή.

Αυτό πιστεύαμε, μέχρι που η πόρτα άνοιξε και μέσα όρμησε μια γυναίκα με κοντά μαλλιά και μια πάνινη τσάντα περασμένη στον ώμο. Τινάχτηκα όρθια πιο γρήγορα από κάθε άλλη φορά στη ζωή μου. Με το που την είδε, η Κάρις έσπρωξε τον Άλεντ μακριά από την πόρτα, προς το μέρος μας, και πρόσεξα τη σύγχυση στο βλέμμα του Άλεντ όταν γύρισε και την είδε.

«Άλι, αγάπη μου», είπε η Κάρολ.

ΜΟΝΟΣ ΣΟΥ

ΟΛΟΙ ΣΗΚΩΘΗΚΑΝ ΟΡΘΙΟΙ. Δεν ήμουν σίγουρη αν αυτό που ζούσαμε έμοιαζε με τις μεσαιωνικές μονομαχίες, αλλά ένιωθα πως ήταν μία τέτοια.

Η Κάρολ ανοιγόκλεισε τα μάτια. «Κάρις. Τι δουλειά έχεις *εσύ* εδώ;»

«Ήρθα να δω τον Άλεντ».

«Δεν ήξερα πως ενδιαφερόσουν ακόμη για τους δικούς σου».

«Μόνο για όσους το αξίζουν», είπε η Κάρις μέσα από τα δόντια.

Η Κάρολ σήκωσε το ένα φρύδι. «Όπως νομίζεις. Δεν ήρθα για να δω εσένα και, για να λέμε την αλήθεια, ούτε και θέλω. Θέλω να μιλήσω στο *πραγματικό* μου παιδί».

«Δεν είσαι άξια για κάτι τέτοιο», είπε η Κάρις και σχεδόν μας άκουσα όλους να κρατάμε την ανάσα μας.

«*Δεν κατάλαβα*», είπε εκείνη και ύψωσε τον τόνο της φωνής της. «Δεν έχεις *κανένα απολύτως* δικαίωμα να μου υποδεικνύεις τι θα κάνω με τον γιο μου».

Η Κάρις γέλασε ειρωνικά. Το γέλιο της αντήχησε στο φουαγιέ. «Χα! Καλά θα κάνεις να πιστέψεις πως έχω και παραέχω. Ειδικά όταν τον βασανίζεις».

«Πώς τολμάς!»

«*Εγώ* πώς τολμάω; *Εσύ* πώς τολμάς; Σκότωσες το σκυλί, Κάρολ; Σκότωσες το σκυλί; Αυτό που ο Άλεντ αγαπούσε; *Μαζί* με εκείνο το σκυλί μεγαλώσαμε...»

«Το σκυλί ήταν βάρος, ένας μπελάς, η ζωή του είχε γίνει αξιοθρήνητη».

«Αφήστε με να της μιλήσω», πετάχτηκε ο Άλεντ και μας έκανε όλους να σωπάσουμε, παρόλο που ουσιαστικά ψιθύριζε. Ξέφυγε από τη λαβή της Κάρις και πλησίασε τη μαμά του. «Έλα, πάμε να μιλήσουμε έξω».

«Δεν είναι ανάγκη να το κάνεις μόνος σου», του είπε η Κάρις, παρόλο που δεν κουνήθηκε.

«Είναι», είπε ο Άλεντ και ακολούθησε τη μαμά του έξω.

Περιμέναμε για δέκα λεπτά. Και έπειτα για άλλα δέκα. Η Ρέιν έκοβε βόλτες μέχρι την πόρτα και προσπάθησε να κρυφακούσει, να δει αν ήταν ακόμη εκεί έξω. Φοιτητές περνούσαν από μπροστά μας και μας κοιτούσαν περίεργα.

Η Κάρις τα έλεγε με τον Ντάνιελ, του οποίου τα γόνατα ανεβοκατέβαιναν ανεξέλεγκτα. Εγώ, πάλι, καθόμουν σε μια καρέκλα, προσπαθώντας να μαντέψω τι συνέβαινε και τι θα μπορούσε να του λέει η Κάρολ.

«Όλα καλά δεν θα πάνε;» είπε η Ρέιν που ήρθε και κάθισε δίπλα μου για έκτη φορά. «Στο τέλος καλά δεν θα είναι;»

«Δεν ξέρω». Πράγματι δεν ήξερα. Η μοίρα του Άλεντ θα εξαρτιόταν από αυτό που θα αποφάσιζε απόψε. «Πώς κατάλαβε ότι ήμασταν εδώ;» ρώτησα, επειδή κανείς μας δεν μπορούσε να πιστέψει ότι η Κάρολ βρέθηκε εδώ τυχαία την ίδια μέρα που οι τέσσερίς μας κάναμε ένα ταξίδι έξι ωρών για να τον βοηθήσουμε.

«Μας είδε να φεύγουμε», είπε στεγνά η Κάρις. «Την είδα να κοιτάζει από το παράθυρο».

«Δεν ήξερε όμως πού πάμε!» είπε η Ρέιν.

Η Κάρις γέλασε. «Είδε τη χαμένη αδελφή του Άλεντ με τον κολλητό του στο ίδιο αμάξι, γεμάτο με φαγητό για πολύωρο ταξίδι. Δεν ήταν δύσκολο να το μαντέψει».

Η Ρέιν πήγε να πει κάτι, όταν ακούστηκε η πόρτα ενός αυτοκινήτου να κλείνει. Τινάχτηκε όρθια, άνοιξε την πόρτα και φώναξε *«ΟΧΙ!»*. Τρέξαμε προς το μέρος της και μόλις που προλάβαμε να δούμε τον Άλεντ με τη μητέρα του να φεύγουν με ένα ταξί.

ΠΑΝΕΠΙΣΤΗΜΙΟ

«ΔΕΝ ΠΙΣΤΕΥΑ ΠΩΣ ΤΑ ΠΡΑΓΜΑΤΑ θα μπορούσαν να πάνε χειρότερα», είπε ο Ντάνιελ, «αλλά όντως πάνε. Τέλεια».

Στεκόμασταν στη μέση του δρόμου και βλέπαμε το ταξί να απομακρύνεται.

«Πάνε στον σταθμό!» είπε η Κάρις. «Θέλει να τον πάρει μαζί της σπίτι».

«Δεν μπορούμε να την αφήσουμε», είπα.

Η Ρέιν πήγαινε ήδη στο αυτοκίνητό της, το οποίο ήταν παρκαρισμένο πάνω στη διπλή κίτρινη γραμμή δίπλα στο κτίριο της σχολής. «Μπείτε στο αμάξι!»

Μας πήρε μια στιγμή και η κραυγή *«ΜΠΕΙΤΕ ΣΤΟ ΑΜΑΞΙ, ΠΟΥ ΝΑ ΣΑΣ ΠΑΡΕΙ Ο ΔΙΑΟΛΟΣ!»* της Ρέιν για να αντιδράσουμε. Μπήκαμε στο αυτοκίνητο και η Ρέιν ακολούθησε το ταξί.

Παραβίασε το όριο ταχύτητας και μας πήγε μέσα σε τρία λεπτά στον σταθμό. «Πιο αργά, θα μας σκοτώσεις», φώναζε ο Ντάνιελ καθ' όλη τη διάρκεια της διαδρομής. Βγήκαμε από το αυτοκίνητο, μπήκαμε στον σταθμό και κοιτάξαμε στον πίνακα με τα δρομολόγια. Σε τρία λεπτά έφευγε το τρένο για το Κινγκς Κρος από την Αποβάθρα Ένα. Τρέξαμε προς την Αποβάθρα Ένα χωρίς να πούμε λέξη και τον είδαμε δίπλα σε ένα παγκάκι με τη μαμά του. Του φώναξα –δεν μπορούσαμε να πλησιάσουμε περισσότερο χωρίς εισιτήριο– και γύρισε να με δει. Γούρλωσε τα μάτια, λες και όσα συνέβαιναν ήταν δημιουργήματα της φαντασίας του.

«*Μην πας μαζί της!*» φώναξα. Ο σταθμός είχε πάρει μια πορτοκαλόχρυση απόχρωση μες στο σκοτάδι. «Σε παρακαλώ, Άλεντ!»

Πήγε να σηκωθεί, να έρθει προς το μέρος μας, αλλά η μαμά του τον άρπαξε από το μπράτσο και τον σταμάτησε. Άνοιξε το στόμα του να πει κάτι, αλλά δεν βγήκε ούτε λέξη.

«Θα σε βοηθήσουμε!»

Προσπάθησα να σκεφτώ τι να πω πριν το πω, αλλά η καρδιά μου χτυπούσε ανεξέλεγκτα και δεν μπορούσα να σκεφτώ τίποτα, εκτός του ότι, αν ο Άλεντ ανέβαινε στο τρένο, ίσως να μην τον βλέπαμε ποτέ ξανά. «Σε παρακαλώ, δεν είναι ανάγκη να μείνεις μαζί της!»

Η Κάρολ πρώτα κοίταξε εμένα περιφρονητικά και ύστερα κοίταξε αλλού σαν να μη με άκουγε, αλλά ο Άλεντ εξακολουθούσε να με βλέπει. Το τρένο είχε σχεδόν μπει στον σταθμό.

«Είναι η μόνη μου επιλογή», απάντησε, αν και μόλις που τον άκουγα. Το τρένο έκανε σαματά. «Δεν μπορώ να μείνω εδώ και δεν έχω πού αλλού να πάω...»

«Έλα να μείνεις μαζί μου!»

«Ή μαζί μου!» φώναξε η Κάρις. «Στο Λονδίνο!»

«Δεν μπορείς να μείνεις μαζί της», συνέχισα. «Θα σε αναγκάσει να επιστρέψεις στη σχολή! Δεν είσαι για το πανεπιστήμιο...»

Η Κάρολ άρχισε να τον τραβάει προς την πόρτα του τρένου. Κουνήθηκε αργά μαζί της, αλλά εξακολουθούσε να με κοιτάζει.

«Παίρνεις τη λάθος απόφαση! Πίστευες... πίστευες ότι έπρεπε να πας στο πανεπιστήμιο παρόλο που δεν ήθελες ή... ή νόμιζες ότι ήθελες να πας, αν και δεν ήθελες, επειδή σου είχε πει ότι αυτή ήταν η μόνη σου επιλογή». Είχα ρίξει όλο το βάρος μου στις μπάρες του σταθμού και ένιωθα πως το σώμα μου ήταν έτοιμο να κοπεί στα δύο. «Αλλά δεν είναι, στ' ορκίζομαι! Ξέρω... Νομίζω... νομίζω πως και εγώ έκανα το ίδιο λάθος, ή δεν το έκανα ακόμη, αλλά... αλλά θα αλλάξω!»

Ο Άλεντ ανέβηκε τρεκλίζοντας στο τρένο, έμεινε όμως στην πόρτα κοιτάζοντάς με.

«*Σε παρακαλώ, Άλεντ!*» Κουνούσα το κεφάλι μου, ήμουν έτοιμη να κλάψω, όχι από θλίψη, αλλά από *φόβο*.

Ένιωσα κάποιον να με σκουντάει στο πλάι και τότε πρόσεξα πως η Ρέιν είχε πλέξει τα δάχτυλά της και τα κρατούσε δίπλα στο πόδι μου σαν σκαλάκι. Κατάλαβα τι έκανε και μου έκλεισε το μάτι. «Πήγαινε πριν σε πάρει είδηση ο ελεγκτής».

Πάτησα στα χέρια της και η Ρέιν μόνο που δεν με εκτόξευσε πάνω από τις μπάρες. Άκουσα τον ελεγκτή να μου φωνάζει, αλλά έτρεξα στο τρένο και σταμάτησα μπροστά στον Άλεντ. Η μαμά του προσπαθούσε να τον τραβήξει μέσα, αλλά ο Άλεντ δεν έλεγε να κουνηθεί. Στεκόταν εκεί, με κοιτούσε.

Του άπλωσα το χέρι.

«Σε παρακαλώ, μην πας μαζί της... υπάρχουν άλλα πράγματα που μπορείς να κάνεις... δεν είσαι μόνος σου». Άκουγα τη φωνή μου να σπάει από τον πανικό και την απελπισία.

«Κι αν δεν έχω;» ψιθύρισε. «Κι αν δεν... αν δεν βρω μια δουλειά και... και δεν καταφέρω να φύγω ποτέ από το σπίτι... και...»

«Μπορείς να μείνεις μαζί μου, θα πιάσουμε δουλειά στο

ταχυδρομείο και θα κάνουμε μαζί το *Universe City*», είπα. «Και θα είμαστε ευτυχισμένοι».

Βούρκωσε. «Θέ...» Κοίταξε κάτω, σε κάποιο σημείο στο έδαφος, και δεν είπε τίποτε άλλο, αλλά τον *είδα* να παίρνει την απόφαση.

«Άλεντ!» Η φωνή της Κάρολ ακούστηκε από κάπου πίσω του, αυστηρή και απαιτητική.

Ο Άλεντ τράβηξε το χέρι του από τη λαβή της και πήρε το δικό μου.

«Επιτέλους...» ψιθύρισα και είδα πως φορούσε τα λαχανί του παπούτσια με τα μοβ κορδόνια.

Έπειτα, κατέβηκε από το τρένο.

5. ΕΑΡΙΝΟ ΤΡΙΜΗΝΟ

γ)

UNIVERSE CITY

ΜΕΙΝΑΜΕ ΞΥΠΝΙΟΙ ΟΛΟ ΤΟ ΒΡΑΔΥ. Είχε πάει πολύ αργά για να γυρίσουμε με το αυτοκίνητο. Ο Άλεντ μας έστρωσε μια κουβέρτα για να καθίσουμε, δεν νυστάζαμε καθόλου, αλλά η Ρέιν κοιμήθηκε ένα δεκάλεπτο αφότου έκανε σαφές πως «έχω *μήνες* να μείνω ξύπνια με παρέα», και η Κάρις τη μιμήθηκε χρησιμοποιώντας το δερμάτινο μπουφάν της για κουβέρτα.

Ο Ντάνιελ κοιμήθηκε μέσα στο επόμενο τέταρτο, φορώντας ένα σορτσάκι του Άλεντ και κοντομάνικο αντί για τη σχολική του στολή. Είχε κουλουριαστεί κάτω από το γραφείο του Άλεντ, μια και δεν υπήρχε χώρος για να κοιμηθούν πέντε στο πάτωμα. Μόνο ο Άλεντ κι εγώ μείναμε ξύπνιοι, καθισμένοι στο κρεβάτι του με τις πλάτες στον τοίχο.

«Τι εννοούσες όταν είπες ότι έκανες λάθος για το πανεπιστήμιο;» ψιθύρισε και γύρισε το κεφάλι του προς το μέρος μου. «Δηλαδή... τι λες να κάνεις τώρα;»

«Κοίτα πώς έχουν τα πράγματα... δεν νομίζω πως θέλω να σπουδάσω Αγγλική Φιλολογία. Δεν θέλω να σπουδάσω στο πανεπιστήμιο».

Ο Άλεντ έμεινε κόκαλο. «Αλήθεια;»

«Δεν ξέρω αν θέλω να πάω».

«Μα... αυτό... Μα το ήθελες περισσότερο από οτιδήποτε άλλο».

«Μόνο και μόνο επειδή πίστευα ότι έπρεπε. Και επειδή ήμουν καλή στο διάβασμα. Πίστευα πως μόνο έτσι θα είχα μια καλή ζωή. Αλλά έκανα λάθος».

Σώπασα για λίγο.

«Γουστάρω να κάνουμε μαζί το *Universe City*», είπα. «Δεν νιώθω το ίδιο καλά όταν μελετάω».

Με κοίταξε. «Τι εννοείς;»

«Νιώθω ο εαυτός μου όταν είμαστε μαζί. Και... συνειδητοποιώ ότι... δεν θέλω να μελετάω για άλλα τρία χρόνια επειδή ο κόσμος και το σχολείο μού λέει πως αυτό πρέπει να κάνω... Συνειδητοποιώ ότι δεν θέλω να πιάσω μια δουλειά γραφείου μόνο και μόνο για τα λεφτά. Η πραγματική Φράνσις θέλει να κάνω αυτό που *πραγματικά* θέλω».

Γέλασε. «Και τι θέλεις, λοιπόν;»

Σήκωσα τους ώμους και χαμογέλασα. «Δεν έχω κάποιο σχέδιο. Αλλά... νομίζω πως πρέπει να το σκεφτώ καλύτερα. Πριν πάρω κάποια απόφαση που αργότερα μετανιώσω».

«Όπως εγώ», είπε ο Άλεντ χαμογελώντας.

«Ναι, αυτό», είπα και γελάσαμε μαζί. «Μπορώ να κάνω το οτιδήποτε. Να τρυπήσω τη μύτη μου, ας πούμε».

Γελάσαμε πάλι.

«Τι λες να γίνεις σκιτσογράφος;» είπε ο Άλεντ.

«Ε;»

«Σου αρέσει, σωστά; Θα μπορούσες να πας σε σχολή καλών τεχνών. Το 'χεις. Και σου αρέσει».

Το σκέφτηκα. Με προσοχή. Δεν ήταν η πρώτη φορά που μου

το είχαν προτείνει. Και δεν είχα την παραμικρή αμφιβολία πως θα μου άρεσε.

Και για μια στιγμή ένιωσα υπέροχα.

Το μόνο που θυμάμαι από εκείνο το βράδυ ήταν πως ξύπνησα για λίγο και άκουσα τον Ντάνιελ με τον Άλεντ να μιλούν ψιθυριστά, τόσο χαμηλόφωνα, σχεδόν αθόρυβα. Ο Άλεντ ήταν ξαπλωμένος δίπλα μου. Ο Ντάνιελ ήταν πιο πέρα και τον κοιτούσε από το πάτωμα. Έκλεισα ξανά τα μάτια πριν καταλάβουν ότι ήμουν ξύπνια και κρυφάκουγα.

«Μισό, δεν σε καταλαβαίνω», είπε ο Ντάνιελ. «Νόμιζα πως αυτή η λέξη αναφέρεται σε άτομα που δεν τους αρέσει καθόλου το σεξ».

«Αυτό ισχύει για μερικούς...» είπε ο Άλεντ. Ακουγόταν κάπως νευρικός. «Αλλά το να είσαι ασέξουαλ σημαίνει... εμ... πως δεν σε *ελκύει* σεξουαλικά κανείς».

«Ναι. Μάλιστα».

«Και ορισμένοι είναι... ας πούμε... τους αρέσει *κάπως* το σεξ, έτσι... νιώθουν ότι τους έλκουν σεξουαλικά άτομα με τα οποία γνωρίζονται πολύ, *πολύ* καλά. Άτομα με τα οποία έχουν συναισθηματική σχέση».

«Μάλιστα. Δηλαδή, είσαι ένας από αυτούς;»

«Ναι».

«Και σου αρέσω. Επειδή με ξέρεις πολύ καλά».

«Ναι».

«Και γι' αυτό δεν γουστάρεις ποτέ κανέναν».

«Ναι». Σιωπή. «Κάποιοι θα με έλεγαν "ντεμισέξουαλ", αλλά... εμ... καλά, η λέξη δεν έχει τόση σημασία...»

«Ντεμισέξουαλ;» γέλασε ο Ντάνιελ. «Πρώτη φορά το ακούω».

«Ναι, αλλά η αλήθεια είναι πως δεν έχει σημασία η λέξη. Προσπαθώ απλώς να σου εξηγήσω πώς... πώς νιώθω. Γιατί αυτό έχει για μένα σημασία, αυτό που νιώθω».

«Κατάλαβα. Είναι λίγο περίπλοκο». Άκουσα τον Ντάνιελ να γυρίζει πλευρό. «Και πού τα έμαθες όλα αυτά;»

«Από το Ίντερνετ».

«Έπρεπε να μου είχες μιλήσει».

«Νόμιζα πως θα σου φαινόταν... χαζό».

«Και ποιος είμαι εγώ που θα κρίνω τη σεξουαλικότητά σου; Είμαι γκέι, θυμάσαι;» είπε με έναν τόνο σαρκασμού.

Γέλασαν.

«Θέλω να καταλάβεις γιατί δεν θέλω να το πω σε άλλους», συνέχισε ο Άλεντ. «Δεν είναι επειδή δεν μου αρέσεις...»

«Σε καταλαβαίνω, μη φοβάσαι».

«Και φοβόμουν... Δεν ήξερα πώς να σου το εξηγήσω ώστε να με πιστέψεις. Και άρχισα να σε αποφεύγω... και εσύ νόμιζες ότι δεν μου αρέσεις... και φοβόμουν ότι, αν σου μιλούσα, θα με χώριζες. Λυπάμαι πολύ, σου φέρθηκα άσχημα...»

«Ναι, ήσουν μεγάλος μαλάκας». Μπορούσα να καταλάβω ότι ο Ντάνιελ χαμογελούσε. Γέλασαν και οι δύο πνιχτά. «Δεν πειράζει. Κι εγώ θέλω να σου ζητήσω συγγνώμη».

Ο Άλεντ άπλωσε το χέρι του. Αναρωτήθηκα αν κρατιόντουσαν από το χέρι.

«Δηλαδή, μπορούμε να είμαστε όπως παλιά;» ψιθύρισε ο Άλεντ. «Ζευγάρι;»

«Ναι», του είπε.

❋

Το πρωί ο Άλεντ κι εγώ πήγαμε στο παντοπωλείο για να αγοράσουμε οδοντόβουρτσες, επειδή η Κάρις είπε ότι δεν το κουνούσε από κει αν δεν έπλενε πρώτα τα δόντια της. Όσο ψωνίζαμε, ο Άλεντ πήγε να βρει βαφή για τα μαλλιά και, όταν τον βρήκα, τον ρώτησα αν ήθελε να του βάψω τα μαλλιά μόλις επιστρέφαμε στο δωμάτιό του. Δέχτηκε.

Ο Άλεντ κάθισε στην καρέκλα του γραφείου του φρεσκολουσμένος και στάθηκα πίσω του με ένα ψαλίδι που είχα αγοράσει.

«Φράνσις...» Η νευρικότητα στη φωνή του ήταν εμφανής. «Αν με κουρέψεις χάλια, να ξέρεις θα το σκάσω στην Ουαλία και θα μείνω εκεί μέχρι να μου μεγαλώσουν τα μαλλιά ξανά».

«Μην ανησυχείς!» Έκλεισα το ψαλίδι στον αέρα. «Είμαι αστέρι. Μην ξεχνάς, πήρα άριστα στα Καλλιτεχνικά».

Η Ρέιν γέλασε από το κρεβάτι του Άλεντ όπου καθόταν. «Αλλά δεν έκανες κομμωτική».

Γύρισα και της άπλωσα το ψαλίδι. «Θα έκανα, αν προσέφεραν το μάθημα».

Έκοψα τα μαλλιά του Άλεντ μερικά εκατοστά –κάλυπταν ακόμη τα αφτιά του, αλλά δεν ήταν πια σαν τέρας του βάλτου– και προσπάθησα να του τα κάνω φιλαριστά, για να μη μοιάζει με ιππότη από τον Μεσαίωνα. Κατά τη γνώμη μου, έκανα καλή δουλειά. Ο Άλεντ είπε ότι τα κατάφερα καλύτερα από κάθε κομμωτή που είχε πάει.

Του κάναμε ντεκαπάζ. Μας πήρε ώρα και τα μαλλιά του βγήκαν πορτοκαλοκίτρινα, με αποτέλεσμα να σκάσουμε στα γέλια. Τα έβγαλα κάμποσες φωτογραφίες με το κινητό μου.

Αφού τελειώσαμε, του τα βάψαμε ανοιχτά ροζ, όπως εκείνου του τραγουδιστή με το τζιν μπουφάν που μου είχε δείξει σε ένα gif – ήταν μακρουλά κι έφταναν κάτω από το σαγόνι του με ένα όμορφο απαλό ροζ. Αφού τα βάψαμε, συνειδητοποίησα πως τα μαλλιά του ήταν ακριβώς όπως του Radio στο *Universe City*.

Ήμασταν στον δρόμο ένα πεντάλεπτο όταν έμεινε το αυτοκίνητο της Ρέιν.

Έκανε στο πλάι του δρόμου και για μια στιγμή έμεινε σιωπηλή. «Μου κάνουν πλάκα, έτσι;» ρώτησε πολύ ήρεμα, είναι η αλήθεια.

«Τι κάνεις όταν σου μένει το αυτοκίνητο τόσο μακριά από το σπίτι;» ρώτησα.

«Δεν μπορούμε να καλέσουμε την οδική βοήθεια;» ρώτησε ο Ντάνιελ.

«Δεν ξέρω», είπε η Ρέιν. «Πρώτη φορά μου συμβαίνει».

Βγήκαμε από το αυτοκίνητο.

«Ποιον πρέπει να πάρουμε;» ρώτησα την Κάρις.

«Μη ρωτάς εμένα. Μπορεί να ξέρω πώς να πληρώνω φόρους, αλλά δεν έχω ιδέα από αυτοκίνητα. Ζω στο Λονδίνο».

Ούτε ο Ντάνιελ οδηγούσε και προφανώς ούτε ο Άλεντ ή εγώ. Έτσι, μείναμε απλώς εκεί.

Η Κάρις αναστέναξε και έβαλε το χέρι στην τσέπη για να βγάλει το κινητό της. «Καθίστε, θα το γκουγκλάρω. Δώστε μου μισό λεπτό».

«Πρέπει να γυρίσω σπίτι», είπε ο Ντάνιελ. «Ήδη έχω χάσει τρία μαθήματα χημείας και δεν μπορώ να μείνω πίσω».

«Μπορούμε να πάρουμε το τρένο», είπα.

«Είναι ενενήντα λίρες για να πάμε μέχρι το Κεντ. Το έψαξα».

«Θα πληρώσω εγώ», είπε ο Άλεντ. Τον κοιτάξαμε όλοι. «Δεν

ξόδευα και πολλά τώρα τελευταία. Και μπήκε το φοιτητικό μου δάνειο μερικές εβδομάδες πριν».

«Και το *αυτοκινητάκι μου;*» Η Ρέιν έπεσε θεατρικά πάνω στο καπό και το χάιδεψε με το ένα της χέρι. «Δεν μπορώ να το αφήσω *μόνο του* εδώ».

«Άσε που έχει τα πράγματα του Άλεντ», παρατήρησε ο Ντάνιελ.

Η Κάρις αναστέναξε. «Ρέιν, θα μείνω μαζί σου και θα δούμε τι θα κάνουμε με το αυτοκίνητό σου. Εσείς οι τρεις γυρίστε με το τρένο».

«Τι;» είπα. «Είσαι σίγουρη;»

«Ναι». Η Κάρις χαμογέλασε. «Άσε που θέλω να της μιλήσω». Έδειξε τη Ρέιν, η οποία έβγαζε παράξενους ήχους και χάιδευε το καπό.

«Για τι πράγμα;»

«Για εναλλακτικές λύσεις για άτομα που δυσκολεύονται να λύσουν προβλήματα στα μαθηματικά». Σήκωσε τους ώμους. «Για όσα δεν μας λένε στο σχολείο».

Παρόλο που είπε ότι θα κάνει επανάληψη στο τρένο, ο Ντάνιελ αποκοιμήθηκε σχεδόν αμέσως. Ο Άλεντ κι εγώ καθίσαμε ο ένας απέναντι στον άλλο με το τραπεζάκι ανάμεσά μας και κάποια στιγμή αρχίσαμε να μιλάμε για το *Universe City.*

«Δεν θέλω να τελειώσει», είπα.

Πήρε μια ανάσα. «Ούτε εγώ», είπε.

«Νομίζω... νομίζω πως πρέπει να το αρχίσεις πάλι».

«Θέ...Θέλω».

«Τότε; Θα το κάνεις;»

Και είπε «ίσως», αλλά σχεδόν αμέσως αρχίσαμε να σχεδιάζουμε το νέο επεισόδιο. Η Τουλούζ θα έκανε μια δραματική επιστροφή έπειτα από την ξαφνική της εξαφάνιση στην Πύλη των Νεκρών και αρχίσαμε να σχεδιάζουμε μακροπρόθεσμες υποπλοκές – το Μπλε Κτίριο, τη February Friday και τη Universe City. Αρχίσαμε να λέμε ατάκες και ο Άλεντ τις σημείωνε στο κινητό του, αλλά τελικά καταφέραμε να ξυπνήσουμε τον Ντάνιελ, ο οποίος γύρισε ανάποδα τα μάτια του όταν κατάλαβε τι κάναμε. Χαμογελούσε όμως. Προσπάθησε να κοιμηθεί πάλι, χωρίς αποτέλεσμα φυσικά, κι έτσι κάθισε να μας ακούει.

«*Θα πλένεις τα πιάτα για τουλάχιστον τρεις εβδομάδες*», είπε η μαμά. Ήμασταν ακόμη στο τρένο, στα μισά της επιστροφής και της μιλούσα στο κινητό. Είχα βγει στον διάδρομο και στεκόμουν ανάμεσα στα δύο βαγόνια, επειδή ο Άλεντ με τον Ντάνιελ κοιμόντουσαν. «*Και θα διαλέγω εγώ τι ταινία θα βλέπουμε τα Σάββατα για τον επόμενο μήνα. Δεν μπορώ να σου δώσω έτσι απλά ενενήντα λίρες. Στο υπογράφω πως, αν μπορούσα, θα σου τις έδινα. Τις προάλλες ήμουν στο ανθοπωλείο και είχαν ένα σιντριβάνι σαν σκυλάκι που κατουρούσε. Ογδόντα λίρες έκανε. Κοίτα να δεις τι ωραία και απαραίτητα πράγματα θυσιάζω και δεν αγοράζω, για να πάρεις εσύ το τρένο*».

«Καλά, καλά», είπα χαμογελώντας. «Διαλέγεις εσύ ταινία το Σάββατο. Αρκεί να μην είναι το *Σρεκ*».

«*Το* Σρεκ 2;»

«Αυτό μάλιστα».

Η μαμά γέλασε και στήριξα το κεφάλι μου στην πόρτα του

τρένου. Περνούσαμε μέσα από μια πόλη. Δεν ήξερα ποια ήταν. Και δεν ήξερα πού ακριβώς ήμασταν.

«Μαμά;» είπα.

«*Ναι, καλή μου;*»

«Δεν νομίζω ότι θέλω να σπουδάσω Αγγλική Φιλολογία πια». Σώπασα. «Δεν νομίζω ότι θέλω να πάω στο πανεπιστήμιο».

«*Αχ, Φράνσις μου*». Δεν ακουγόταν απογοητευμένη. «*Δεν πειράζει*».

«Δεν πειράζει;» ρώτησα επειδή δεν ήμουν και τόσο σίγουρη.

«*Ναι*», είπε. «*Δεν πειράζει*».

ΚΑΛΟΚΑΙΡΙ

ΜΙΑ ΝΕΑ ΦΩΝΗ

Ο ΑΛΕΝΤ ΘΑ ΗΤΑΝ ΕΝΑΣ ΑΠΟ ΤΟΥΣ HEADLINERS. Θα εμφανιζόταν στις τέσσερις το μεσημέρι στη μεγαλύτερη αίθουσα. Περνούσα την ώρα μου παρακολουθώντας άλλους YouTubers, ενώ ο Άλεντ ετοιμαζόταν και έκανε πρόβα το podcast με μέλη του συνεργείου. Η κοπέλα που ήταν στη σκηνή τώρα ήταν μια κωμικός. Μίλησε για το Tumblr, πήρε συνεντεύξεις από κάποιους ηθοποιούς και έπειτα είπε μερικά τραγούδια από το *Supernatural.*

Καθώς την παρακολουθούσα, βρέθηκα δίπλα σε κάποια που είχα την αίσθηση πως την είχα ξαναδεί.

Τα μαλλιά της ήταν μαύρα ή πολύ σκούρα καστανά, δεν μπορούσα να ξεχωρίσω τη διαφορά και μια αφέλεια κάλυπτε τα φρύδια της. Έμοιαζε κουρασμένη, σαν να μην ήξερε πού βρισκόταν.

«Νομίζω πως σε έχω ξαναδεί», είπε πριν την προλάβω. «Πήγαινες στο Higgs;»

«Ναι, πριν χρόνια, αλλά πλέον είμαι στην Ακαδημία...» Η φωνή μου έσβησε.

Με κοίταξε από πάνω μέχρι κάτω. «Μήπως ντύθηκες Doctor Who σε ένα πάρτι;»

Γέλασα έκπληκτη. «Ναι!»

Σιωπή.

«Πώς είναι η Ακαδημία;» ρώτησε. «Μαθαίνω πως είναι αρκετά σκληρή. Όπως το σχολείο μου».

«Ναι... ναι. Ξέρεις, κλασικό σχολείο».

Γελάσαμε μαζί.

Η κοπέλα στράφηκε στη σκηνή. «Πόσο χαίρομαι που τελείωσε το σχολείο. Παραλίγο να με σκοτώσει».

«Κι εμένα», είπα χαμογελώντας απαλά.

Πήγα στα παρασκήνια. Έτρεξα για να μην αργήσω καθώς είχα χάσει την αίσθηση του χρόνου.

Μια γυναίκα με μαύρα ρούχα και ακουστικά με μικρόφωνο με φώναξε τη στιγμή που μπούκαρα στον διάδρομο των παρασκηνίων, αλλά της είπα γρήγορα «είμαι με το Radio» και της έδειξα το πάσο που φορούσα στον λαιμό μου, οπότε δεν με ενόχλησε πάλι. Μάλλον έμοιαζα με φαν – φορούσα το κολάν με τα Χελωνονιντζάκια και ένα φαρδύ πουλόβερ. Άρχισα να διασχίζω τον διάδρομο, να περνάω μέσα από αμέτρητες πόρτες. Στο βάθος, μια επιγραφή έδειχνε προς τα αριστερά: ΣΚΗΝΗ.

Έστριψα αριστερά. Ανέβηκα τα σκαλιά. Πέρασα την πόρτα με την ένδειξη «ΣΚΗΝΗ» και βρέθηκα στο σκοτάδι των παρασκηνίων. Έβλεπα παντού τροχαλίες, σχοινιά και καλώδια, φώτα και τεχνικό εξοπλισμό, μονωτικές ταινίες κολλημένες σε κάθε τοίχο. Άντρες και γυναίκες ντυμένοι στα μαύρα πηγαινοέρχονταν βιαστικά. Παγιδεύτηκα σε έναν κυκεώνα σωμάτων, μέχρι που κάποιος στάθηκε. «Είσαι με τον Creator;» με ρώτησε και του απάντησα ναι.

Χαμογέλασε κάπως παράξενα. Ήταν μεγαλόσωμος, με μούσια και κρατούσε ένα iPad. Σίγουρα είχε πατήσει τα τριάντα.

«Αχ, δηλαδή, ξέρεις ποιος είναι; Θεέ μου, ακόμη δεν τον έχω δει. Ξέρω μόνο πως τον λένε Άλεντ, αλλά δεν ξέρω πώς είναι. Η Βίκυ είπε πως τον είδε, αλλά εγώ όχι ακόμη. Λογικά περιμένει κάπου στη δεξιά πλευρά της σκηνής. Αχ, Θεέ μου, είμαι *τόσο ενθουσιασμένος*».

Δεν ήξερα τι να του πω, έτσι τον άφησα να φύγει και πήγα πίσω από τη σκηνή μέσα από έναν στενό διάδρομο, ανάμεσα στην αυλαία και έναν μαύρο τούβλινο τοίχο πλαισιωμένο από φώτα, λες και ήταν διάδρομος προσγείωσης σε αεροδρόμιο.

Η δεξιά πλευρά της σκηνής ήταν έρημη σε σχέση με την αριστερή. Εντόπισα τρεις μορφές μπροστά, οι δύο γύρω από την τρίτη.

Τον είδα.

Σταμάτησα.

Δεν πίστευα αυτό που συνέβαινε.

Όχι – το πίστευα. Ήταν απίθανο. Ήταν εξωπραγματικό.

Οι τρεις μορφές με πρόσεξαν και γύρισαν προς το μέρος μου. Λούστηκαν στο φως. Ο Άλεντ και δύο μέλη του συνεργείου, ένας άντρας και μια γυναίκα, ήταν οι μόνοι που βρίσκονταν εκεί. Ο άντρας, γύρω στα είκοσι, είχε μπλε μαλλιά. Η γυναίκα, γύρω στα σαράντα, είχε κάνει τα μαλλιά της ράστα.

Ο Άλεντ με πλησίασε. Δεν τον είχα δει ξανά τόσο εκπληκτικό. Με κοίταξε κάπως νευρικά στα μάτια για μια στιγμή, προτού χαμογελάσει ντροπαλά και γυρίσει αλλού το κεφάλι. Έπαιξε νευρικά με τα γάντια του. Χαμογέλασα και τον παρατήρησα.

Ναι. Ήταν το Radio. Τα μαλλιά του το σωστό χρώμα και το σωστό μέγεθος, πιασμένα πίσω από τα αφτιά του. Κοστούμι, γραβάτα, γάντια. Πόσοι και πόσοι θα εμπνέονταν για να φτιάξουν νέες ζωγραφιές. Θα τον λάτρευαν.

«Είσαι τόσο κουλ», του είπα και το εννούσα – όντως ήταν κουλ, έμοιαζε έτοιμος να απογειωθεί, να πετάξει στα σύννεφα και να γίνει ο νέος ήλιος. Έμοιαζε έτοιμος να σκοτώσει τον οποιονδήποτε με το χαμόγελό του. Έμοιαζε να ήταν το καλύτερο άτομο στον πλανήτη.

Στην τσέπη μου είχα την επιστολή αποδοχής από τη Σχολή Καλών Τεχνών. Ο Άλεντ δεν το ήξερε ακόμη. Δεν είχα υπάρξει πιο ενθουσιασμένη, αλλά δεν σκόπευα να του το πω τώρα. Του το φυλούσα έκπληξη για αργότερα.

Σήμερα ήταν μια φανταστική μέρα.

«Ξέρεις...»

Πήγε να μιλήσει, αλλά ξεροκατάπιε.

Η σκηνή σκοτείνιασε και το κοινό άρχισε να παραληρεί. Στα παρασκήνια το μόνο φως προερχόταν από μια μικρή λάμπα, στερεωμένη σε έναν σωλήνα στα δεξιά μου.

«Είκοσι δευτερόλεπτα», είπε η Ράστα.

«Θα πάνε όλα καλά, έτσι;» ρώτησε ο Άλεντ τρέμοντας. «Το σενάριο... ήταν... Ήταν, πιστεύεις, καλό, ε;»

«Ναι. Ως συνήθως, ήταν καταπληκτικό», είπα. «Αλλά δεν έχει σημασία τι πιστεύω εγώ. Δικό σου είναι το show».

Ο Άλεντ γέλασε. Τι σπάνιο και πανέμορφο πράγμα το χαμόγελό του. «Δεν θα ήμουν εδώ χωρίς εσένα, βρε χαζοκέφαλη».

«Θα με κάνεις να κλάψω!»

«Δέκα δευτερόλεπτα», είπε ο Μπλε Μαλλιάς.

«ΚΑΙ ΤΩΡΑ ΣΑΣ ΠΑΡΟΥΣΙΑΖΩ ΜΙΑ ΝΕΑ ΦΩΝΗ ΣΤΟ EAST CONCERT HALL...»

Πάνιασε. Κυριολεκτικά. Μπορεί να έβλεπα ελάχιστα, αλλά είδα το χαμόγελό του να εξαφανίζεται. Σαν να πέθανε και να αναστήθηκε σε μια στιγμή.

«ΕΝΑΣ YOUTUBER ΦΑΙΝΟΜΕΝΟ ΠΟΥ ΠΡΟΣΦΑΤΑ ΞΕΠΕΡΑΣΕ ΤΟΥΣ 700.000 SUBSCRIBERS...»

«Κι αν δεν τους αρέσει;» ρώτησε. Μόλις που ακουγόταν. «Περιμένουν να τους παρουσιάσω κάτι ιδιοφυές».

«Δεν έχει σημασία», απάντησα. «Δικό σου είναι το show. Αν αρέσει σε σένα, τότε *είναι* ιδιοφυές».

«Ο ΜΥΣΤΗΡΙΩΔΗΣ ΦΟΙΤΗΤΗΣ ΠΟΥ ΚΡΥΒΟΤΑΝ ΠΙΣΩ ΑΠΟ ΤΗΝ ΟΘΟΝΗ ΕΔΩ ΚΑΙ ΤΡΙΑ ΧΡΟΝΙΑ...»

Η σκηνή εξερράγη από το χρώμα. Φώτα άρχισαν να αναβοσβήνουν στον χώρο. Το *Nothing Left For Us* άρχισε να παίζει. Ο Άλεντ πήρε την κιθάρα του και την κρέμασε στον ώμο.

«Θεέ μου», είπα. «Αχ Θεέ μου, Θεέ μου...»

«Πέντε δευτερόλεπτα».

«Ο ΜΥΣΤΗΡΙΩΔΗΣ...»

«Τέσσερα».

«Ο ΠΑΝΙΣΧΥΡΟΣ...»

«Τρία».

«Ο ΑΘΑΝΑΤΟΣ...»

«Δύο».

«Ο ΕΠΑΝΑΣΤΑΤΗΣ...»

«Ένα».

«RADIO... SILENCE!»

Μπορούσα να δω μονάχα το πίσω μέρος του κεφαλιού και

τον αυχένα του πάνω από το κοστούμι του τη στιγμή που βγήκε στη φωτεινή σκηνή, με βήματα αργά, ενώ ταυτόχρονα η μουσική δονούσε την ατμόσφαιρα. Μου κόπηκε η ανάσα και παρατήρησα τα πάντα. Το κοινό να σηκώνεται όρθιο, όλοι και όλες τους εκστασιασμένοι που τον έβλεπαν με σάρκα και οστά. Ήταν απίστευτο σε πόσους ανθρώπους έδωσε χαρά ο Άλεντ κάνοντας δύο βήματα πάνω στη σκηνή.

Είδα τα μέλη του συνεργείου να συνωστίζονται στα παρασκήνια για να δουν τον Ανώνυμο Creator. Είδα τον Άλεντ να υψώνει το γαντοφορεμένο χέρι του. Μπορούσα να δω κάθε πρόσωπο στο κοινό. Κάθε χαμογελαστό πρόσωπο, καθέναν που φορούσε γάντια και κοστούμι, σαν το Radio. Άλλους που είχαν ντυθεί Chester ή Atlas ή σαν τους υπόλοιπους νέους χαρακτήρες: Marine, Jupiter, Atom. Είδα μια κοπέλα μπροστά ντυμένη Τουλούζ και φτερούγισε η καρδιά μου.

Είδα τον Άλεντ, το Radio, ή όποιος κι αν ήταν αυτός ο τύπος να αρπάζει το μικρόφωνο, να ανοίγει το στόμα του και ψιθύρισα τις ίδιες λέξεις που ο ίδιος έλεγε φωναχτά προς το κοινό.

«Γεια σας. Ελπίζω κάποιος να με ακούει...»

UNIVERSE CITY Ζωντανά στο Live!Video London 2014

Live!Video

1.562.979 views

Δημοσιεύτηκε 16 Σεπ:

Η πρώτη ζωντανή εμφάνιση του Radio στο Live!Video London 2014 στο East Concert Hall το Σάββατο 22 Αυγούστου. Μετά την αποκάλυψη του πώς πραγματικά μοιάζει στην εμφάνισή του, το Radio περιγράφει την έρευνα για την εύρεση του Χαμένου Αδελφού του και τις τελευταίες εξελίξεις στην προσπάθειά του να αποδράσει από τη Universe City. Θα μιλήσει για το Μέλλον του Universe City, αλλά και για τις αδελφές-πόλεις της ανά τη χώρα.

Για το Radio:

Το Radio είναι ο δημιουργός του παγκοσμίως επιτυχημένου podcast «Universe City», τα podcast του οποίου έχουν συγκεντρώσει πάνω από δέκα εκατομμύρια θεάσεις στο YouTube από τον Μάρτιο του 2011. Κάθε επεισόδιο έχει διάρκεια 20-25 λεπτά και η σειρά παρουσιάζει τις περιπέτειες φοιτητών της Universe City, καθώς ανακαλύπτουν τα μυστικά της πόλης, τα λάθη και τις ίντριγκες, μέσα από την αφήγηση ενός φοιτητή, ο οποίος δεν θέλει να βρίσκεται εκεί – του αινιγματικού Radio Silence.

[ΔΕΝ ΥΠΑΡΧΕΙ ΑΠΟΜΑΓΝΗΤΟΦΩΝΗΣΗ]

ΕΥΧΑΡΙΣΤΙΕΣ

Ευχαριστώ όλους όσοι με στήριξαν κατά τη διάρκεια της συγγραφής του δεύτερου βιβλίου μου. Μου πήρε πολύ καιρό, αλλά τα κατάφερα!

Θέλω να ευχαριστήσω τους σημαντικότερους ανθρώπους στη ζωή μου – την ατζέντισσά μου, Κλερ, και τις επιμελήτριές μου, Λίζι, Σαμ και Τζόσελιν. Με βοηθάτε να πιστεύω πως ό,τι κάνω το κάνω καλά (και όχι χάλια) και πως... όλα είναι μια χαρά. Δεν θα ήμουν τίποτα χωρίς εσάς.

Ευχαριστώ, όπως πάντα, τους γονείς και τον αδελφό μου. Είστε η καλύτερη οικογένεια.

Ευχαριστώ τους φίλους μου, που είναι πάντα εκεί για γέλια, αγκαλιές και εκδρομές με το αυτοκίνητο. Ευχαριστώ τους συγκατοίκους μου από τη σχολή, που με βοήθησαν να μη χάσω τελείως το μυαλό μου. Ευχαριστώ την πολύ σημαντική μου φίλη, Λόρεν Τζέιμς – διατήρησες την πίστη μου σε αυτό το βιβλίο.

Θέλω να ευχαριστήσω το *Welcome to Night Vale*, πηγή έμπνευσης για το *Universe City* και απίστευτο podcast.

Και θέλω να ευχαριστήσω και εσάς, τους αναγνώστες και αναγνώστριες. Είτε είστε καινούριοι, είτε γνωριστήκαμε από τότε που πόσταρα στο Tumblr το 2010 πόσο απελπισμένα ήθελα να γίνω συγγραφέας. Όποιοι κι αν είστε, όπως και να βρήκατε το βιβλίο – το έγραψα για όλα μας.